HISTOIRE NATURELLE
DU SURNATUREL

Lyall Watson

HISTOIRE NATURELLE DU SURNATUREL

TRADUIT DE L'ANGLAIS

PAR

LÉO DILÉ

Edition originale américaine :

SUPERNATURE

© 1973 by Lyall Watson

Anchor Press/Doubleday
New York

© *Editions Albin Michel, 1974*

Sélectionné par le CLUB POUR VOUS · HACHETTE

ISBN 2-245-00293-8

La plus belle expérience que nous puissions vivre est celle du mystère.

ALBERT EINSTEIN,
dans *Philosophies vivantes,* 1931.

Sommaire

Introduction

La science ne comporte plus de vérités absolues. Même la discipline de la physique, dont les lois autrefois n'étaient pas attaquées, a dû se soumettre à l'indignité d'un principe d'incertitude. En ce climat d'incrédulité, nous avons commencé à douter même de propositions fondamentales et la vieille distinction entre naturel et surnaturel a perdu tout son sens.

Cela m'excite au plus haut point. La science figurée comme un puzzle, avec un nombre infini de pièces qui, un jour, seraient toutes bien proprement mises en place, ne m'a jamais séduit. L'expérience prouve que les choses se passent tout autrement. Chaque amélioration apportée au microscope révèle de nouveaux détails infimes dans des structures autrefois considérées comme indivisibles. Chaque accroissement de la puissance du télescope ajoute des milliers de galaxies à une liste déjà si longue qu'elle n'a de signification que pour des mathématiciens. Même l'étude de ce qui autrefois semblait être de simples types de comportement a maintenant des prolongements sans fin.

Il y a cinquante ans, les naturalistes se contentaient d'observer que les chauves-souris attrapent des papillons de nuit. Puis vint la découverte que les chauves-souris produisent des sons inaudibles pour l'oreille humaine et se servent d'échos pour localiser leur proie. Il apparaît maintenant que non seulement les papillons de nuit possèdent une protection contre le son, mais qu'ils ont des oreilles spécialement conçues pour capter l'approche d'un émetteur ennemi. En riposte à ce progrès technique, les chauves-souris ont adopté un itinéraire de vol irrégulier qui a désorienté les papillons jusqu'à ce que ceux-ci les aient à leur tour rattrapées avec un système de brouillage des ultrasons. Cependant, les chauves-souris continuent de capturer des papillons de nuit, et la découverte par les savants d'une nouvelle étape dans l'escalade de cette guerre de la nature peut n'être plus qu'une question de temps.

La meilleure des sciences a des contours indécis, des limites qui restent obscures et s'étendent sans interruption jusqu'en des régions totalement inexplicables. Sur la frange, entre les phénomènes que nous tenons pour normaux et ceux qui, tout à fait paranormaux, défient l'explication, il existe une masse de phénomènes semi-normaux. Entre la nature et le surnaturel, il existe un ensemble de phénomènes que je propose de désigner par le nom de *Surnature*. C'est de cet entre-deux que traite le présent livre.

Au cours d'études passablement éclectiques, englobant la plupart des sciences naturelles, à bien des moments le programme a frôlé quelque chose d'étrange, a renâclé devant l'obstacle et l'a franchi comme si rien ne s'était passé. Ces points de rupture m'ont toujours tracassé, j'en ai rencontré un si grand nombre que le moment me paraît venu d'y revenir pour les rassembler et chercher à les relier au reste de mon expérience. De cette confrontation semble se dégager un sens cohérent, mais je tiens à souligner qu'il ne s'agit là que d'une ébauche et non d'une étude définitive. Ma synthèse dépasse tellement les bornes des pratiques admises que je dois me résigner d'avance à la voir taxée d'extravagance par bien des savants, tandis que les tenants de l'occultisme lui reprocheront de ne pas aller assez loin. Mais voilà précisément l'utilité de jeter des ponts : j'espère qu'une rencontre se produira quelque part à mi-chemin.

En général, on définit le surnaturel comme ce qui n'est pas explicable par les forces connues de la nature. La Surnature, elle, ne connaît aucune limite. Trop souvent, nous ne voyons que ce que nous nous attendons à voir, et notre vision du monde se trouve restreinte par les œillères d'une expérience limitée ; mais il n'est pas nécessaire qu'il en soit ainsi. La Surnature est la nature avec toutes ses saveurs intactes, là, toutes prêtes, attendant d'être goûtées. Je la propose comme une extension logique de l'état présent de la science ; comme une solution à certains des problèmes auxquels se heurte la science traditionnelle, et comme un analgésique pour l'homme moderne.

J'espère qu'elle apportera encore davantage. Un des traits les plus constants du comportement humain est le besoin de croire à l'invisible et, en tant que biologiste, il me paraît difficile d'admettre que ce soit pur hasard. Ces croyances, ou les faits singuliers à quoi elles s'attachent avec tant d'obstination, doivent avoir une réelle importance pour la survie de l'espèce et je crois que nous approchons rapidement du moment où cette importance nous apparaîtra. Plus l'homme épuisera les ressources du monde, plus il lui faudra compter sur celles qu'il porte en lui. Beaucoup d'entre elles sont encore cachées dans l' « occulte », mot qui signifie simplement « connaissance secrète » et qui définit parfaitement quelque chose que nous savons depuis toujours, mais que nous avons toujours refusé de voir.

Cette histoire naturelle du surnaturel se propose d'étendre l'usage des cinq sens traditionnels à des domaines jusqu'à présent réservés à d'autres sens secrets. Elle tente de faire entrer la nature, connue et inconnue, dans le corps unique de la Surnature et de montrer que, de toutes nos facultés, aucune n'est plus importante, en ce temps présent, que la faculté de nous émerveiller.

Avertissement

Les données qui forment le sujet de la majeure partie de ce livre sont si controversées que j'ai cru nécessaire de fournir des références détaillées à toutes mes sources d'information. Les appels de note dans le texte renvoient à la bibliographie en fin de volume. La plupart des citations proviennent de journaux réputés pour leur sérieux et, quand je n'ai pu vérifier moi-même les résultats, j'ai dû me fier à l'habitude de la plupart des rédacteurs en chef de soumettre les articles proposés à des experts avant d'accepter de les publier. Chaque fois que je l'ai pu, j'ai consulté les sources originales et j'ai eu lieu de m'en féliciter. Ainsi, un exposé paru dans le *Scientific American* de mars 1965 sous le titre de « la Vision extra-rétinienne démasquée » prétendait que Rosa Koulechova était une faussaire et que « regarder à la dérobée est facile, si on en croit les gens initiés aux trucs des numéros de lecture de pensée ». Depuis, plusieurs livres se sont fondés sur ce texte pour justifier leur refus d'admettre le phénomène tout entier, mais si on se réfère au compte rendu d'observation original, on constate qu'en dépit du fait que Koulechova fut une fois surprise en train de tricher fort maladroitement au cours d'une séance publique elle possède néanmoins un don qu'on ne saurait écarter d'un haussement d'épaules. Je n'ai pas à m'excuser de m'être fréquemment appuyé sur des publications telles que le *Journal of the Society for Psychical Research* et le *Journal of Parapsychology* : ils ont tous deux un niveau d'érudition et d'objectivité aussi élevé que n'importe quelles autres publications universitaires.

Quand il n'y a pas de référence, c'est que j'ai donné libre cours à mon inspiration personnelle.

PREMIÈRE PARTIE

LE COSMOS

Je ne puis croire que Dieu joue aux dés avec le cosmos.

ALBERT EINSTEIN,
dans l'*Observer* de
Londres, 5 avril
1964.

Sur la terre existe la vie. Une vie seule et unique qui englobe chaque animal, chaque plante de la planète. Le temps l'a divisée en plusieurs millions de parties, mais chacune est partie intégrante de l'ensemble. Une rose est une rose, mais c'est aussi un rouge-gorge et un lapin. Nous sommes tous une seule chair, tirée du même creuset.

On compte dans la nature 92 éléments chimiques, mais un petit groupe de 16 d'entre eux seulement forment la base de toute matière vivante. L'un des 16, le carbone, joue un rôle central en raison de sa capacité de former des chaînes et maillons complexes, qui peuvent s'assembler en une immense quantité de composés. Pourtant, sur les milliers de combinaisons possibles, seuls 20 aminoacides se sont révélés être les composants primaires de toutes les protéines. Plus significatif encore, ces protéines sont produites au bon endroit, au bon moment, par une suite bien ordonnée d'événements que gouverne un code contenu dans quatre molécules seulement appelées bases nucléotides, et cela, que la protéine soit destinée à devenir bactérie ou chameau. Les instructions pour toute vie sont rédigées dans le même langage simple.

Les activités de la vie sont gouvernées par la seconde loi de thermodynamique. Elle dit que l'état naturel de la matière est le chaos et que toutes choses ont tendance à se désagréger, à s'abandonner au hasard et au désordre. Les systèmes vivants sont formés de matière hautement organisée ; ils créent de l'ordre à partir du désordre, mais non sans une lutte constante contre le processus de désintégration. L'ordre est maintenu par l'absorption d'énergie extérieure qui fait fonctionner le système. Ainsi les systèmes biochimiques échangent-ils constamment de la matière avec ce qui les entoure — ce sont des processus thermo-

dynamiques ouverts, par opposition à la structure thermostatique fer-
mée des réactions chimiques ordinaires.

Tel est le secret de la vie. Cela signifie qu'il existe une communication continue, non seulement entre toutes les créatures vivantes et
leur environnement, mais entre toutes les créatures qui vivent dans
cet environnement. Un complexe réseau d'interactions relie toute vie
en un seul et vaste système indépendant. Chaque partie se trouve
reliée à toutes les autres, et tous nous faisons partie de l'ensemble,
partie de la Surnature.

Je vais, dans cette première partie, examiner comment, dans certains
cas, notre système biologique se trouve influencé par son environnement.

CHAPITRE PREMIER

L'ordre et la loi dans le Cosmos

LE CHAOS APPROCHE. C'est inscrit dans les lois de la thermodynamique. Laissée à elle-même, toute chose tend à devenir de plus en plus désordonnée, jusqu'à ce que l'état final et naturel soit une distribution totalement hasardeuse de la matière. N'importe quelle espèce d'ordre, fût-il aussi simple que la disposition d'atomes en molécule, est contraire à la nature et ne se produit que grâce à des rencontres fortuites qui renversent la tendance générale. Ces rencontres sont statistiquement peu probables et la combinaison ultérieure de molécules en un système aussi compliqué qu'un organisme vivant est follement improbable. La vie est donc une chose rare et déraisonnable.

Que la vie continue dépend du maintien de cette situation instable. C'est comme un véhicule qui ne peut tenir la route que grâce à des réparations continuelles et à la possibilité de puiser dans une provision illimitée de pièces de rechange. La vie tire ses éléments constitutifs du milieu environnant. De la masse chaotique de probabilités qui passe, elle n'extrait que des improbabilités particulières, de petits bouts d'ordre au sein du désordre général. La vie se sert de certains d'entre eux comme d'une source d'énergie qu'elle obtient grâce au processus destructif de la digestion ; d'autres, elle tire l'information dont elle a besoin pour assurer la continuation de la vie. C'est là le plus difficile, tirer l'ordre du désordre, distinguer dans cet environnement les données qui comportent les informations utiles de celles qui ne font que contribuer au processus général de désagrégation. La vie y parvient grâce à un magnifique sens de l'incongru.

Le cosmos est un charivari de confusion bruyante. Là, tout est soumis à un bombardement constant d'ondes électromagnétiques et sonores discordantes. Contre ce tumulte, la vie se protège en utilisant des organes sensoriels comparables à des fentes étroites qui ne laissent pénétrer qu'un éventail très limité de fréquences. Mais il arrive que celles-ci soient encore trop fortes, aussi existe-t-il la barrière supplémentaire d'un système nerveux qui filtre l'énergie absorbée et la trie en « information utile » et « bruits sans intérêt ». Si par exemple on expose un chat à un cliquetis électronique continu, il commence par entendre le stimulus et y réagit, mais bientôt il s'y habitue et finit par réellement cesser de ressentir le bruit (87) *. Une électrode implantée dans le nerf auditif conduisant de son oreille interne au cerveau montre qu'au bout d'un moment ce nerf va jusqu'à cesser de transmettre au cerveau l'information concernant le cliquetis. Le stimulus régulier a été classé parmi les bruits de fond sans intérêt et rejeté en tant qu'information ; mais sitôt qu'il s'arrête, le chat dresse l'oreille, car il remarque ce phénomène nouveau, donc incongru. Les marins réagissent de la même façon en se réveillant en sursaut fût-ce du plus profond sommeil quand le bruit du moteur de leur bateau change de régime ou s'interrompt tout à fait.

Tous, nous possédons cette aptitude à nous concentrer sur certains stimuli en négligeant les autres. La « concentration des cocktail-parties » en est un bon exemple ; c'est ce qui nous permet de nous brancher sur le son de voix d'une seule personne, parmi tant d'autres qui tiennent toutes des propos similaires (235). Jusque dans notre sommeil, l'enregistrement de nos ondes cérébrales montre que nous réagissons plus fortement au son de notre propre nom qu'à celui de tout autre. Il s'agit là de réactions acquises, mais toute vie trie, automatiquement et de la même manière, le chaos environnant et ne se concentre que sur les improbables événements réguliers cachés dans le désordre prédominant.

Les organismes vivants sélectionnent l'information à partir de leur environnement, la traitent conformément à un programme (en l'occurrence un programme capable d'assurer les meilleures chances possibles de survie) et en tirent une mise en ordre qui devient à son tour une source de matière première et d'information pour une autre créature vivante. C'est exactement ainsi qu'opère un ordinateur ; aussi n'est-il pas surprenant que le développement récent des systèmes d'ordinateurs ait été accompagné d'un progrès dans la compréhension de la vie. Les ordinateurs opèrent sur la base d'une information programmée, fournie conformément à une théorie qui définit l'information comme la fonc-

* Les chiffres entre parenthèses renvoient à la Bibliographie *in fine*.

tion d'improbabilité, soit : « Plus un événement est improbable, plus il apporte d'information (41) ». Pour en revenir à la comparaison entre vie et véhicule, notre exemple signifie que nous devons entendre les improbables bruits parasites d'une automobile neuve, mais ne guère prêter attention à ceux, bien plus probables, d'une vieille voiture. Le son a beau être identique, entendu au volant de la vieille c'est un élément de l'environnement qui n'apporte que très peu d'information utile. Dans un système où toute chose tend vers la désagrégation, un symptôme supplémentaire de désordre n'offre pas le moindre caractère d'improbabilité et n'a rien de distinctif.

Une seule lumière brillant par une sombre nuit sans lune dans le désert est très voyante et vaut manifestement la peine qu'on y aille voir, mais, même entourée d'autres sources lumineuses, on remarquera celle qui s'allume et s'éteint ou qui change de couleur. Lancés à travers l'espace à bord de notre planète, nous sommes continuellement exposés aux forces du cosmos. La plupart d'entre elles sont presque constantes et ne nous font guère d'impression consciente ; nous n'y prêtons pas plus d'attention qu'à la force de gravité qui nous cloue à notre véhicule. Ce n'est que lorsque les forces cosmiques changent ou varient comme des lampes clignotantes qu'elles deviennent visibles, acquérant valeur d'information et de signal. Beaucoup de ces changements sont cycliques, se produisant et se reproduisant à des intervalles plus ou moins réguliers, ce qui donne à la vie le temps de se construire une sensibilité spécifique aux changements, ainsi qu'un système de réaction à l'information qu'ils transmettent.

J'ai dit que la vie apparaît par hasard et que la probabilité de son apparition et de sa persistance est infinitésimale. Il est encore plus incroyable que cette vie ait pu, dans le temps relativement bref où elle a existé sur notre planète, produire plus d'un million de formes vivantes distinctes — celles-ci n'étant que le sommet d'une énorme pyramide de réussites et d'échecs passés. Croire que cela ne s'est produit que par hasard soumet à rude épreuve la crédulité des plus mécanistes des biologistes. Le généticien Waddington a comparé ce phénomène à « lancer des briques en tas » dans l'espoir qu'elles « se disposeront d'elles-mêmes en une maison habitable » (334). Je crois qu'effectivement le hasard a joué un grand rôle dans le processus, mais que son action a été servie par un système d'information à demi caché dans le chaos cosmique.

Le cosmos lui-même est sans lignes directrices, un méli-mélo d'événements fortuits et désordonnés. Grey Walter, le découvreur de plusieurs modèles fondamentaux des rythmes du cerveau, l'exprime à la perfection. Il déclare que le caractère le plus significatif d'un modèle est qu' « on peut s'en souvenir et le comparer à un autre ». C'est en quoi il se distingue des phénomènes fortuits ou du chaos. En effet, la notion de hasard sous-entend que le désordre ne peut se comparer à rien ; « on ne peut se rappeler le chaos ni comparer un chaos avec un autre ; le mot d'ailleurs ne comporte pas de pluriel » (335). La vie crée des modèles à partir d'un désordre sans modèle, mais j'avance comme hypothèse que la vie a été elle-même créée par un modèle dont le diagramme est inhérent aux forces cosmiques auxquelles la vie était et demeure exposée. Ce sont ces influences de l'environnement qui sont cachées derrière la majeure partie de la Surnature.

LA TERRE

Les forces cosmiques reparaissent selon des modèles cycliques auxquels la vie apprend à réagir. Les plus fortes réactions sont naturellement liées aux cycles les plus courts, ceux qui produisent le plus grand nombre de changements dans un laps de temps donné. Les plus fondamentaux et les plus familiers de tous ces changements sont ceux que produit le mouvement de notre Terre autour de son axe.

Nous vivons sur une sphère déformée, non seulement légèrement aplatie aux pôles, mais encore piriforme, légèrement renflée dans son hémisphère sud. Cette sphère pivote d'ouest en est à seize cents kilomètres à l'heure environ et tourne autour du Soleil à plus de soixante fois cette vitesse ; toutefois, les deux mouvements sont influencés par sa forme irrégulière. Le temps pris par la Terre pour accomplir une révolution complète autour de son axe est variable et dépend en outre de l'objet spatial pris comme point de référence. Si le point fixe choisi est le Soleil, une révolution, ou jour solaire, dure 24,0 heures. Le jour lunaire est de 24,8 heures et, en mesurant notre rotation par rapport à l'une des lointaines étoiles fixes, nous obtenons un jour sidéral long de 23,9 heures. Par commodité, nos calendriers sont fondés sur le jour solaire moyen — la durée moyenne de tous les jours solaires d'un bout à l'autre de l'année. Mais il s'agit là d'un choix arbitraire et il semble que la vie en elle-même soit sensible aux trois cycles.

Nous disons que « un jour » compte vingt-quatre heures et pourtant nous divisons aussi la même période en « la journée » et « la nuit ». Cette confusion de mots * conduit à une véritable confusion quant aux

---

* L'anglais ne dispose que d'un seul mot *(day)* pour exprimer ces deux notions.

rôles biologiques du jour et de la nuit, mais en fait toute vie sur terre dépend en dernier ressort du Soleil, aussi le problème se réduit-il à la présence ou à l'absence de clarté solaire. Un des changements les plus traumatisants dont la vie puisse avoir l'expérience est la disparition soudaine et inopinée du Soleil. Au cours des rares occasions d'éclipse totale, les créatures vivantes sont jetées dans un désarroi complet. J'ai vu un aigle tomber tout droit du ciel afin de se réfugier à la cime d'un arbre et une troupe de babouins en train de fourrager se précipiter dans la formation défensive par quoi ils réagissent normalement à l'approche d'un prédateur, aucune des deux espèces ne sachant au juste en quel sens aller pour affronter cette menace nouvelle et inattendue. Seul, l'homme sait quand il faut s'attendre à la prochaine éclipse de Soleil par la Lune. Par contre, tous les organismes vivants sont habitués à la quotidienne oblitération de la clarté solaire due au mouvement de notre planète.

La lumière et l'obscurité alternent suivant un modèle régulier qui fournit à la vie une information fondamentale. Ce modèle a été nommé le rythme diurne ; or la durée du cycle, les quantités relatives de lumière et d'obscurité, ainsi que la réaction d'un organisme à la lumière ou à l'absence de lumière, tout cela varie. Aussi un nom nouveau, plus précis, fut-il forgé en 1960 par Franz Halberg, médecin physiologue à l'université du Minnesota. Il combina deux racines latines afin de créer le mot « circadien », signifiant ce qui dure un jour environ (132). Les rythmes circadiens produits par le mouvement de la Terre peuvent s'observer à tous les niveaux de complexité dans la vie.

Au plus bas de l'échelle se trouve un groupe d'organismes revendiqués à la fois par les botanistes et les zoologistes. Il s'agit de minuscules fragments de protoplasme non divisé, qui, dotés de chlorophylle grâce à quoi, comme les plantes, ils tirent leur nourriture du soleil, sont pourvus en outre d'un long flagelle qui ondule sous l'eau et les pousse comme des animaux à la poursuite du soleil. Maintenus dans l'obscurité, ils renoncent aux méthodes botaniques de production alimentaire et captent des particules de nourriture toute prête, dans la meilleure tradition zoologique. Typique du groupe est une petite ampoule verte appelée *Euglena gracilis*, qui vit dans les mares d'eau douce peu profondes. A une extrémité de son fin corps élastique, près du propulseur en forme de fouet, se trouve un minuscule « point oculaire » de pigment foncé qui n'est pas lui-même sensible à la lumière, mais masque le véritable granule photosensible, situé à la base du fouet. Quand le point oculaire couvre « l'œil », rien ne se produit ; mais quand la lumière tombe sur le granule, celui-ci déclenche l'agitation du fouet à environ douze battements par seconde et propulse l'organisme, dans un mouvement en spirale, jusque dans la lumière.

L'euglène se stabilise dans la clarté solaire en adoptant une position telle que le granule soit couvert par sa paupière. Elle se déplace en même temps que le Soleil, mais perd peu à peu sa sensibilité et vers la fin de la journée elle est beaucoup moins active. Si cet organisme passait toute la journée à pourchasser le moindre rayon, il dépenserait son énergie aussi vite qu'il pourrait la produire et il ne lui en resterait rien pour d'autres processus ou pour s'alimenter pendant la nuit. Ainsi, non seulement l'euglène s'est dotée d'une réaction vitale aux modifications de l'environnement, mais elle le fait en fonction de l'information fournie par la régularité de ces modifications. Elle a produit un mécanisme régulateur de ses mouvements de fonctionnement optimal, rapide quand le mouvement est le plus nécessaire, ralenti lorsqu'il devient moins important. Le caractère constitutif de ce mécanisme a été démontré par sa persistance dans une population d'euglènes maintenue dans une obscurité constante. Malgré l'absence totale de lumière, tous les individus devenaient actifs et sensibles à la lumière au même moment chaque jour, moment où le Soleil, qu'ils ne pouvaient voir, s'élevait dans le ciel, et y devenaient insensibles quand la lumière extérieure au laboratoire commençait à décliner (250). Ne pouvant plus fabriquer leur nourriture à partir du soleil, elles se mirent à se nourrir de particules qui se trouvaient dans leur environnement ; mais ne le faisaient que pendant les heures normales de clarté diurne, bien que cette nourriture fût à leur disposition tout le temps. Ainsi, même l'euglène, avec sa cellule unique, suit un rythme circadien précis.

Notre connaissance du développement d'organismes multicellulaires à partir des premières cellules solitaires est très limitée, étant donné qu'elles ont rarement laissé des traces fossiles ; mais il semble vraisemblable que toute vie végétale et animale est dérivée de quelque chose d'assez comparable à l'euglène. Au cours de l'évolution, les cellules destinées à exercer des fonctions plus spécialisées dans des organismes complexes furent modifiées dans une large mesure, mais la plupart conservèrent quelque chose de leur indépendance primitive. L'homme lui-même a encore des cellules isolées susceptibles de se détacher entièrement de son corps pour vivre et se mouvoir par elles-mêmes — en route pour féconder un ovule. Si on prélève une cellule sur la racine d'une plante telle que la carotte, on peut la conserver en vie au sein d'une solution nutritive et faire naître un nouveau pied entier de carotte (350). Nous considérons les organismes vivants comme des entités et nous avons tendance à oublier qu'il s'agit de sociétés complexes de cellules isolées, dont chacune a beaucoup en commun avec toutes les autres, non seulement dans l'individu considéré, mais dans tous les autres organismes ayant jamais vécu. C'est Alexander Pope qui a reconnu que « toutes ne sont que parties d'un prodigieux ensemble, dont Nature est le corps » (251).

Les rythmes circadiens existent chez de simples organismes unicellulaires, sans hormones ni système nerveux spécialisé. Chez des formes multicellulaires plus complexes qui, elles, possèdent ces avantages, les rythmes circadiens obéissent à des schémas plus compliqués et réagissent à des stimuli infiniment plus faibles de l'environnement.

Parmi toutes les espèces appelées à servir dans nos laboratoires, peu ont autant contribué à notre connaissance de la vie qu'une mouche des fruits nommée drosophile. Ce genre comprend plus de mille espèces, mais la plus prisée est la *Drosophila melanogaster*. Cette petite mouche aux ailes écartées a juste la dimension d'un « v » en petit caractère, mais en 1909 Morgan découvrit qu'elle possède d'énormes chromosomes dans les cellules de ses glandes salivaires et bientôt la mouche fut entourée par de bruissantes nuées de généticiens. Aujourd'hui, presque toutes les universités du monde entretiennent une culture de drosophiles ; aussi n'est-il pas surprenant, lorsque les biologistes tournèrent leur attention vers l'étude des rythmes naturels, qu'ils aient de nouveau fait appel à la drosophile. Les résultats se sont révélés passionnants.

La surface des petits animaux est très vaste proportionnellement à leur masse. Lorsque, comme la drosophile, ils vivent sur terre, ils sont confrontés au problème de la déperdition d'eau sur toute cette surface, qui les contraint à trouver un moyen de conserver leur humidité interne. La plupart des insectes résolvent le problème en s'enveloppant d'une robuste cuticule cireuse qui résiste à la dessication. Les drosophiles adultes sont protégées de cette manière, mais au moment où elles émergent de leur nymphée, leurs corps sont encore tendres et leurs ailes repliées en un délicat enchevêtrement de dentelle qui ne peut se déployer et se raidir que s'il y a de l'humidité. Aussi les mouches émergent-elles toutes à l'aube, quand l'air est frais et l'humidité forte. Il est probable que dans les conditions naturelles la nymphe est sensible à la lumière et à la température et peut fixer comme il convient l'heure de son éclosion ; elle n'a pourtant pas besoin de tous ces indices.

Colin Pittendrigh, de l'université de Princeton, a conçu une élégante série d'expériences qui montrent à quel point la drosophile réagit aux moindres bribes d'information (248). Il tint des œufs de drosophile dans l'obscurité complète et dans des conditions de température et d'humidité constantes. Les œufs s'ouvrirent, les larves prospérèrent, se développèrent, se transformèrent en nymphes. Le développement se produisit normalement à l'intérieur de la nymphée et les mouches adultes finirent par éclore, mais le firent au hasard, sans suivre aucun ordre circadien. Pittendrigh répéta alors l'expérience avec une nouvelle série d'œufs ; mais cette fois, il soumit les larves à un seul et unique jet de lumière durant exactement le millième de seconde d'un éclair électronique. A aucun autre moment de leur existence, elles ne furent exposées à la lumière ; et cependant, toutes les mouches émergèrent ensemble de leur nymphée.

Les rythmes internes des insectes en métamorphose avaient donc été synchronisés par un signal incroyablement ténu et ils ont gardé le même tempo pendant plusieurs jours à la suite de ce stimulus. Ensuite, Pittendrigh démontra que le rythme était circadien en exposant un peu plus longuement les larves à la lumière. Les mouches issues de ces larves émergèrent ensemble, à un moment qui aurait été celui du lever du soleil si on considère que l'heure d'extinction de la lumière était celle du coucher du soir précédent. Autrement dit, les mouches commençaient à compter quand tombait l'obscurité. D'après ces expériences, il semble que le rythme soit inhérent à la drosophile et que la mouche n'ait besoin que d'une légère stimulation pour déclencher le cycle et le maintenir en marche. Ce qui me frappe particulièrement, c'est qu'une mouche n'éclôt qu'une seule fois dans sa vie ; elle n'a aucune occasion d'apprendre et de pratiquer cette activité ; et pourtant, elle n'en opère pas moins sur un horaire de vingt-quatre heures. Ce rythme naturel doit donc être instinctif, c'est-à-dire enregistré dans les cellules de l'insecte et n'attendant que le signal de l'environnement pour que se déclenche une série de comportements parfaitement chronométrés.

Il se peut que cette horloge soit logée dans les cellules elles-mêmes, mais Janet Harker, de l'université de Cambridge, a montré que la coordination entre cellules est réalisée par des messagers chimiques, porteurs de signaux chronologiques (135). Les cafards ont mauvaise réputation, mais ce sont d'excellents sujets d'expériences. L'espèce commune, *Periplaneta americana*, entre en activité peu après la tombée de la nuit et fouille sans arrêt les ordures pendant cinq ou six heures ; mais si on coupe la tête d'un individu, il cesse de manifester ce rythme d'activité circadien. Cela n'a rien de surprenant, pensera-t-on. Eh bien si : si l'on procède chirurgicalement à l'ablation de la tête en prenant soin d'empêcher l'insecte de saigner à mort, il survit pendant plusieurs semaines. Privé de sa tête, le cafard finit bien par mourir de faim, mais tant qu'il survit, il continue à se déplacer, de façon désordonnée et sans but.

Or Janet Harker découvrit qu'elle pouvait rendre à son cafard le sens de la direction par transfusion. Les insectes ont tous un système circulatoire très rudimentaire, où le sang se contente de baigner les organes internes au sein de la cavité corporelle. Un individu peut être amené à partager son sang avec un autre en découpant un trou dans l'enveloppe externe de chacun, et en les faisant communiquer par un court tube de verre. Harker résolut le problème des divergences d'opinion entre les deux insectes par un compromis ingénieux bien qu'assez abominable : elle attacha dos à dos le donneur de sang et le cafard décapité, et coupa les pattes de l'insecte supérieur afin de l'empêcher de donner des coups et de renverser ce bizarre attelage. Appariés de la sorte en parabiose (vie côte à côte) le cafard à deux corps, une seule tête et un seul groupe de pattes, fonctionnna de façon presque normale. Il suivit de nouveau le rythme circadien type, avec activité limitée à la période suivant immédiatement la tombée de la nuit (137). Quelque chose, dans le sang du donneur, traversait le tube en verre et communiquait le rythme aux pattes désorganisées du cafard sans tête. La substance responsable semble être une hormone sécrétée dans la tête de l'insecte. Harker fit une série de transplantations chirurgicales d'organes prélevés dans la tête et s'aperçut que le ganglion subœsophagien (un réseau de nerfs situé juste au-dessous de la bouche) était la source du message ; elle découvrit que si ce ganglion était transféré à un cafard décapité, l'insecte adoptait un rythme identique à celui du donneur.

Ainsi, chez le cafard, le centre qui réagit aux cycles naturels de lumière et d'obscurité a-t-il été localisé et peut même être transplanté. C'était là un renseignement capital, mais Harker a poursuivi ses expériences et découvert quelque chose d'encore plus intéressant (136). Elle a fait vivre un groupe de cafards selon leur horaire normal et soumis un deuxième groupe à un horaire inversé, c'est-à-dire éclairage toute la nuit et obscurité pendant le jour. Le second lot ne tarda pas à s'adapter et devint actif pendant la nuit artificielle, en sorte que son rythme était toujours déphasé par rapport au groupe témoin. On pouvait alors transplanter facilement un ganglion subœsophagien d'un membre du premier groupe à un individu sans tête du second et il imposait son propre rythme au receveur ; mais si le second cafard conservait également sa propre horloge, des troubles se produisaient aussitôt. Le ganglion supplémentaire se révélait une arme fatale. Ayant deux chronomètres qui lançaient des signaux opposés, le pauvre insecte était jeté dans la plus grande agitation. Son comportement se désorganisait complètement, il ne tardait pas à présenter des symptômes de troubles aigus, tels que tumeurs malignes à l'intestin, et il en mourait.

C'est là une démonstration parfaite de l'importance des cycles naturels dans la vie ; la confusion dans le rythme du cafard le tue. La vie a un tempo propre et il semble que ce rythme date de loin, déterminé surtout par la rotation de notre planète qui allume et éteint le soleil comme un stroboscope cosmique géant.

La vie a surgi dans le bouillon primitif grâce à l'action de la lumière solaire sur les molécules simples. On peut à la rigueur, en tirant sur nos connaissances en biochimie, envisager des conditions où la vie pourrait naître en l'absence de lumière ; mais il est malaisé de voir comment elle pourrait se perpétuer une fois qu'elle aurait consommé toute la nourriture disponible. Les ondes lumineuses apportent à la fois de l'énergie et de l'information. Ce n'est pas par hasard que la quantité d'énergie contenue dans la lumière visible correspond parfaitement à l'énergie nécessaire pour que s'effectuent la plupart des réactions chimiques. Les radiations électromagnétiques couvrent un vaste éventail de fréquences possibles, mais la lumière solaire comme la vie sont confinées sur la même infime section de ce spectre, ce qui rend difficile de ne pas conclure que l'un dépend directement de l'autre.

A mesure que diverses formes de vie évoluaient sur terre, les formes équipées pour appréhender leur environnement et utiliser l'information reçue étaient favorisées. Etant donné que la lumière couvre des distances considérables, elle est sans doute la meilleure source d'information disponible et, de toutes les forces cosmiques, la mieux adaptée à être perçue. L'alternance quotidienne entre lumière et obscurité informe sur la rotation de la Terre et la fluctuation des quantités relatives de lumière et d'obscurité reçues chaque jour sur la progression de la Terre dans son mouvement autour du Soleil.

L'axe de la Terre est incliné par rapport à la verticale, de sorte qu'au cours de son circuit orbital la planète présente chaque jour au Soleil une face légèrement différente. Deux fois par an, les rayons solaires tombent à la verticale sur l'équateur et les jours ont partout une durée d'exactement douze heures. Tout le reste du temps, tantôt le pôle Nord, tantôt le pôle Sud est incliné vers notre astre et il y a déséquilibre entre les quantités de lumière et d'obscurité qui tombent sur des endroits situés à des latitudes différentes. Cette variation régulière fournit aux organismes une information qui leur permet de s'adapter à un cycle annuel de modifications dans le rythme circadien. Cette sensibilité est nommée le rythme circannuel : celui qui dure une année environ.

Ce rythme fut découvert presque par hasard à l'université de Toronto, au cours des travaux de Kenneth Fisher sur l'écureuil *Citellus lateralis* (244). Fisher fit vivre ces minuscules rongeurs de haute altitude dans une pièce sans fenêtre, à une température constante de 0° C. et avec douze heures de lumière par jour. Il constata qu'ils restaient actifs avec une température interne de 37° C, jusqu'en octobre ; leur température interne tombait alors à 1° C et les écureuils entraient dans leur hibernation coutumière. Puis, malgré l'absence de tout changement de lumière ou de chaleur extérieure, ils se réveillaient tous en avril, étaient actifs tout l'été et retombaient en léthargie à l'automne suivant. Dans une seconde expérience, Fischer entretint une température constante de 35° C et constata qu'elle était suffisante pour empêcher les écureuils de tomber en léthargie, mais qu'ils continuaient à prendre du poids en automne et à le perdre lentement durant l'hiver, tout comme s'ils avaient véritablement hiberné.

Etre sensible à un cycle annuel a des avantages manifestes. Cela aide l'organisme à prédire les changements saisonniers de son environnement et à en tenir compte. L'oiseau qui passe ses hivers dans le climat uniforme des tropiques pourra utiliser ce sens pour déterminer le moment opportun de son retour vers le nord pour nidifier. Le mammifère qui passe tout l'hiver dans des contrées nordiques utilise sa sensibilité aux changements annuels pour faire en temps utile ses provisions de nourriture. Les deux animaux sont stimulés par le photopériodisme, soit la sensibilité aux quantités relatives de lumière et d'obscurité quotidiennes.

Les minuscules pucerons vert pâle des plantes, ou aphidiens, qui passent leur été à plonger leurs parties buccales dans les végétaux dont ils pompent la sève, se reproduisent pendant la période des jours longs, par un processus de parthénogénèse où aucun mâle n'est impliqué (191). Toutefois, lorsqu'il y a moins de quatorze heures de clarté diurne, à l'approche de l'automne, ils commencent à se reproduire sexuellement et à pondre des œufs qui survivent tout l'hiver. Beaucoup d'autres animaux changent d'apparence, plutôt que d'habitudes, en adoptant une robe hivernale. Les belettes, d'un brun terne en été, se transforment en resplendissantes belettes blanches qui peuvent se cacher dans la neige. Si une belette reçoit à l'automne un supplément de lumière artificielle, qui allonge sa journée, elle ne revêt jamais sa robe de camouflage ; ainsi, comme pour l'aphidien, c'est la longueur du jour, et elle seule, qui lui indique l'approche de l'hiver.

La lumière visible provenant du Soleil agit également sur la matière non vivante en agitant ses molécules et en produisant de la chaleur. La température n'est rien de plus qu'une mensuration de la quantité d'énergie fournie par le mouvement de la molécule. A température élevée, les molécules ont plus d'énergie, se meuvent plus vite et se heurtent entre elles plus souvent. Voilà pourquoi un accroissement de la température accélère le rythme de la plupart des réactions chimiques — d'où l'application du bec Bunsen à une expérience afin de la déclencher. Les réactions biochimiques sont affectées de la même manière et, tant que la chaleur n'est pas assez élevée pour provoquer des dégâts, plus la température est haute, plus le taux du métabolisme monte. Ainsi, du fait de leur structure même, les organismes vivants ont une sensibilité interne aux changements de température et, comme ces changements sont produits par la lumière du soleil, ils suivent le même cycle de vingt-quatre heures que le photopériodisme. A l'université de Londres, Hans Kalmus a découvert que les œufs de sauterelle éclosent à l'aube, chaque jour, s'ils sont maintenus à 22 °C, mais qu'ils n'éclosent au lever du soleil que tous les trois jours s'ils sont maintenus à 11 °C (170).

La plupart des animaux à sang froid se trouvent totalement à la merci de fluctuations de température qui fixent le rythme de leur existence ; mais chez les mammifères et les oiseaux, c'est souvent l'activité qui détermine la température corporelle. Les souris atteignent leur température maximale au moment où leur activité devient la plus grande, aux environs de minuit, et leur minimum dans la chaleur de midi, qui est le milieu de leur période de repos (18). Ainsi leur température suit-elle un cycle de vingt-quatre heures, qui n'est pas fonction de la température ambiante. Certains parasites profitent de ce phénomène et règlent leur pendule d'après le cycle de leurs hôtes.

Les parasites du paludisme envahissent les globules rouges où ils se multiplient jusqu'à ce que la cellule ne puisse plus supporter la tension et éclate, ce qui libère des rejetons qui vont chercher d'autres corpuscules et le cycle recommence. Si les parasites agissaient un par un, cela n'aurait guère d'effet sur leur hôte ; mais ce qui se produit, c'est que toutes les cellules paludéennes présentes dans le corps se multiplient exactement en même temps, et ce massacre simultané provoque les symptômes classiques de la fièvre. L'hôte, peu après midi, commence à avoir froid et se met à frissonner, bien qu'il ait la peau chaude au toucher ; des maux de tête, des douleurs dorsales et des vomissements suivent et s'intensifient durant tout l'après-midi jusqu'à ce qu'au coucher du soleil la température atteigne 42 °C et que le malade transpire avec abondance. Il est biologiquement inefficace, pour un parasite, de tuer son hôte ; cependant le *Plasmodium* qui produit la fièvre paludéenne s'y risque parce qu'il est essentiel pour sa propre survie qu'il entre aussi en contact avec un autre genre d'hôte. Si l'homme constitue la demeure du parasite au stade asexué, les stades sexués requièrent l'unique environnement d'un estomac de femelle d'une certaine race de moustiques. Pour y parvenir, il faut que le *Plasmodium* soit sucé par l'insecte au moment où il pique l'homme, ce qui représente une situation complexe, demandant un chronométrage exact, difficulté qui se résout admirablement grâce à la fièvre. Les parasites deviennent actifs et atteignent la maturité sexuelle dans le sang humain, ce qui provoque de la fièvre, laquelle élève la température de l'hôte, il s'ensuit de la transpiration qui attire le moustique aussitôt après la tombée de la nuit, période d'activité maximale de ces insectes nocturnes.

Peu ou point de lumière pénètre jusqu'aux vaisseaux sanguins où habitent les parasites. Leur environnement ne présente pas de photopériode marquée, mais ils sont capables d'amener leur cycle à son apogée au crépuscule en suivant la courbe du rythme de température de leurs hôtes. L'homme étant actif pendant les heures de clarté diurne, sa température suit la courbe de son activité et les parasites suivent la température. Les travailleurs de nuit inversent leur courbes d'activité et ont donc leurs fièvres le matin, ce qui plonge les parasites dans une confusion totale et les déphase complètement par rapport à leurs hôtes d'alternance, les moustiques (141).

De même que les parasites se mettent à l'heure de la température corporelle de leur hôte, toute vie peut mesurer le temps en réagissant aux changements de température du corps que nous peuplons, la Terre. La poursuite des recherches photopériodiques sur les mouches à fruits et les cafards a clairement montré que ces deux espèces réagissent aussi à ce que l'on pourrait nommer le thermopériodisme. Dans l'obscurité constante, les mouches éclosent de leur nymphée peu de temps après que le cycle des températures a atteint son point le plus bas, ce qui dans la nature serait juste avant l'aube. La température peut jouer le rôle de signal temporel. En réalité, elle peut faire encore plus : elle peut être absolument essentielle à la survie. Un botaniste américain a découvert que les feuilles de pieds de tomate sont endommagées et meurent si on les maintient dans des conditions constantes de lumière et de chaleur, mais qu'elles demeurent en parfaite santé si on les soumet à un cycle de changements de température de vingt-quatre heures (150). En pratique, peu importe si la température monte ou

2

descend ; n'importe quelle fluctuation régulière entre des limites de 10 à 30 °C se révèle également efficace.

Fragment par fragment, nous commençons à construire une image de la façon dont réagissent aux indications de l'environnement les rythmes physiologiques. La vie est adaptée au mouvement de la Terre au moyen d'un rythme circadien, et à la position de la Terre dans l'espace au moyen d'un rythme circannuel. Parfois, ces cycles quotidiens et annuels s'entremêlent pour produire des systèmes d'une exquise sensibilité qui font réagir un organisme aux moindres nuances de son environnement. C'est ce qui est souhaitable. En tant que parasites sur la peau de notre planète, nous ne pouvons réussir véritablement qu'une fois que nous devenons conscients de son pouls et apprenons à aligner nos vies sur le rythme de sa profonde et paisible respiration.

Notre hôte, cependant, n'est pas seul. La Terre à son tour se trouve balayée par les vents des modifications galactiques et soumise à des forces qui l'atteignent au sein d'un environnement bien plus vaste encore. Inévitablement, ces forces arrivent jusqu'à nous, et la vie terrestre apprend à danser au rythme d'autres corps. La plus insistante cadence, bien entendu, provient de nos voisins les plus proches.

LA LUNE

Lorsque Isaac Newton, âgé de vingt-trois ans, était étudiant à Cambridge, l'épidémie de peste bubonique qui apporta, en 1665, la mort noire à la majeure partie de l'Angleterre le contraignit à quitter son collège. C'est pendant ces vacances forcées qu'il vit tomber à terre une pomme, globulaire comme un corps céleste, et que, selon sa propre expression, il commença de penser que la gravitation devait s'étendre au globe lunaire. Ces réflexions le conduisirent à sa théorie de la gravitation universelle qui pose que, dans l'univers, toute particule attire une autre particule avec une force qui dépend de leur masse et de la distance qui les sépare. La Terre attire la Lune assez fortement pour la maintenir en orbite, et la Lune est assez vaste et assez rapprochée pour tirer avec insistance sur le manteau de sa voisine. A la surface de celle-ci, l'eau se comporte à la façon d'un vêtement lâche qui peut être écarté du corps, mais seulement pour y retomber chaque fois que la Terre s'éloigne de nouveau. La Lune fait le tour complet de la Terre en 27,3 jours, pivotant pudiquement ce faisant de manière à toujours garder la même face orientée dans notre direction ; mais la Terre montre successivement toutes ses faces à notre satellite en 24,8 heures. Cela veut dire que les eaux de la Terre affluent vers la Lune et donc apportent la marée haute dans tous les pays situés dans la direction de celle-ci, avec un retard quotidien de 48 mn.

Chaque goutte d'eau de l'océan répond à cette force, de sorte que chaque animal, chaque végétal marin vivant perçoit ce rythme. La vie des habitants des rivages marins dépend entièrement de cette information. Un tout petit ver aplati, par exemple, est entré en association avec une algue verte, et chaque fois que la marée se retire, il doit émerger du sable afin d'exposer sa verdure au Soleil. Rachel Carson a étudié quelques-uns de ces animaux en laboratoire, et a décrit à sa manière habituelle, aisée et poétique, leur conditionnement au rythme des marées. « Deux fois par jour, le *Convoluta* émerge du sable au fond de l'aquarium dans la lumière du Soleil. Et deux fois par jour, il s'enfonce de nouveau dans le sol. Dépourvu de cerveau, ou de ce que nous appellerions mémoire, ou même de perception bien nette, le *Convoluta* continue à mener sa vie en ces lieux étrangers, se rappelant, dans chaque fibre de son petit corps vert, le rythme des marées de la mer lointaine (66). »

La chose est vraie de tout animal de marée, mis en laboratoire à proximité de la mer. Pour des raisons de commodité la plupart des instituts de recherches océanographiques sont établis sur des côtes ; mais heureusement pour la science, un infatigable chercheur spécialiste de l'étude des rythmes naturels habite et travaille à 1 600 kilomètres de la mer, à Evanston, dans l'Illinois. Frank Brown a commencé de travailler sur les huîtres en 1954. Il a constaté qu'elles avaient un rythme de marées marqué, ouvrant leur coquille à marée haute afin de se nourrir et la fermant à marée basse pour éviter les dommages et la dessication. Dans leurs bassins de laboratoire, elles conservent ce rythme strict ; aussi Brown décida-t-il de rapporter des spécimens dans l'Illinois, afin de les étudier de plus près. Evanston est une banlieue de Chicago sur les rives du lac Michigan ; mais même là, les huîtres continuèrent à se souvenir du rythme des marées de leur habitat normal, dans le détroit de Long Island (Connecticut). Tout alla bien pendant quinze jours, mais le quinzième, Brown s'aperçut qu'il s'était produit un décalage dans le rythme. Les huîtres avaient cessé de s'ouvrir et de se fermer en accord avec la marée qui baignait leur patrie lointaine, et il semblait que l'expérience avait échoué ; mais ce qui rendait la chose fascinante. c'est que le comportement de tous les mollusques s'était altéré de la même façon, et qu'ils continuaient d'agir tous en même temps. Brown calcula la différence entre l'ancien rythme et le nouveau, et découvrit que désormais les huîtres s'ouvraient à l'heure où la marée eût été haute à Evanston, si la ville s'était trouvée sur la côte et non perchée au bord d'un grand lac, à près de 200 mètres au-dessus du niveau de la mer (42).

En quelque sorte, les huîtres se rendaient compte qu'elles avaient été déplacées de 1600 kilomètres vers l'ouest, et se trouvaient capables de calculer et d'appliquer une correction à leur table de marées. Au début, Brown soupçonna les heures plus tardives de lever et de coucher du Soleil de leur avoir fourni les indices nécessaires, mais il constata que tenir les huîtres dans des récipients obcurs à partir du moment où elles étaient recueillies en mer ne causait pas la moindre différence. Il est certain qu'il n'existe aucune marée océanique à proximité de Chicago ; pourtant, nous avons tendance à oublier quelque chose, c'est que la force gravitationnelle de la Lune qui agit sur l'océan agit également sur des masses d'eau beaucoup plus petites. Le laboratoire des avions Hughes, en Californie, a élaboré un « mesureur d'inclinaison » sensible au point d'avoir enregistré des marées lunaires dans une tasse de thé (165) ! La Lune attire aussi l'enveloppe d'air qui entoure la Terre, et provoque de façon régulière de quotidiennes marées atmosphériques. Brown compara le nouveau rythme de ses huîtres avec les mouvements de la Lune, et s'aperçut que la plupart d'entre elles s'ouvraient quand la Lune était juste au-dessus d'Evanston. Ce fut la première preuve scientifique du fait que même un organisme vivant loin des marées océaniques peut être influencé par le passage de la Lune.

Ces rythmes lunaires sont assez proches de la durée du jour solaire pour être inclus dans la classification circadienne d' « un jour environ » ; cependant, la Lune détermine encore un autre rythme d'une période d'un mois environ. Nous voyons la Lune parce qu'elle reflète la lumière du Soleil ; mais souvent la Terre s'interpose entre les deux et ce que nous voyons de son disque dépend de sa position par rapport au Soleil et à la Terre. Les phases de la Lune suivent un cycle un peu plus long que l'orbite lunaire — entre une pleine Lune et la suivante il y a 29,5 jours. Deux fois au cours de ce cycle, Soleil et Lune sont directement en ligne avec la Terre, et l'attraction de leur masse s'additionne pour provoquer des marées plus fortes que d'habitude. Ces grandes marées ont lieu quand la Lune est pleine, et de nouveau quand nous voyons se lever le mince premier croissant de la nouvelle lune. Et deux fois par mois, aux quartiers de la Lune, quand l'attraction des deux corps célestes se trouve en opposition, nous avons des mouvements d'eau beaucoup plus modérés, nommés marées de morte eau.

Les organismes marins sont grandement affectés par ce cycle. Un petit poisson d'argent, le grondin *Leuresthes tenuis*, s'est adapté si précisément à la Lune que sa survie même dépend du minutage de son action. Je ne saurais faire mieux que la description de Rachel Carson elle-même : « Peu après la pleine Lune des mois de mars à août, le grondin fait son apparition dans le ressac des plages de Californie. La marée atteint son apogée, faiblit, hésite et commence à baisser. Alors, sur ces vagues de la marée qui se retire, les poissons commencent d'approcher. Leurs corps miroitent à la clarté de la Lune tandis qu'ils sont apportés sur la place à la crête d'une vague ; ils reposent, scintillants, sur le sable mouillé penant un laps de temps perceptible, puis se jettent dans le remous de la vague suivante et sont remportés à la mer (66). »

Durant ce bref moment passé à l'air, les grondins laissent leurs œufs enfouis dans le sable humide où ils ne seront pas dérangés pendant deux semaines, puisque les vagues ne remonteront plus aussi haut avant la prochaine grande marée. Quand cela se produit, le développement des larves est achevé et elles n'attendent que le frais contact de l'eau pour éclore de leurs œufs et s'éloigner à travers le ressac.

Une autre créature marine qui répond au rythme lunaire est le palolo *Eunice viridis,* une version plate et velue du ver de terre qui passe la majeure partie de son temps à chasser sa nourriture parmi les crevasses des récifs coralliens du Pacifique Sud (74). S'il se nourrit lui-même, il s'accouple par procuration, concentrant des œufs ou du sperme à la partie postérieure de son corps, qu'il équipe d'un point oculaire, détache et envoie à la surface de la mer afin de se joindre aux portions similaires d'autres parents anonymes. Bien que les vers ne se rencontrent jamais, le rendez-vous de leurs parties intimes est parfaitement arrangé par la Lune. A l'aube du jour où celle-ci atteint son dernier quartier, chaque année en novembre, tous les vers rejettent leur partie postérieure, et les mers, autour des récifs de Samoa et de Fidji, sont rougies par les masses d'œufs. Les populations locales répondent au même signal temporel et se réunissent au-dessus de coraux en flottille de pirogues, afin de célébrer la « grande montée » et de festoyer sur cette manne.

Les exemples les plus spectaculaires de périodicité lunaire proviennent d'animaux vivant dans la mer aux endroits où le passage de la Lune se trouve accentué par d'énormes mouvements d'eau ; il y a néanmoins des indices montrant que ce n'est point tant la marée que le clair de Lune lui-même qui joue le rôle de signal. La lumière de la Lune est trois cent mille fois moins brillante que celle du Soleil, et pourtant la vie se révèle capable de répondre à cet infime stimulus cosmique, fût-ce à travers plusieurs mètres d'eau de mer. A l'université de Fribourg, on travaille sur le ver polychète *Platynereis dumerilii*, lequel essaime à la surface de la mer vers le dernier quartier de la Lune (140). Ce ver perd son rythme, essaimant à toutes les phases de la Lune, si on le maintient sous lumière constante en laboratoire. Mais si, seulement deux fois par mois, on ajoute à la vive lumière une autre six mille fois moins brillante, les vers s'aperçoivent de cette addition, l'interprètent comme le temps de la pleine Lune, et pullulent exactement une semaine après. Ou, s'ils ne sont pas physiologiquement prêts à se reproduire à ce moment-là, ils attendent trente-cinq jours — ce qui les amène à la même phase lunaire du mois suivant. Cela signifie que, dans la nature, la Lune pourrait être cachée par des nuages toutes les nuits sauf deux, et les vers seraient encore en mesure d'y régler leurs horloges. Et même si la Lune devait être entièrement couverte durant toutes les nuits sans exception du mois de la reproduction, ils pourraient encore se rappeler ce qui s'était produit le mois précédent, et s'en servir ainsi que d'un signal pour fixer le moment de leur rendez-vous reproducteur à la surface.

Les animaux terrestres, eux aussi, sont influencés par la Lune. Les éphémères adultes ne vivent que quelques heures, temps pendant lequel ils doivent trouver un autre éphémère, s'accoupler et pondre leurs œufs dans l'eau. Dans les climats tempérés, ces insectes réagissent à des indices de changement de lumière et de température, et tous éclosent ensemble en quantités énormes, suspendus en ballets arachnéens au-dessus des paisibles mares campagnardes, par quelque chaude soirée de mai. Mais sous les tropiques, le climat est si constant que ces indices font défaut et que les éphémères doivent trouver un autre chronomètre, et même un autre mois. Le lac Victoria enjambe l'équateur, en Afrique, et pourtant il possède une espèce très prospère d'éphémère, le *Povilla adusta*, qui résout son problème de chronométrage en n'apparaissant qu'à la pleine Lune (138).

Les peuplades Luo, qui vivent au bord du lac, déclarent qu'il va pleuvoir lorsqu'elles voient les éphémères pulluler, et elles pourraient bien avoir raison parce que nous commençons tout juste à découvrir que de telles superstitions dissimulent souvent des vérités ou demi-vérités fondées sur de vieilles observations parfois exactes.

Par exemple, nous savons que la Lune attire au passage l'atmosphère terrestre, l'écartant et lui permettant de se remettre en place à la façon d'une marée océanique. Ces reflux d'air ne laissent jamais un continent suffoquer de la même façon qu'une plage complètement exposée à marée basse, mais l'épaisseur d'air au-dessus de nous change

constamment, tour à tour diminuant et augmentant notre pression barométrique. Comme pour les marées d'eau, les parties de notre planète
ne sont pas toutes affectées de manière identique ; il existe des endroits,
aujourd'hui nettement localisés, où dominent des pressions d'air anor-
malement hautes et basses. Il s'agit là d'usines qui barattent des
cyclones et des anticyclones, chargés de beau ou de mauvais temps.
Depuis l'invention du satellite météorologique, nous avons été en mesure
de dresser des cartes précises de ces perturbations, et, en étudiant le
mouvement des fronts chauds et froids, de prédire les changements
plusieurs jours d'avance. Pourtant, même munis de ces renseignements,
ce n'est que récemment que notre attention a été appelée vers le rôle
joué par la Lune dans la production de ces systèmes météorologiques.

La nouvelle éclata dans *Science Magazine* sous la forme de deux
brefs articles publiés dans le même numéro de 1962, sur des pages qui
se faisaient face. Les auteurs des articles avaient travaillé de façon
tout à fait indépendante aux Etats-Unis et en Australie, tous deux par-
venant aux mêmes conclusions, mais ils hésitaient par crainte du ridicule à publier leurs découvertes. Ce n'est que lorsque chacun eut
appris l'existence de l'autre et sut que sa découverte avait été confirmée
qu'ils se firent imprimer — ensemble, pour s'épauler mutuellement —
dans la même revue.

L'équipe américaine avait réuni des données provenant de 1 544
stations météorologiques d'Amérique du Nord, ayant fonctionné de
façon continue pendant les cinquante années allant de 1900 à 1949.
Là-dedans, ces spécialistes prirent tous les chiffres concernant les
chutes de pluie et comparèrent les époques de fortes pluies au cycle
lunaire. Ils obtinrent un curieux schéma qui les conduisit à la conclusion suivante : « Il existe, en Amérique du Nord, une tendance marquée aux précipitations extrêmes que l'on peut constater vers le
milieu de la première et de la troisième semaine du mois synodique. »
Ce qui veut dire que les fortes pluies se produisent plus souvent les
jours qui suivent la pleine et la nouvelle Lune (36).

En Australie, les météorologistes réunirent des renseignements sur
les chutes de pluie provenant de cinquante stations météorologiques,
pour la période allant de 1901 à 1925, et découvrirent que les mêmes
schémas étaient vrais pour l'hémisphère sud (1). Les deux séries de statistiques semblent valables et mènent à la conclusion qu'effectivement
la Lune affecte les conditions météorologiques. Nous savons que la
pluie tombe lorsqu'il y a dans un nuage assez de poussière, de sel
ou de particules de glace pour que la vapeur d'eau se condense autour
d'eux et tombe sur le sol. Ce principe est mis à profit quand on « en-

semence » des nuages appropriés au moyen de substances chimiques diffusées par fusées ou avions pour provoquer la pluie à l'endroit exact où elle se révèle nécessaire. La poussière météorique, qui tombe sur la Terre au rythme quotidien d'environ mille tonnes, est une source naturelle de particules appropriées (34). Cela pourrait constituer le lien entre la Lune et les conditions météorologiques ; en effet, deux autres équipes indépendantes viennent de faire connaître leur découverte selon laquelle le taux des arrivées météoriques au bord de l'atmosphère terrestre est plus grand aux époques de pleine et de nouvelle Lune (40).

Frank Brown, qui s'est fait connaître par les huîtres, travaille depuis vingt-cinq ans sur les façons dont la vie peut être influencée par des facteurs d'environnement lointains. Au lieu d'étudier ceux-ci l'un après l'autre, il a tenté de les éliminer tout à fait, et la plupart du temps il a échoué ; cependant, ses échecs ont réussi à nous fournir une étonnante image de la sensibilité de la vie aux plus discrets stimuli. Une de ses premières expériences comprenait des algues marines, des carottes, des pommes de terre, des vers de terre et des salamandres. Il s'intéressait à leurs cycles d'activité, et se servait pour mesure de la quantité d'oxygène consommée par chacun d'un bout à l'autre de la journée. Tous ses sujets produisirent d'excellents rythmes, même lorsqu'ils étaient tenus, comme les huîtres, dans l'obscurité à température constante. Alors, Brown essaya d'éliminer l'influence du changement de pression barométrique en élaborant un appareil qui compensait ces modifications. Ses instruments lui montraient que la pression dans la chambre d'expérience restait constante ; ses végétaux et ses animaux n'en continuaient pas moins à réagir à des rythmes, ce qui prouvait qu'ils étaient toujours au courant des changements qui se produisaient à l'extérieur (43).

Brown a maintenant une assez grande quantité d'observations qui mettent ce phénomène en évidence pour qu'il n'y ait plus place au doute. Sa seule étude sur les pommes de terre s'est poursuivie de façon continue pendant neuf ans, et a fourni des données métaboliques complètes sur plus d'un million d'heures de « temps - pommes de terre » (47). Les tubercules « savent » si la Lune vient d'apparaître au-dessus de l'horizon, si elle est à son zénith ou si elle se couche. Brown affirme que « la similitude de tels changements dans le taux métabolique selon l'heure de la journée lunaire ne peut s'expliquer de façon plausible qu'en disant qu'ils sont provoqués par une même fluctuation physique de périodicité lunaire ». Cette notion hérétique, — que les « conditions constantes » (Brown met toujours les mots entre guillemets) dont font état des milliers de scrupuleuses études de laboratoire, pourraient bien après tout n'être pas tellement uniformes — a provoqué une tempête de critiques de la part d'une arrière-garde de biologistes défendant la vieille idée que rien ne peut toucher des animaux tenus dans des conditions de lumière, de température, d'humidité et de pression constantes. Mais Brown continue à réunir des preuves montrant qu'il existe d'autres facteurs, plus subtils encore, qu'il importe de prendre en considération.

Le magnétisme est parmi les facteurs possibles. Nous savons que le champ magnétique de la Terre se modifie légèrement suivant la position de la Lune et du Soleil. Des observations effectuées à Greenwich entre 1916 et 1957 montrent que le champ géomagnétique change d'heure en heure en accord direct avec la journée solaire, la journée lunaire et le mois lunaire (190). Par conséquent, si les créatures vivantes étaient sensibles au magnétisme, elles pourraient suivre les mouvements de la Lune aussi bien que ceux du Soleil, même en étant confinées dans les « conditions constantes » des cachots de laboratoires. Or il semble bien que la vie ait cette sensibilité.

Si on examine avec attention les couches superficielles d'une mare d'eau douce, on est presque certain de voir, roulant doucement à travers les eaux, une petite boule verte bien déterminée de la grosseur de cet « o ». Il s'agit du *volvox,* probablement le plus simple de tous les organismes vivants composés d'un certain nombre de cellules manifestant un dessein commun, et presque à coup sûr un descendant direct et peu modifié de la première union expérimentale des cellules isolées primitives. C'est ce qui a décidé J. D. Palmer, collègue de Frank Brown à Evanston, à choisir le *Volvox aureus* pour sujet d'une expérience sur les champs magnétiques (239). Le volvox, dont le nom vient du terme latin signifiant « qui roule », est une plante photosynthétique, mais qui se meut vite et bien grâce au battement coordonné de cellules en flagelles qui font saillie à la surface de la boule. Palmer enferma sa colonie dans un petit récipient de verre à long col mince dirigé vers le sud magnétique ; ensuite, à mesure que les boules vertes venaient dégringoler au-dehors, il nota les directions dans lesquelles elles se déplaçaient. Il enregistra la sortie de 6 916 volvox, un tiers sous conditions naturelles, un tiers avec une barre aimantée placée à l'entrée de manière à augmenter le champ terrestre, et le dernier tiers avec l'aimant dans la direction est-ouest, à angle droit par rapport au champ. L'aimant fournissait un champ trente fois plus puissant que le champ naturel — et les résultats furent sans équivoque.

Avec l'aimant dans la même ligne que le champ terrestre, 43 %

de volvox de plus que la normale tournèrent vers l'ouest. Avec l'aimant situé en travers du champ, il y eut une polarisation supplémentaire de 75 %. Cela montre que non seulement ces organismes peuvent détecter un champ magnétique, mais sont conscients de la direction des lignes de force de ce champ. Et le fait que le volvox est une forme archaïque montre que la conscience qu'a la vie du magnétisme remonte loin et doit se trouver très profondément enracinée.

Brown mena plus avant cette étude avec le *Nassarius obsoleta*, un escargot de la vase qui rampe en troupes rapides sur les bancs vaseux des rivages de Nouvelle-Angleterre. Brown enferma également ses escargots dans un récipient dont l'issue, qui faisait face au sud, était assez étroite pour ne permettre qu'à un seul de sortir à la fois — et nota les mouvements de trente-quatre mille escargots effectués de la sorte. Selon les heures de la journée, certains d'entre eux tournèrent à gauche, d'autres à droite, et d'autres continuèrent tout droit. Le matin, la tendance était de tourner à gauche, vers l'est, et l'après-midi, vers l'ouest. Brown ajouta alors un aimant d'une puissance égale à neuf fois seulement celle du champ terrestre, et trouva que lorsque cet aimant était dans la même direction que le champ naturel, cela ne faisait aucune différence : les escargots continuaient de suivre le Soleil. Mais quand l'aimant se trouvait à angle droit par rapport au champ naturel, ils se mettaient à suivre un schéma lunaire (46).

Etant donné que le cycle de la Terre et son champ sont influencés à la fois par le Soleil et par la Lune, il n'est pas surprenant de constater que l'un et l'autre affectent aussi la réaction d'un animal au magnétisme. Le *Nassarius* est adapté davantage au rythme solaire ; mais dans une expérience ultérieure sur une espèce plus nocturne, Brown s'aperçut qu'il pouvait obtenir des réactions nettes aux phases de la Lune. Il choisit la planaire *Dugesia dorotocephala*, petit ver plat d'eau douce bien connu, long d'environ deux centimètres et demi, doté d'une tête en forme de flèche et d'un strabisme attendrissant. Dans les mêmes conditions d'expérience, le ver tourna à gauche, c'est-à-dire vers l'est, à la nouvelle Lune, et à droite quand la Lune était pleine (45).

Depuis que ces travaux ont été faits, il y a eu des expériences similaires sur des rats et des souris, manifestant certains indices de réaction aux champs magnétiques, et une ancienne hypothèse, que les oiseaux migrateurs pourraient bien naviguer en longeant les lignes du champ terrestre, a été reprise et se trouve en voie de réexamen. Les travaux effectués sur les escargots et les vers montrent que la vie possède une faculté réglée comme une horloge de s'orienter dans un faible champ magnétique. Cette possession à la fois d'une horloge vivante et d'une boussole vivante remplit les deux conditions préalables essentielles à tout système de navigation.

LE SOLEIL

Au-delà de l'atmosphère terrestre, au-delà même de l'orbite lunaire, s'étend l'espace. Il est par définition censé être vide : un intervalle séparant des objets les uns des autres ; néanmoins, les instruments lancés pour sonder cet espace révèlent que le « vide » se trouve rempli par toute une variété de forces, dont beaucoup atteignent la Terre, et dont certaines affectent la vie ici-bas. Les plus puissantes de ces forces proviennent de l'étoile que nous appelons notre Soleil.

Le Soleil est une masse dense de matière incandescente, d'un million de fois le volume de la Terre et dans un état permanent d'effervescence. Chaque seconde, quatre millions de tonnes d'hydrogène sont détruits en d'incroyables explosions qui naissent quelque part à proximité du noyau, à l'endroit où la température est de treize millions de degrés centigrades, et lancent des jets de flammes à des milliers et des milliers de kilomètres dans l'espace. En cet holocauste continu, inimaginable, les atomes se fendent en fleuves ultra-rapides d'électrons et de protons qui s'élancent à travers l'espace sous forme d'un vent solaire qui vient gifler toutes les planètes de notre système. La Terre est pleinement située au sein de l' « atmosphère » solaire, et se trouve exposée constamment aux changements qui surviennent dans ses conditions météorologiques. Disséminés sur la face du Soleil ainsi que de l'acné se trouvent des points d'activité plus violente encore qui font éruption de temps à autre. Ils sont en général à peu près de la taille de la Terre ; parfois l'éruption se propage vite, et le Soleil explose en une phase de mauvais temps qui provoque des orages magnétiques jusque dans notre atmosphère.

Ces orages, nous les remarquons d'abord quand ils brouillent les réceptions de radio et de télévision, et produisent les draperies fantastiques de l'aurore boréale ; mais nous continuons de sentir leurs effets dans les transformations qu'ils provoquent au sein de notre propre climat. En période d'activité des taches solaires, on note une tendance à la formation de cyclones au-dessus de l'océan, et d'anticyclones au-dessus des masses continentales, ce qui donne du mauvais temps en mer et de bonnes conditions à terre. Une des façons dont la Lune peut influencer les conditions météorologiques, c'est en détournant le vent solaire en sorte qu'il heurte la Terre sous un autre angle, ou la manque tout à fait. Le satellite IMP-1 de 1964 a enregistré des fluctuations produites de cette façon dans le champ magnétique (225).

L'observation de l'activité des taches solaires pourrait aider les prévisions météorologiques si cette activité ne paraissait varier d'un jour à l'autre de façon totalement désordonnée ; il existe toutefois des cycles réguliers d'activité couvrant des laps de temps beaucoup plus longs. En 1801, Sir John Herschel a découvert un cycle des taches solaires de onze années, lequel a depuis été maintes fois confirmé, et dont on a constaté la corrélation avec l'épaisseur des cercles annuels dans les arbres, avec le niveau du lac Victoria, la quantité d'icebergs, l'apparition de la sécheresse et de la famine en Inde, et les années de grands crus pour les vins de Bourgogne. Toutes ces variables dépendent des conditions météorologiques, et il semble certain que ce type régulier de changement est produit par des cycles solaires. Une mesure encore plus sensible a été fournie récemment par l'étude des minces couches de boue fossile déposées au fond des anciens lacs. Ces couches sont appelées varves, et leur épaisseur dépend du taux annuel de fusion des glaciers ; cette épaisseur fournit donc une indication sur les conditions climatiques. La mensuration microscopique de varves remontant jusqu'à cinq cents millions d'années montre que dès l'époque précambrienne il existait des cycles d'une durée de onze années environ (347).

L'analyse à l'ordinateur de varves du Nouveau-Mexique a révélé un autre cycle solaire, plus long (7). Les maxima des onze ans augmentent de plus en plus pendant une quarantaine d'années, puis diminuent pour accomplir un cycle de quatre-vingts ou quatre-vingt-dix ans. Ce rythme a été joliment confirmé par le botaniste allemand Schnelle, lequel a noté les dates de première apparition annuelle des perce-neige dans la région de Francfort entre 1870 et 1950, et trouvé qu'elles formaient une courbe régulière (297). Durant les quarante premières années, les fleurs apparaissaient toujours avant la date moyenne du 23 février, mais à partir de 1910 elles fleurirent de plus en plus tard, au point d'avoir en 1925 un retard de deux mois. Puis les perce-neige commencèrent à renverser la vapeur, et en 1950 elles avaient de nouveau deux bons mois d'avance sur l'horaire. On constate une parfaite corrélation statistique entre les cycles des perce-neige et ceux des taches solaires (214). Dans les années de grande activité des taches, les fleurs apparaissaient plus tard, et dans les années de calme solaire, elles survenaient en avance. Le nombre des tremblements de terre au Chili au cours du siècle dernier semble avoir suivi le même cycle. Il semble que se superpose aux variations climatiques à court terme un régime mondial uniforme de changement, et qu'il soit, dans une très large mesure, gouverné par les orages magnétiques réguliers qui se produisent dans le Soleil.

Ces études, entre autres, fournissent d'amples preuves de l'influence électromagnétique du Soleil et de la façon dont elle se trouve modifiée par la Lune et affecte nos conditions météorologiques. La vie à son tour est influencée par celles-ci, de sorte que les orages solaires nous touchent indirectement. Mais il existe au moins un moyen par lequel tous les êtres vivants peuvent être *directement* commandés par l'activité cosmique. Le moyen est fourni par certaines propriétés particulières de l'eau, et c'est si incroyable que je commencerai par rappeler des principes fondamentaux, pour aborder le sujet avec précaution.

Tout lycéen sait que l'eau, H_2O, est un composé chimique de deux éléments simples. Et pourtant, les journaux scientifiques sont remplis d'articles discutant des mérites de diverses théories sur la structure de l'eau — et nous ne comprenons toujours pas au juste ce qui se produit. Il y a tant d'anomalies ! L'eau est l'une des très rares substances qui sont plus denses à l'état liquide que solide, aussi la glace flotte-t-elle ; l'eau est le seul corps dont la densité maximale se situe quelques degrés au-dessus de son point de fusion, en sorte que la chauffer à 4°C au-dessus de son point de fusion de 0°C la fait se contracter davantage encore ; et l'eau peut agir aussi bien comme acide que comme base, de sorte qu'il lui arrive, dans certaines conditions, de réagir chimiquement avec elle-même.

La clé d'une partie de l'étrange comportement de l'eau se trouve dans l'atome d'hydrogène, qui n'a qu'un seul électron à partager avec n'importe quel autre atome auquel il se combine. Quand il se joint à l'oxygène afin de former des molécules d'eau, chaque atome d'hydrogène est en équilibre entre deux atomes d'oxygène — c'est ce que l'on nomme la « liaison hydrogène » — et pourtant, n'ayant qu'un seul électron à offrir, l'atome d'hydrogène ne peut être attaché fermement que d'un seul côté, aussi la liaison est-elle faible. Sa force ne représente que 10 % de celle de la plupart des liaisons chimiques ordinaires ; si bien que, pour exister, l'eau exige un nombre considérable de liaisons qui en assurent la cohésion. L'eau liquide constitue un entrelacs si complexe qu'il s'agit presque d'une structure continue, au point qu'un chercheur a été jusqu'à considérer un verre d'eau comme une seule molécule (252). Plus régulière encore, la glace forme la structure d'hydrogène la plus parfaitement liée que l'on connaisse. Son schéma cristallin est tellement précis qu'il semble persister jusque dans l'état liquide, et bien qu'elle paraisse claire, l'eau contient des zones éphémères de cristaux de glace qui se forment et fondent de nombreux millions de fois par seconde. Tout se passe comme si l'eau liquide se remémorait la forme de la glace d'où elle provenait en s'en répétant sans arrêt la formule, à tout moment prête à se retransformer en elle. Si l'on pouvait prendre une photographie avec une exposition suffisamment brève, elle montrerait sans doute des zones de glaciation jusque dans un verre d'eau chaude.

Ainsi l'eau se révèle-t-elle extrêmement flexible. La ténuité des liens entre ses atomes la rend très fragile et il faut peu de pression externe pour en rompre les liens et en détruire ou modifier la structure. Les réactions biologiques doivent se produire vite et avec une dépense très réduite d'énergie ; aussi une substance catalytique telle que l'eau constitue-t-elle l'intermédiaire idéal. En fait, tous les processus vivants ont lieu dans un milieu aqueux et la majeure partie du poids corporel de tout organisme vivant (chez l'homme, le chifre atteint 65 %) est constituée par de l'eau.

Aucun savant d'aujourd'hui ne doute que l'eau se comporte ainsi au sein d'une plante ou d'un animal. Etant donné que mon but est de montrer que des influences externes, y compris cosmiques, peuvent modifier la forme de l'eau à l'intérieur d'un organisme, l'étape suivante de mon argumentation est de démontrer qu'en dehors du corps l'eau peut être influencée de cette manière.

Dans le même temps que Frank Brown s'occupait à démontrer l'instabilité des « conditions stables » dans les expériences biologiques, un chimistes italien s'occupait à bouleverser ses contemporains en démontrant que les propriétés chimiques étaient non moins instables et changeaient d'une heure à l'autre. Giorgio Piccardi, directeur de l'Institut de physico-chimie de Florence, a toujours été intrigué par la façon dont les réactions chimiques font parfois preuve de bizarrerie, partant dans la mauvaise direction ou refusant purement et simplement de se produire. Ces recherches commencèrent à propos d'un système empirique de détartrage des chaudières industrielles (246). Quelquefois, cela fonctionnait bien ; d'autres fois, non. Piccardi soupçonna que des influences externes affectaient la réaction et fut amené à essayer de conduire l'expérience entière dans l'enceinte d'une mince feuille de cuivre ; avec ce dispositif, cela marchait toujours bien.

Piccardi s'intéressa aux forces susceptibles d'influencer ainsi une réaction, et pour en découvrir davantage, il conçut une expérience qui devait lui fournir un grand nombre d'observations sur une longue période de temps. Il choisit une réaction simple, la vitesse avec laquelle l'oxychlorure de bismuth (un colloïde) forme un précipité nuageux quand on le verse dans de l'eau distillée. Trois fois par jour, quotidiennement, Piccardi et ses assistants firent cette expérience toute simple jusqu'à ce qu'ils eussent récolté plus de deux cent mille résultats séparés. Ces derniers ont aujourd'hui été analysés, en même temps que les résultats d'une série parallèle d'expériences effectuées à l'université de Bruxelles (63).

Sur la période de dix ans que dura l'expérience, il se produisit plusieurs expèces de modifications dans la vitesse de précipitation. Les modifications brusques à court terme, ne durant souvent qu'un jour ou deux, étaient fréquentes et toutes liées au Soleil. La réaction se produisait toujours plus vite lorsqu'il y avait une éruption solaire et que l'on pouvait mesurer des transformations dans le champ magnétique terrestre. Il intervenait aussi des modifications à long terme, et quand on en traçait le graphique, elles formaient une courbe exactement parallèle à celle de la fréquence des taches solaires dans le cycle de onze ans. A titre de témoin, Piccardi fit des expériences simultanées avec les mêmes solutions sous la protection d'un écran de cuivre — et constata que la précipitation se produisait toujours à vitesse normale quand elle était abritée de la sorte contre les influences extérieures.

Ainsi une réaction chimique ayant lieu dans l'eau se trouve-t-elle influencée par une activité cosmique, ce qui veut dire qu'ou bien la substance chimique, ou bien l'eau est sensible à la radiation électromagnétique. Tous les indices dont nous disposons désignent l'eau. Deux autres chimistes italiens ont découvert qu'ils pouvaient modifier la conductibilité électrique de l'eau par sa simple exposition à un tout petit aimant (32). Et au Centre de recherches atmosphériques du Colorado, une série d'expériences est en cours, montrant que l'eau est très sensible aux champs électromagnétiques (102).

Piccardi a poussé son raisonnement jusqu'à son ultime conclusion. En 1962, il a dit : « L'eau est sensible à des influences d'une extrême délicatesse et susceptible de s'adapter aux circonstances les plus variables, à un degré que n'atteint aucun autre liquide. Peut-être même est-ce au moyen de l'eau et du système aqueux que les forces externes ont le pouvoir d'agir sur les organismes vivants (247). » Cette hypothèse a été élégamment complétée par une expérience récente qui a révélé que l'eau est particulièrement instable, et par conséquent plus utile à la vie, entre 35 et 40°C, soit la température interne de la plupart des animaux actifs (205).

Ce qui, à mon avis, permet de conclure qu'il existe sans doute d'autres voies et moyens par lesquels le Soleil ainsi que d'autres forces cosmiques peuvent influencer la vie.

AUTRES FACTEURS

Huit autres planètes voyagent avec nous dans le système solaire et toutes tournent de la même manière autour du Soleil, en orbites qui se situent, à l'exception de Pluton et de Mercure, sur le même plan que la nôtre. Nous savons que les planètes s'influencent les unes les autres, depuis que Lowell, en 1914, utilisa des aberrations jusqu'alors inexpliquées dans les mouvements des huit plus centrales pour annoncer l'existence d'une autre planète. Ce n'est qu'en 1930 que Pluton fut effectivement découverte.

En 1951, John Nelson fut engagé par la RCA, aux Etats-Unis, pour étudier les facteurs qui affectent les réceptions radiophoniques. Dès cette époque, il était bien connu que les taches solaires constituent la cause majeure des interférences, mais la RCA voulait être en mesure de prédire avec plus de précision les troubles atmosphériques. Nelson examina des rapports de mauvaise réception remontant jusqu'à 1932, et, comme il s'y attendait, constata qu'ils étaient étroitement liés à l'apparition de taches solaires ; mais il découvrit aussi quelque chose d'autre : les taches solaires, et par conséquent les troubles de la radio, apparaissaient quand deux planètes ou davantage étaient en ligne, à angle droit, ou disposées à 180° par rapport au Soleil (228). Nelson travailla d'abord sur Mars, Jupiter et Saturne, et trouva qu'en calculant leurs positions il pouvait prédire avec 80 % d'exactitude l'époque de forte activité de taches solaires à venir (229). Dans une étude ultérieure, il raffina sur sa méthode afin d'y inclure des données provenant de toutes les planètes, et améliora l'exactitude de ses prédictions jusqu'au chiffre impressionnant de 93 %. La RCA fut ravie, de même, bien entendu, que les astrologues, puisque c'était là le premier fait scientifiquement démontré prouvant que les planètes peuvent avoir une influence quelconque sur nous. Ce qui se produit, semble-t-il, c'est que leur position influence le champ magnétique du Soleil, ou du moins en représente une indication, et que certaines configurations coïncident avec une forte activité des taches solaires — et nous savons que ce fait, à son tour, affecte la vie ici-bas.

Si les planètes peuvent affecter le Soleil, alors il semble raisonnable de croire qu'elles affectent aussi la Terre, laquelle, à l'exception de Mercure, se trouve bien plus rapprochée d'elles. Une nuit de 1955, un astronome utilisant au Maryland un radiotélescope découvrit un corps étranger dans ses images de la nébuleuse du Cancer (106). Les nuits suivantes, ce corps était encore là mais s'était déplacé, ce qui lui fit aussitôt penser à une planète ; braquant son antenne sur Jupiter, il s'aperçut que celui-ci émettait de puissants signaux radiophoniques, d'ondes aussi bien courtes que longues, avec une puissance d'un milliard de watts. On a maintenant démontré que Vénus et Saturne sont eux aussi des émetteurs puissants d'ondes radiophoniques (278). Une partie au moins de l'effet planétaire peut être dû au fait que tout corps céleste laisse derrière soi dans l'espace une queue magnétosphérique de trouble, comme un long sillage d'eau brassée qui prend du temps pour s'apaiser. La queue traînée derrière elle par la Terre pourrait bien avoir quelque huit millions de kilomètres de long (35). Ainsi, loin d'être d'insignifiantes poussières au sein de l'espace, il semble que les planètes rappellent davantage les animaux à territoire, qui laissent derrière eux des marques puissantes dont l'influence demeure longtemps après leur passage.

D'autre part, l'univers ne finit pas avec le système solaire. Par une claire nuit, nous pouvons distinguer quelque trois mille autres étoiles individuelles, dont beaucoup sont plus grandes que notre Soleil et dont toutes font partie des cent milliards qui constituent notre galaxie en forme de disque, la Voie lactée. Au-delà, plus ou moins uniformément disséminées à travers l'espace, s'étendent peut-être dix milliards d'autres galaxies de taille similaire. De toutes ces sources proviennent des radiations de puissance variable.

Nous savons que certaines étoiles émettent sans arrêt des ondes radiophoniques, tandis que d'autres lancent de puissants flamboiements de radiation lorsqu'elles subissent des transformations violentes. Certaines grosses étoiles jeunes explosent et, en devenant des supernovae, produient d'énormes quantités d'énergie cosmique (319). La quantité normale qui tombe chaque année sur l'atmosphère terrestre est d'environ 0,03 röntgen ; mais depuis le temps que la vie existe sur la Terre, elle a été exposée au moins une fois à une brève dose aiguë de 2 000 röntgen, environ quatre fois à des doses de plus de 1 000 röntgen, et peut-être dix fois à 500 röntgen. La dose mortelle, pour la plupart des animaux de laboratoire, est située entre 200 et 700 röntgen, mais des souris femelles peuvent être entièrement stérilisées par 80 röntgen seulement. Ainsi l'explosion de supernovae a-t-elle soumis la Terre au moins quinze fois à des averses de radiations assez puissantes pour tuer la plupart des formes de vie. Les graines végétales sont résistantes aux radiations et la vie marine devait être protégée dans une certaine mesure par l'eau comme la Terre l'est par la couche atmosphérique ; pourtant, ces accès de fortes radiations pourraient bien avoir été dans l'évolution de la vie un facteur important. Même à des niveaux plus faibles, les radiations provenant d'autres soleils que le nôtre pourraient avoir une influence puissante sur la vie terrestre.

Au milieu du dix-neuvième siècle, James Clerk Maxwell révolutionna la physique avec une série de lois qui décrivaient tous les phénomènes électriques et magnétiques. L'une d'elles prouvait que des modifications dans les conditions d'un endroit déterminé pouvaient être transportées à travers l'espace jusqu'à un autre endroit. Maxwell appela ses messagères les ondes électromagnétiques et découvrit que, quelle que fût la modification, toutes les nouvelles qui la concernaient voyageaient à la même vitesse : celle de la lumière. Le spectre électromagnétique inclut les rayons X, les rayons lumineux, les ondes de radio et de télévision, et couvre un éventail énorme, depuis des ondes plus longues que le diamètre de la Terre jusqu'à des ondes si courtes qu'un milliard, liées ensemble, couvriraient à peine l'ongle d'une main. Toutes ces ondes sont sans arrêt émises par le cosmos. Nous réagissons particulièrement aux ondes lumineuses, situées quelque part vers le milieu du spectre ; mais la vie semble aussi consciencte de radiations provenant des extrêmes électromagnétiques.

La nature contient des substances radio-actives dans toutes lesquelles se produisent des modifications nucléaires qui donnent trois genres de radiations : les rayons alpha peuvent être arrêtés par une feuille de papier, les rayons bêta peuvent à peu près traverser une feuille d'aluminium, mais les rayons gamma voyagent à travers l'espace avec une telle énergie qu'ils peuvent pénétrer même le plomb. Leur longueur d'onde est si courte qu'ils traversent la matière à la façon de rayons X renforcés, de sorte que même les animaux des plus profondes cavernes ou du fond de l'océan ressentent leurs effets. Frank Brown a expérimenté sur ses vers planaires pour déterminer leur réaction à une très faible radiation gamma, émise par un échantillon de caesium 137 (44). Il a découvert que les vers étaient conscients de la radiation et s'en détournaient, mais seulement lorsqu'ils se déplaçaient vers le nord ou le sud. Ils n'en tenaient aucun compte, d'où qu'elle vînt, s'ils nageaient dans n'importe quelle autre direction. Cela montre que les rayons gamma peuvent être une force vectorielle indiquant la direction aussi bien que l'intensité. La Terre tournant d'est en ouest, tout organisme qui se comporte à la façon de ces vers et réagit au champ dans une seule direction possède un mécanisme pouvant servir à la navigation ainsi qu'à la reconnaissance de tous les cycles géophysiques importants.

A l'autre bout du spectre électromagnétique ordinaire se trouvent des ondes d'une longueur énorme, récemment détectées par un équipement destiné à contrôler les variations du champ magnétique. La plupart des ondes se mesurent en cycles par seconde, mais celles-ci sont d'une telle énormité que leur passage prend plus d'une seconde — ce qui leur donne plus de 300 000 kilomètres de long, soit plus de vingt fois le diamètre de la Terre. Certaines ondes longues de huit secondes se produisent la nuit, en particulier durant les phénomènes d'aurore boréale, et il y a des indices qu'il en existe quelques-unes atteignant jusqu'à quarante secondes, c'est-à-dire environ onze millions de kilomètres de long (146). Pour le moment, nous n'en sommes même pas à commencer de deviner la signification possible de ces signaux ; tout ce que nous pouvons faire, c'est de noter que ces ondes existent, qu'elles traversent des galaxies entières sans grand effort et qu'en dépit de la très basse puissance de leur champ la vie pourrait y être sensible.

L'univers entier tient ensemble, ou séparé, selon le parti pris théorique, par la force cosmique la plus fondamentale de toutes, la force de gravité. Les ondes électromagnétiques ne réagissent que sur des charges et courants électriques, mais les ondes de gravité agissent sur toutes les formes de matière. La quantité d'énergie gravitationnelle provenant du centre de notre galaxie est dix mille fois supérieure à l'énergie électromagnétique, et pourtant il nous est toujours difficile de la mesurer (338). On a maintenant enregistré des ondes gravitationnelles provenant du cosmos sans que personne ait encore pu démontrer que la vie en ait conscience. La meilleure preuve, jusqu'ici, nous vient d'un biologiste suisse qui travaille sur des hannetons (296). Il a mis dans un récipient opaque un groupe de ces coléoptères et découvert qu'ils réagissaient à l'approche invisible d'une masse de plomb située au-dehors. Quand on approchait de leur récipient un poids de plomb supérieur à quarante kilos, les coléoptères se groupaient du côté opposé. Ils ne pouvaient pas voir le plomb et l'expérience paraît avoir été conçue de manière à éliminer tous autres indices, ce qui permet de supposer que ces insectes sont au moins conscients, par une modification survenue dans la gravité, de la répartition des masses autour d'eux. Il est possible que les champs gravitationnels plus puissants produits par le Soleil et la Lune puissent avoir sur le comportement des effets similaires.

Voici donc les points acquis jusqu'à présent :

> La vie est née du chaos grâce à l'ordre, et perpétue cet ordre en recueillant des informations provenant du cosmos. Bien que des forces cosmiques bombardent sans arrêt la Terre, le mouvement des corps célestes et le mouvement de

la Terre par rapport à ces corps crée un schéma qui fournit une information utile. La vie est sensible à ce schéma du fait qu'elle contient de l'eau, laquelle est instable et facilement influencée.

Ce qui veut dire que les êtres vivants sont impliqués dans un dialogue ouvert avec l'univers, un libre échange d'information et d'influence unissant toute vie en un seul et vaste organisme, lui-même partie d'une structure dynamique plus vaste encore. La conclusion inéluctable est qu'une similitude fondamentale de structure et de fonction constitue un lien qui unit toutes les formes de vie et que l'homme, en dépit de tous ses caractères particuliers, est partie intégrante de cet ensemble.

CHAPITRE DEUX

L'homme et le cosmos

LA VIE SUR TERRE est comme la pruine sur une prune. Ces dernières années, une partie de cette délicate pellicule de moisissure s'est groupée et, grâce à un intense effort commun, est parvenue à lancer quelques spores minuscules à une altitude assez éloignée de la surface terrestre pour qu'elles ne retombent pas. Pour y arriver, il a fallu les propulser à la vitesse d'évasion de plus de 28 000 kilomètres à l'heure, ce qui est un exploit de première grandeur, alors que, tout ce temps, la prune elle-même se déplaçait à une vitesse quatre fois supérieure.

Nous avons tendance à oublier que nous sommes tous des voyageurs spatiaux. Une poignée d'hommes, de chiens, de chimpanzés et de graines en train de germer ont été livrés à une activité extravéhiculaire, mais le reste de la biosphère a dû rester à bord, où ils restent soumis aux systèmes de sauvetage du vaisseau.Nous commençons tout juste à apprendre à quel point les rythmes terrestres ont de l'importance pour notre bien-être. Aujourd'hui, les avions à réaction transportent à toute vitesse un grand nombre de gens d'une zone horaire à l'autre, et comme pour les cafards aux ganglions supplémentaires, des rythmes étrangers viennent se superposer à leurs rythmes propres. Cela provoque des désordres considérables ; en effet, en commun avec tous les autres êtres vivants, nous sommes influencés par les cycles naturels que produit la rotation de la Terre.

Ainsi, la température corporelle de l'homme est rarement de 37ºC juste, mais obéit à un schéma circadien de modifications. Elle monte avec le Soleil et continue à monter, en même temps que le rythme des pulsations cardiaques et de la production d'urine, jusqu'à ce que tous trois atteignent un maximum d'activité au début de l'après-midi. Puis le métabolisme ralentit peu à peu jusqu'à tomber à son plus bas niveau d'activité vers quatre heures du matin. Ce n'est point par hasard s'il s'agit là de l'heure invariablement choisie par la police secrète et les agents de la Sûreté pour l'arrestation et l'interrogatoire des suspects. La vie se trouve à son plus bas étiage au cours des petites heures qui précèdent immédiatement l'aube.

Les sages-femmes se sont toujours plaintes des horaires de travail auxquels elles sont contraintes par les bébés qui s'obstinent à naître juste avant le petit déjeuner. Halberg, le physiologiste qui inventa le mot *circadien*, a aussi établi des statistiques qui prouvent que ce n'est pas seulement un vieux conte de bonnes femmes (132). Les douleurs de l'enfantement commencent deux fois plus souvent à minuit qu'à midi, et l'heure de pointe, dans les naissances, se produit aux environs de quatre heures, au moment précis où le cycle métabolique atteint son niveau le plus bas et où la mère a des chances d'être le plus détendue.

Pour étudier l'effet de la lumière et de l'obscurité sur ce cycle, Mary Lobban, du Conseil de recherche médicale de Grande-Bretagne, emmena un été un groupe d'étudiants volontaires dans l'archipel du Spitzberg (197). Ces îles s'étendent au nord de la Norvège, nettement à l'intérieur du cercle articque, où la clarté du jour est continue entre mai et août. Les volontaires étaient divisés en deux groupes qui vivaient en colonies sur des îles séparées. Tous les membres d'une colonie furent munis de montres-bracelets qui retardaient ; quand elles indiquaient que vingt-quatre heures s'étaient écoulées, il s'en était passé vingt-sept en réalité. Ceux de l'autre colonie avaient des montres qui avançaient, de sorte que leurs « journées » de vingt-quatre heures ne duraient en réalité que vingt et une heures. Les groupes vivaient conformément à leurs horaires distincts et étaient examinés six fois par jour.

Les rythmes de température corporelle, dans les deux groupes, ne tardèrent pas à s'adapter aux nouveaux horaires : la température tomba à son niveau le plus bas durant la période de sommeil et fut à son apogée peu de temps après le lever. Que la personne se trouvât sur un cycle de vingt et une ou vingt-sept heures, le rythme suivait la courbe d'activité. Il semble donc que les modifications de la température humaine soient tout à fait indépendantes de la lumière et de l'obscurité. Le cycle de production d'urine prit plus lontemps pour s'acclimater aux nouveaux horaires ; mais au bout de trois semaines tous les volontaires produisaient les plus grands volumes d'urine en même temps qu'ils atteignaient leur maximum de température. Cette fonction, elle aussi, paraît indépendante de la lumière et liée davantage à la courbe d'activité du corps entier, mais heureusement, Lobban mesura également le métabolisme, ce qui donna des résultats tout à fait différents.

Entre autres traces d'éléments vitaux, le corps humain contient 150 grammes environ de potassium. Ce dernier se concentre en des cellules telles que les nerfs, qui transportent des signaux en échangeant rapidement, pendant la stimulation, du sodium et du potassium à travers leurs membranes superficielles. Tandis que le nerf s'apaise, une fois l'impulsion passée, le sodium est repoussé, le potassium repris, et la cellule est armée, prête à faire feu de nouveau. Chaque fois qu'a lieu cet échange, un peu de potassium se perd, et le corps en excrète environ trois grammes par jour. Dans des conditions normales, l'élimination du potassium suit une courbe rythmique similaire à celle de la température corporelle et de la production d'urine ; or, au Spitzberg, cette courbe se révéla tout à fait indépendante. Tous les volontaires présentèrent un cycle d'excrétion de potassium, mais les pertes les plus importantes se produisaient à des intervalles réguliers de vingt-quatre heures — des heures véritables, non des heures telles que les mesuraient les montres mensongères. Des études de confirmation pratiquées sur des hommes appartenant à des bases arctiques et antarctiques ont montré que, fût-ce après deux ans passés hors des rythmes normaux de jour et de nuit, les cycles de vingt-quatre heures d'excrétion du potassium continuent de persister.

Il semble qu'alors que les réactions grossières de notre organisme sont susceptibles de modifications à court terme suivant l'environnement, les activités fondamentales de la vie, telles que la communication entre cellules séparées, soient commandées par des mécanismes profondément enracinés qui répondent à la courbe temporelle de la planète en son ensemble.

L'homme a aussi une tendance naturelle à répondre au cycle annuel. Certains chercheurs ont découvert qu'il existe un rythme circannuel dans le changement de poids corporel et dans la fréquence des crises maniaco-dépressives ; mais la preuve la plus convaincante provient de nos dates de naissance (244). Dans l'hémisphère Nord, il naît plus d'enfants en mai et juin qu'en novembre et décembre. L'explication la plus vraisemblable semblerait être que ces enfants avaient été conçus au mois d'août de l'année précédente, quand les parents se trouvaient en vacances d'été, où ce genre de chose a plus de chances de se produire. Il paraît pourtant qu'il s'agisse d'un principe biologique plus fondamental, car les enfants nés en mai sont, en moyenne, plus lourds de deux cents grammes que ceux qui sont nés en n'importe quel autre mois (118). Cette différence est causée par un rythme annuel dans la production des hormones impliquées dans la grossesse. Nous avons encore une saison de reproduction.

La situation, bien entendu, est inversée dans l'hémisphère Sud. Une étude effectuée sur vingt et un mille recrues de l'armée, en Nouvelle-Zélande, a montré que les hommes les plus grands étaient tous nés entre décembre et février, qui sont là-bas les mois du plein été.

Dans les deux hémisphères, être né pendant les meilleurs mois semble comporter le droit de naissance d'une vie plus longue et d'une intelligence plus grande. La longévité dépend naturellement de la nutrition, de l'hygiène et peut-être même de facteurs héréditaires ; le fait subsiste néanmoins que dans une région relativement homogène comme la Nouvelle-Angleterre, les personnes qui sont nées en mars vivent en moyenne quatre ans de plus que celles qui sont nées en tout autre mois (269). La mensuration de l'intelligence au moyen du seul quotient intellectuel est suspecte ; mais une analyse de dix-sept mille écoliers de New York a montré que ceux qui étaient nés en mai obtenaient à ces tests des résultats meilleurs que ceux qui étaient nés à n'importe quel autre moment (156). Une observation similaire sur des enfants mentalement déficients de l'Ohio révéla une courbe différente, la plupart étant nés dans les mois hivernaux de janvier et février (179).

L'HOMME ET LA LUNE

Le troisième rythme fondamental de la vie, le cycle lunaire, apparaît lui aussi dans les courbes temporelles des naissances humaines. La Lune est liée de si près à la naissance qu'en certains endroits l'on va jusqu'à la surnommer « la grande sage-femme ». Afin de mettre à l'épreuve cette éventualité, les deux docteurs Menaker ont recueilli des renseignements sur plus d'un demi-million de naissances ayant eu lieu dans les hôpitaux de New York entre 1948 et 1957. De cet énorme échantillonnage se dégage une tendance nette et statistiquement révélatrice : les naissances sont plus nombreuses en période de Lune décroissante qu'en Lune croissante, avec un maximum aussitôt après la plene Lune et un net minimum à la nouvelle Lune. D'autres études, en Allemagne et en Californie, sur un échantillonnage plus réduit, n'ont point révélé pareille relation, mais il importe de se rappeler que les influences lunaires diffèrent suivant les situations géographiques. Les marées, dans la baie de Fundy, s'élèvent et s'abaissent sur l'incroyable hauteur de quinze mètres, tandis qu'à Tahiti la différence entre marée haute et marée basse n'est que de quelques centimètres. Il existe un rapport entre la naissance et les marées. Dans des communautés vivant sur la côte allemande de la mer du Nord, les heures de naissance montrent qu'un nombre exceptionnellement grand se produit juste à l'heure de la marée haute. En d'autres termes, il existe un soudain accroissement dans les naissances, chaque jour, au moment précis où la Lune passe directement au zénith. Un phénomène semblable se passe à Cologne, qui se trouve sur la même latitude, mais loin de la mer : ce ne sont donc pas les marées elles-mêmes qui commandent les contractions utérines, mais la Lune qui influence les unes et les autres.

Le temps de la naissance est bien entendu lié directement à celui de la conception, et celle-ci dépend de la phase du cycle menstruel. Il n'a pas échappé à l'attention que la durée moyenne du cycle féminin est presque identique à la période séparant deux pleines lunes. La menstruation de toutes les femmes de la Terre ne se produit naturellement pas le même jour, à la même phase de la Lune, mais on a peine à croire que la similitude entre les deux cycles soit pure coïncidence. Le grand chimiste suédois Svante Arrhenius a relevé 11 807 périodes menstruelles et constaté qu'il existait un léger rapport avec le cycle lunaire : le début de l'hémorragie se produisait plus souvent pendant le croissement que pendant le décours lunaire, avec un maximum le soir précédant la nouvelle Lune. Une récente étude allemande, effectuée sur dix mille menstruations, a elle aussi trouvé un maximum aux environs de la nouvelle Lune. D'autres chercheurs n'ont pas constaté pareille corrélation, mais il se peut qu'une certaine confusion soit due à la méthode de mensuration. Nous disons que le cycle menstruel commence avec le premier jour de l'hémorragie, mais ce n'est qu'une convention : la paroi utérine met trois ou quatre jours à se rompre et l'hémorragie peut devenir évidente à n'importe quel moment de ce processus. Le moment de l'ovulation, où le follicule éclate et libère l'ovule, constitue un événement biologique beaucoup plus précis et important, et une étude statistique prenant ce moment comme début du cycle pourrait bien révéler des relations plus étroites avec la Lune.

L'ovule vit moins de quarante-huit heures et, à moins qu'un spermatozoïde ne l'atteigne et ne le féconde au cours de cette période, il meurt. Ainsi la conception ne peut-elle avoir lieu que durant cet assez bref laps de temps. Le Tchèque Eugen Jonas a découvert que le temps de l'ovulation est lié à la Lune et que l'aptitude à concevoir, pour une femme pubère, coïncide avec la phase lunaire qui prévalait au moment de sa naissance (284). Jonas a mis sur pied dans plusieurs pays de l'Europe de l'Est un service qui fournit à chaque femme un tableau fondé sur ses propres affinités lunaires. Utilisés en tant que mesures de contraception, ces tableaux se sont révélés avoir une efficacité de 98 % — ce qui est aussi bien que la pilule, et sans effets secondaires. Naturellement, les tableaux indiquent aussi à la femme tous les jours de sa vie où elle peut concevoir, et ils sont maintenant employés dans une large mesure afin d'assurer la fécondation aussi bien que de l'éviter.

Jonas a été fort critiqué parmi les obstétriciens ; on doit toutefois dire à sa défense que la menstruation dans son ensemble constitue un processus tellement paradoxal qu'il reste encore à son sujet beaucoup à comprendre. Dans nos corps, il est unique en ce qu'il implique la destruction régulière de tissus chez un individu normal et sain. George Corner, de Princeton, le nomme « un désordre inexpliqué dans le processus autrement coordonné de la fonction utérine (306) ». Peut-être le paradoxe devait-il beaucoup plus autrefois à l'influence lunaire, et l'écart actuel, entre dix-neuf et trente-sept jours, dans la durée des cycles menstruels, n'est-il qu'une indication de son indépendance croissante par rapport à cette influence cosmique. Deux savants de l'American Air Force ont récemment démontré la possibilité d'influencer le cycle avec une Lune artificielle. Ils ont sélectionné vingt femmes ayant un passé d'irrégularité menstruelle chronique et les ont persuadées de laisser leurs chambres à coucher éclairées toute la nuit les trois jours précédant l'ovulation. Toutes ces femmes eurent leurs règles exactement quatorze jours plus tard ; ainsi peut-être la Lune a-t-elle encore une très forte influence sur l'hémorragie menstruelle (88).

Il existe nettement un rapport étroit entre la Lune et le saignement en général. La superstition prétend que la Lune commande l'écoulement du sang de la même façon qu'elle commande les marées. Quand la saignée constituait une forme habituelle de traitement médical, on la pratiquait toujours par Lune décroissante, car on croyait qu'il était trop dangereux de perdre du sang quand la lumière augmentait et que la marée commençait à monter. Cette superstition pourrait bien être fondée en fait. Edson Andrews, de Tallahassee (Floride), rapporte que dans l'examen de plus de mille « saigneurs » — opérés nécessitant sur la table d'opération des moyens inhabituels d'hémostase, ou devant être ramenés sur le « billard » par suite d'hémorragies — 82 % de toutes les crises d'hémorragie avaient lieu entre le premier et le dernier quartier de la Lune, avec un sommet significatif au moment où la Lune était pleine. Le Dr. Andrews achève son rapport par ces mots : « Ces données ont été si concluantes et convaincantes à mes yeux que je menace de devenir un sorcier guérisseur et de n'opérer que par les nuits sombres, réservant pour le sentiment les nuits à clair de lune (155). »

Il y a quelque chose, quant aux nuits à clair de lune, qui affecte d'étranges façons nombre de gens. Le vocable même de « lunatique » suggère un lien direct entre la Lune et la folie ; en fait, cette superstition fait l'objet d'une croyance si largement répandue qu'elle était même autrefois inscrite dans la loi. Il y a deux siècles, la loi anglaise distinguait entre « fous », c'est-à-dire psychotiques, chroniques et incurables, et « lunatiques », sujets seulement à des aberrations provoquées par la Lune. Les délits commis à la pleine Lune par ceux de la seconde catégorie étaient considérés par les tribunaux avec plus d'indulgence. Les directeurs d'asile ont toujours craint l'influence de la Lune sur les hôtes « mal lunés » et annulé les sorties de personnel les nuits de pleine Lune. Au dix-huitième siècle, les patients étaient même battus la veille de la pleine Lune, à titre de prophylaxie contre les violences de leur part la nuit suivante. Les violences officielles de ce genre sont maintenant heureusement bannies, ce qui n'empêche pas une bonne partie du vieux folklore lunaire de subsister. Il se pourrait qu'il y ait du vrai là-dedans.

L'Institut américain de climatologie médicale a publié un rapport concernant l'effet de la pleine lune sur le comportement humain où il note que des délits présentant de fortes motivations psychotiques, tels que pyromanie, cleptomanie, conduite automobile destructrice et alcoolisme homicide, montrent tous de nets maxima quand la Lune est pleine et que des nuits couvertes ne constituent pas une protection (155). Leonard Ravitz, neurologue et consultant de psychiatrie, a découvert un lien physiologique direct entre l'homme et la Lune qui pourrait expliquer ces corrélations (266). Voilà nombre d'années que Ravitz mesure les différences de potentiel électrique entre la tête et le thorax des malades mentaux. Il a aussi testé des passants choisis au hasard et trouvé que tout le monde manifeste une courbe cyclique qui se modifie d'un jour à l'autre, et que les plus grandes différences entre résultats de la tête et du thorax ont lieu à la pleine Lune, en particulier chez les malades mentaux. Ravitz émet l'hypothèse que, étant donné que la Lune modifie le champ magnétique de la Terre, ces modifications précipitent des crises chez des gens dont l'équilibre mental est déjà précaire. « Quoi que nous puissions être d'autre, nous sommes tous des machines électriques. Ainsi nos réserves d'énergie peuvent-elles bien être mobilisées par des facteurs universels périodiques (tels que les forces lunaires), ce qui tend à aggraver les mauvaises adaptations et les conflits déjà existants. »

On poursuit des études sur d'autres relations physiologiques possibles entre l'homme et la Lune. On a soutenu que les décès dus à la tuberculose sont plus fréquents sept jours avant la pleine Lune, ce qui serait lié à un cycle lunaire dans le pH (le taux d'acide par rapport à l'alcali) du sang (245). Et un médecin allemand signale des corrélations entre les phases lunaires, la pneumonie, la quantité d'acide urique dans le sang, et même l'époque de la mort (131).

La Lune affecte manifestement l'homme à beaucoup d'égards. L'influence de l'attraction lunaire constitue un effet direct, mais quant à la lumière, la Lune ne représente qu'un intermédiaire exposé à la gloire reflétée du Soleil. Aussi n'est-il pas surprenant de constater que l'homme est encore plus fortement touché par le Soleil.

L'HOMME ET LE SOLEIL

La mort noire, qui tira Newton de son collège et lui fit faire une découverte capitale, balaya l'Angleterre en 1665. Les archives astronomiques du temps montrent que ce fut une année d'intense activité des taches solaires, et des études sur les cercles annuels des arbres, plus larges dans les périodes de perturbation du Soleil, révèlent que la terrible peste de 1348 s'accompagna elle aussi d'activité solaire (30). Un professeur d'histoire russe a recueilli des corrélations de ce genre durant quarante ans, dont beaucoup furent passés en Sibérie pour avoir osé suggérer que les transformations sociales majeures étaient probablement dues davantage aux taches solaires qu'au matérialisme dialectique (316). Tchijevsky prétend que les grands fléaux, les apparitions de la diphtérie et du choléra en Europe, le typhus russe et les épidémies de variole à Chicago, tout cela se produisit aux apogées du cycle solaire de onze années. Il remarque aussi que, drant le siècle allant de 1830 à 1930, l'Angleterre eut des gouvernements libéraux au cours des apogées des taches solaires tandis que les conservateurs ne furent élus que dans les années plus tranquilles.

Cela paraît incroyable ; pourtant, nous savons que le comportement est commandé par la physiologie et nous avons maintenant la preuve que le Soleil exerce un effet direct sur une part de notre chimie corporelle. Maki Takata, de l'université de Toho, au Japon, est l'inventeur de la « réaction Takata » qui mesure la quantité d'albumine dans le sérum sanguin. Elle passe pour être constante chez les hommes, et varier chez les femmes suivant le cycle menstruel ; or, en 1938, tous les hôpitaux qui pratiquaient ce test signalèrent une soudaine élévation de niveau chez les deux sexes. Takata entreprit une expérience sur des mensurations simultanées du sérum provenant de deux hommes séparés par cent soixante kilomètres. Sur une période de quatre mois, leurs courbes de variation quotidienne furent exactement parallèles, et Takata conclut que le phénomène devait être mondial et dû à des facteurs cosmiques (313).

Sur une période de vingt années, Takata s'est trouvé en mesure de montrer que les modifications du sérum sanguin se produisent surtout quand des taches solaires majeures interfèrent avec le champ magnétique terrestre. Takata fit des tests au cours des éclipses de 1941, 1943 et 1948, et constata qu'elles inhibaient sa réaction autant que si on les pratiquait dans un puits de mine à deux cents mètres sous terre (312). Il expérimenta aussi sur des sujets qui se trouvaient à bord d'un avion volant à près de dix mille mètres et découvrit que la réaction se produisait plus fortement à des altitudes où l'atmosphère est trop mince pour fournir une protection efficace contre les radiations solaires. De récents travaux soviétiques viennent appuyer l'idée que notre sang est directement affecté par le Soleil (299). Plus de 120 000 tests furent pratiqués sur les gens d'une station de la mer Noire en vue de mesurer la quantité de lymphocytes contenus dans leur sang. Ces petites cellules constituent normalement de 20 à 25 % des globules blancs de l'homme, mais dans les années de grande activité solaire, cette proportion décroît. Il y eut une forte baisse au cours des années à taches solaires de 1956 et 1957, et le nombre de personnes souffrant de maladies provoquées par une déficience en lymphocytes doubla en fait durant la formidable explosion solaire de février 1956.

D'autres maladies affectées directement par les troubles magnétiques comprennent la thrombose et la tuberculose (280). Le 17 mai 1959, il y eut trois éruptions solaires d'une grande puissance. Le lendemain, vingt personnes atteintes de crises cardiaques furent admises dans un hôpital de la mer Noire qui normalement reçoit une moyenne de deux cas par jour. Deux spécialistes français du cœur ont découvert qu'il existe une corrélation très élevée entre le Soleil et les infarctus du myocarde (arrêts du cœur provoqués par des caillots sanguins) (253). Ils émettent l'hypothèse que la radiation solaire favorise la formation de caillots sanguins près de la peau chez les personnes ayant cette prédisposition, et que ces caillots produisent alors des blocages fatals au sein de l'artère coronaire. L'hémorragie dans les poumons des tuberculeux suit un processus similaire (198). Les jours les plus dangereux sont ceux où l'on peut voir une aurore boréale — c'est-à-dire les jours où une forte activité des radiations solaires perturbe l'atmosphère.

Un grand nombre de fonctions corporelles semblent être influencées par des modifications provoquées par le Soleil dans le champ magnétique terrestre. S'il en est ainsi, on peut penser que le système nerveux, qui dépend presque entièrement de stimuli électriques, est le plus affecté et cela semble être le cas. Une étude concernant 5 580 accidents survenus dans les mines de charbon de la Ruhr montre que la plupart ont eu lieu un lendemain d'activité solaire (207). Des études concernant les accidents de la circulation, en Russie et en Allemagne, montrent qu'ils augmentent jusqu'à quatre fois par rapport à la moyenne les lendemains d'éruption solaire (249). Un examen de 28 642 admissions dans des hôpitaux psychiatriques new-yorkais montre une très nette augmentation les jours où l'observatoire magnétique signale une forte activité (109). Cela donne à supposer que les accidents sont probablement dus à une perturbation plus profonde qu'une simple diminution du temps de réaction. De tels résultats indiquent nettement que l'homme est, entre autres, un vivant cadran solaire d'une sensibilité remarquable.

LES PLANÈTES

Notre sensibilité au Soleil s'étend des rayons lumineux aux plus grandes longueurs d'ondes de la radio. Nous voyons le Soleil, nous sentons sa chaleur et nous réagissons aux transformations qu'il produit dans le champ magnétique de la Terre. Ces transformations affectent la réception radiophonique suivant un schéma qui peut être prédit par la position des planètes, ainsi que l'a montré Nelson (229). Bien que l'intensité de ces modifications soit réduite, elle exerce un effet des plus marqués sur des processus biochimiques tels que l'activité nerveuse. On peut mesurer les variations de potentiel électrique qui suivent les mouvements des corps célestes au sein de notre système solaire, simplement en perçant deux trous dans un tronc d'arbre ; aussi n'est-il point surprenant de constater que le complexe organisme humain se trouve affecté par les planètes (54).

Michel Gauquelin, du Laboratoire psychophysiologique de Strasbourg, a été le premier à quantifier cet effet. Ses vingt ans de recherches assidues sont résumés dans son excellent ouvrage, *les Horloges cosmiques* (119). C'est en 1950 que Gauquelin commença de s'intéresser aux rythmes planétaires et à chercher des corrélations possibles sur la Terre. A mesure que notre planète tourne autour de son axe, le Soleil et la Lune semblent se mouvoir au-dessus de nos têtes, se levant et se couchant selon des journées solaires et lunaires dont la durée dépend de notre latitude et de l'époque de l'année. Les autres planètes voyagent au travers de notre horizon de la même façon, donnant des jours vénusiens et martiens non moins prévisibles. En Europe, l'heure exacte de la naissance est partout consignée dans les registres d'état civil, ce qui permit à Gauquelin de recueillir des informations et de les comparer avec les positions des planètes calculées d'après des tables astronomiques (119). Il choisit 576 membres de l'Académie de médecine française et s'aperçut, à son vif étonnement, qu'un nombre extraordinairement élevé d'entre eux étaient nés quand Mars et Saturne venaient de se lever ou d'atteindre leur point le plus haut dans le ciel. Afin de vérifier ces découvertes, Gauquelin prit un autre échantillonnage de 508 médecins fameux, et obtint les mêmes résultats (120). Il y avait une forte corrélation statistique entre le lever de ces deux planètes au moment où naissait un enfant, et sa réussite à venir en tant que médecin.

Pris ensemble, ces deux tests donnent des chances de dix millions contre un par rapport au simple hasard. Pour la première fois dans l'histoire, un savant avait fourni la preuve que les planètes exercent effectivement une influence, ou du moins indiquent une influence, sur nos vies. Voilà qui donne à la science un point de contact d'importance avec les vieilles croyances de l'astrologie.

Celle-ci repose sur la prémisse fondamentale que les phénomènes célestes affectent la vie et les événements d'ici-bas. Aucun savant, et certainement aucun biologiste au courant des plus récents travaux sur les conditions météorologiques et les rythmes naturels, ne saurait nier que cette prémisse est prouvée. La Terre et sa vie sont affectées par le cosmos et il n'y a matière à discussion qu'en ce qui concerne le degré d'influence. Les astrologues prétendent beaucoup de choses jusqu'à présent sans fondement et qui peuvent fort bien être erronées, mais il existe une masse croissante d'indices de la véracité d'une partie au moins d'entre elles.

Michel Gauquelin continue d'apporter les plus importantes contributions dans ce domaine. A la suite de sa découverte du lien entre Mars et la médecine, il étendit ses études à d'autres professions, et réunit toutes les dates de naissance de Français célèbres qu'il put trouver (115). Encore une fois, il constata une impressionnante corrélation entre les planètes et les professions. Médecins et savants fameux étaient nés tandis que Mars apparaissait au-dessus de l'horizon cependant que les artistes, peintres et musiciens avaient rarement vu le jour à ce moment. Soldats et politiciens étaient nés plus souvent sous l'influence d'un lever de Jupiter, mais les enfants nés tandis que cette planète se trouvait à l'ascendant devenaient rarement des savants.

Aucun écrivain français célèbre n'était né avec Saturne à l'ascendant ; néanmoins, les relations n'étaient pas toutes aussi nettes. Pour démontrer ses corrélations, Gauquelin dut recourir à des techniques statistiques — dont l'emploi soulève certains problèmes. Nous savons que dans l'hémisphère Nord le mois présentant les taux de naissance les plus élevés est juin, et que les jours sont plus longs en juin qu'en tout autre mois. Donc, en dépit du fait qu'il y a tous les ans des quantités égales de lumière et d'obscurité, il existe une plus grande chance que les enfants naîtront à la lumière du jour. Nous savons aussi que les naissances suivent une courbe rythmique, plus d'enfants naissent le matin que l'après-midi, ce qui introduit encore un autre vecteur. Les planètes suivent le même genre de mouvement que le Soleil ; aussi les chances de naissance ayant lieu à toutes les heures du jour planétaire ne sont-elles pas égales. Gauquelin appliqua des corrections pour toutes ces conditions avant de comparer ses échantillons et d'en déterminer la signification. Ses statistiques furent examinées en détail par Tornier, professeur de théorie mathématique à Berlin, qui n'y trouva aucune erreur, mais un autre statisticien suggéra que les résultats ne faisaient que refléter une particularité nationale des Français et que les mêmes méthodes appliquées à d'autres pays risquaient de produire des résultats différents.

Cela contraignit Gauquelin à faire un travail similaire en Italie, en Allemagne, en Hollande et en Belgique, jusqu'à ce que, trois ans plus tard, il eût vingt-cinq mille cas. Les résultats furent les mêmes (116). Savants et médecins étaient nettement liés à Mars et à Saturne ; soldats, politiciens et athlètes d'équipe, à Jupiter. Les naissances d'écrivains, de peintres et de musiciens ne se trouvaient liées à la présence d'aucune planète, mais évitaient manifestement Mars et Saturne, tandis que les savants et les médecins étaient inexistants sous Jupiter. Les gens exerçant une activité solitaire, comme les écrivains et les coureurs de fond, étaient liés de façon beaucoup plus nette à la Lune qu'à aucune des planètes. Cette fois, trois statisticiens bien connus, dont Faverge, professeur de statistique à la Sorbonne, examinèrent les résultats et ne trouvèrent aucune erreur dans les calculs de Gauquelin non plus que dans les méthodes qu'il utilisait pour recueillir ses données. Une expérience témoin pratiquée sur des personnes choisies au hasard donna des résultats strictement conformes aux lois du hasard.

Un critique opiniâtre de ces travaux, bien que forcé maintenant d'admettre assez à contrecœur que la position de certains corps célestes au sein de notre système solaire a quelque chose à voir avec au moins neuf professions différentes, rejette l'ensemble en déclarant qu'il s'agit de « l'absurde expression d'une absurde expérience ». La répugnance passionnelle de ce critique envers tout ce qui est occulte lui dissimule le fait que ces travaux sont bien loin de démontrer que l'astrologie est une réalité prouvée. Ils démontrent, sans aucun doute, que la position des planètes signifie quelque chose — la position, et non les planètes elles-mêmes. Il nous reste à décider si les planètes agissent de façon directe sur nous, ou si leur position est purement symbolique d'une beaucoup plus vaste disposition cosmique de l'énergie dont elles et nous ne formons qu'une petite partie.

Je reviendrai plus tard à ce problème, car, dans un sens, peu importe ce qu'est l'agent causal. Si un astrologue peut utiliser la position des planètes en tant que clé sûre pour interpréter et prédire l'action d'une force cosmique, cela ne fait aucune différence que cette force provienne d'Andromède ou d'une soucoupe volante. L'électricité a été découverte et utilisée avec beaucoup d'efficacité longtemps avant que quiconque en eût compris le mode de fonctionnement. Ce qui importe davantage, pour le moment, c'est de comprendre l'effet que les planètes semblent avoir sur nous.

D'abord, nous avons vu que, dans l'accouchement, le travail est facilité lorsque la mère se trouve détendue, au point le plus bas de son cycle circadien. On a aussi montré que les naissances sont nettement plus nombreuses au cours d'orages magnétiques : il est donc possible que les conditions électromagnétiques prévalant au moment où une planète comme Mars apparaît au-dessus de l'horizon puissent provoquer les douleurs de l'enfantement et la naissance (270). Cela signifierait que seule la mère était en cause, et que pour l'enfant les conditions au moment de la naissance ne faisaient pas la moindre différence ; mais cela n'explique pas le lien entre la planète et la profession qu'adoptera l'enfant.

La seconde possibilité, c'est que la planète ou les conditions prévalentes modifient l'enfant au moment de la naissance et déterminent en un sens son avenir. Il s'agit là, bien sûr, de la doctrine astrologique orthodoxe : la disposition des cieux au moment précis de la naissance influe sur l'enfant et façonne sa destinée. La plupart des astrologues modernes ne sont nullement figés dans cette croyance rigide et assez boiteuse et je dois dire qu'en tant que biologiste je la trouve peu satisfaisante. En quoi consiste, par exemple, le moment de la naissance ? La durée moyenne de celle d'un premier-né, depuis le moment où la tête rencontre le fond pelvien jusqu'à ce qu'émerge le dernier mem-

3

bre, est de deux heures. Pendant ce temps, une planète peut changer totalement de position. Certains astrologues mesurent la vie à partir de l'instant du premier cri de l'enfant ; or on a peine à voir pourquoi cela devrait constituer le moment caractéristique. Il y a des moments plus critiques dans la naissance. La descente des dix centimètres du vagin est probablement le voyage le plus périlleux que nous fassions jamais, et à un certain moment l'enfant subit un traumatisme et une gêne considérables qui risquent de le rendre plus vulnérable que d'habitude aux influences extérieures. Le bassin tourne la tête du bébé dans la meilleure position pour l'expulsion et l'élasticité des os du crâne, en même temps que l'espace qui les sépare, lui permet de passer sans dommage visible ; mais pendant ce temps, l'utérus le pousse par derrière avec une force assez grande pour casser le doigt d'un obstétricien. Ce pourrait être là le moment astrologique, celui où le cerveau est forcé, par la pression physique exercée sur lui, à entrer dans un nouveau genre d'activité et à s'exposer à l'influence cosmique. Mais cela n'explique pas la vie normale des enfants nés par césarienne, et qui, bien que n'étant pas passés par le drame natal, n'en gardent pas moins leur propre destinée originale.

Une objection plus solide à la théorie de l' « instant de la naissance » est fournie par ce que nous savons maintenant sur les forces cosmiques en cause. Autrefois, le sein maternel était considéré comme l'équivalent vivant de la chambre à « conditions stables », si chère aux zoologistes expérimentaux ; or il faut maintenant renoncer à croire en l'un et en l'autre. Certes, la matrice est chaude et confortable, température et humidité contrôlées comme dans une chambre d'hôtel Hilton ; mais d'autres conditions ne sont pas aussi uniformes. Une certaine quantité de lumière pénètre la peau mince, distendue, du ventre maternel ; toute mère sait qu'un bruit violent peut effrayer un enfant qui n'est pas encore né et le faire frapper aux parois de la matrice en guise de protestation ; et la plupart des radiations traversent le corps de la mère et celui de l'enfant presque d'un seul mouvement. On a peine à croire que les forces électromagnétiques provenant de l'environnement n'influencent un enfant qu'au moment de la naissance, alors qu'il a été exposé à ces forces durant toute la période de gestation.

Une théorie beaucoup plus vraisemblable est que l'environnement cosmique joue un rôle important au moment de la conception ou peu de temps après, quand les matériaux bruts de l'hérédité en sont encore à se trier pour donner l'arrangement final du nouvel individu. La plus légère chiquenaude à ce moment-là suffirait à modifier suffisamment la direction du développement pour provoquer un effet majeur sur le produit fini. La quantité d'énergie nécessaire à la production d'un effet augmente à mesure que l'embryon devient plus vieux, plus grand, plus complexe et moins souple. La plupart des stimuli cosmiques sont assez faibles et il paraît plus vraisemblable qu'ils agissent aux stades primitifs du développement plutôt qu'à la naissance. Quoique la matrice soit rien moins que tranquille, l'embryon est abrité de l'environnement et protégé contre certains de ses effets les plus manifestes. En ce lieu relativement paisible, il se peut que l'enfant apprenne à répondre à des signaux qui nous sont masqués par le barrage des stimuli extérieurs. Un hamster en laboratoire, privé du Soleil qui lui disait autrefois quand il devait hiberner, apprend à s'élever de la nature à la Surnature et répond à la place au rythme moins perceptible du passage de la Lune. Il se peut qu'un enfant à naître soit plus sensible que sa mère aux délicats synchroniseurs spatiaux, et utilise même ces indications pour « décider » quand il doit naître. Le placenta et le fœtus sont originaires de la même cellule ; ils constituent en réalité la même chair ; aussi n'est-il pas invraisemblable que ce soit l'enfant qui donne au placenta le signal qui met en marche les contractions utérines et déclenche des douleurs de l'enfantement. Ce qui nous conduit à penser que c'est au stade précoce de l'embryon que les forces cosmiques pourraient le mieux influencer l'être humain pour en modifier le plan dans un sens ou dans l'autre et que, pendant qu'il se développe, l'embryon reste en harmonie avec le cosmos, peut-être même au point de mettre en scène lui-même sa première apparition en public.

Gauquelin croit que la tendance du bébé à naître sous une certaine planète pourrait être héréditaire. Afin de vérifier cette idée, il a travaillé durant plus de cinq ans sur les données de naissance de plusieurs départements de la région parisienne, réunissant des informations sur plus de trente mille parents et leurs enfants. Il a calculé les positions de Vénus, Mars, Jupiter et Saturne pour toutes les personnes en cause, et retrouvé la preuve écrasante que des parents nés lorsqu'une de ces planètes était à l'ascendant donnaient le plus souvent le jour au moment où la même planète se situait dans la même position. Des facteurs comme le sexe du parent, celui de l'enfant, la durée de la grossesse et le nombre des enfants précédents n'avaient aucun effet sur les résultats ; mais la corrélation était à son comble si les deux se trouvaient nés sous la même planète. Cette idée se relie faiblement à celle déjà vue de l'enfant fixant lui-même le moment de sa naissance, si on suppose que chaque individu porte un gène qui le rend sensible à un type particulier de stimuli cosmiques. Nous savons que c'est ce qui se produit chez les drosophiles, lesquelles éclosent infailliblement à l'aube. Gauquelin conclut que l'avenir entier de l'enfant dépend de sa structure génétique et qu'une partie de celle-ci détermine le moment de sa naissance. Il émet l'hypothèse que, grâce à l'étude de la position des planètes à la naissance, « ... il paraît possible d'élaborer des prévisions sur l'avenir du tempérament et du comportement social de l'individu (117) ».

Michel Gauquelin lui-même semble répugner à l'admettre, mais c'est exactement ce que l'astrologie prétend faire. Il est donc temps que nous l'examinions de plus près.

L'ASTROLOGIE

Pour commencer, nous pouvons rejeter complètement la populaire version journalistique de l'astrologie. Les faciles prédictions générales, où tous les gens nés sous le signe des Poissons jouiront d'une journée favorable pour faire de nouveaux projets, tandis qu'un autre douzième de la population mondiale sera occupé à rencontrer des inconnus séduisants, n'ont rien à voir avec l'astrologie. Elles sont considérées avec un mépris bien mérité aussi bien par les astrologues que par ceux qui les critiquent. Peut-être la meilleure façon d'aborder la véritable astrologie est-elle d'étudier les outils de la profession et de voir comment on les utilise. L'instrument de base essentiel est l'horoscope, qui signifie littéralement « vue de l'heure », et consiste en une carte détaillée, minutieuse, des ciels tels qu'ils étaient à l'endroit exact et au moment précis où est né le sujet. Chaque horoscope est différent ; bien dessiné, avec l'attention qu'il faut à chaque détail, il peut être presque aussi distinctif qu'une empreinte digitale.

Dans l'édification d'un horoscope il y a cinq étapes :

1. Etablir la date, l'heure et le lieu de la naissance.

2. Calculer le temps sidéral approprié.

Bien que nous opérions par commodité sur une journée de vingt-quatre heures, la véritable durée du jour, la période de rotation de la Terre par rapport à l'univers, est de quatre minutes plus courte. Le temps sidéral s'obtient d'après des tables standard, fondées sur le méridien de Greenwich en Angleterre, qui doivent être corrigées en fonction du fuseau horaire, de la longitude et de la latitude du lieu de naissance.

3. Trouver le « signe ascendant ».

Les planètes se déplacent toutes autour du Soleil dans le même plan ; aussi les voyons-nous toujours passer au-dessus de nos têtes à travers la même bande de ciel qui s'étend tout autour de la Terre. Situés le long de cette ligne, appelée l'écliptique, se trouvent douze principaux groupes d'étoiles, portant les noms fameux du zodiaque. Bien que certaines de ces constellations soient plus grandes et plus brillantes que les autres, on leur attribue à toutes la même valeur en divisant la bande en douze portions égales de 30°. Le signe levant, ou ascendant, est la zone constellaire en train de s'élever au-dessus de l'horizon oriental au moment de la naissance. Ce n'est pas nécessairement le même que le « signe solaire ». Quand quelqu'un déclare : « Je suis Bélier », il veut dire qu'il est né entre le 21 mars et le 20 avril, époque où le Soleil se lève en même temps que cette constellation. Si une personne est née au lever du Soleil, son signe ascendant et son signe solaire seront les mêmes.

4. Trouver le « signe de zénith ».

C'est la zone de constellation située droit au zénith au moment de la naissance. Comme le signe ascendant, on peut la déterminer d'après des tables standard.

5. Inscrire la position du Soleil, de la Lune et des planètes sur une carte de naissance.

Cette carte inclut toutes les planètes, même celles qui sont au-dessous de l'horizon au moment de la naissance. Tous les détails sont empruntés à un livre appelé « éphéméride » — signifiant « ce qui change » —, publié chaque année.

Jusqu'ici, la technique est parfaitement respectable ; aucun savant ne pourrait trouver à redire à la logique en cause, ni aucun astronome, aux tables utilisées dans les calculs. La division de l'écliptique en douze zones est arbitraire à certains égards, mais se révèle commode et, tant que les zones ont toutes la même dimension, les comparer entre elles ne saurait soulever d'objection. L'animal ou le personnage qui est censé habiter chacune des douze zones représente plus une aide pour la mémoire qu'une véritable figure d'étoiles ou une force cosmique. En fait, depuis que les anciens Babyloniens mirent au point leur test de Rorschach céleste et donnèrent des noms aux éclaboussures d'étoiles, la position de l'axe terrestre s'est un peu modifiée et les zones du zodiaque ne sont plus exactement alignées sur les constellations d'après lesquelles elles avaient été nommées. Mais cela est sans conséquence ; les zones sont définies avec précision dans les tables utilisées pour calculer un horoscope et leur symbolisme ne présente aucune importance.

L'outil fondamental de l'astrologie est donc valable et indiscutable. Les controverses ne s'élèvent que sur l'emploi de l'outil, la façon dont l'horoscope se trouve interprété ; il est néanmoins surprenant de constater à quel point la science et l'astrologie sont d'accord. Les astrologues commencent leur interprétation des données de la naissance en disant que les choses terrestres sont influencées par des événements extérieurs. Les savants ne peuvent qu'approuver. L'astrologie déclare que les personnes, les événements et les idées sont tous influencés à leur moment d'origine par les conditions cosmiques dominantes. La science, qui passe une bonne partie de son temps à mesurer les transformations continuelles du décor cosmique, doit concéder que la chose est possible. L'astrologie prétend que nous sommes le plus influencés par les corps célestes les plus proches de nous, ceux de notre système solaire, et que les deux plus importants sont le Soleil et la Lune. Encore une fois, la science, aujourd'hui qu'elle connaît le photopériodisme ainsi que l'action des rythmes solaires et lunaires, ne peut que tomber d'accord. L'astrologie continue en prétendant que les positions relatives des planètes ont pour nous de l'importance, et la science, depuis les travaux de Nelson concernant l'influence des planètes sur la réception radiophonique, doit admettre à contrecœur qu'il s'agit encore là d'une possibilité. Puis l'astrologie s'avance en terrain moins solide avec la prétention que chacune des planètes influence la vie d'une façon différente. Pourtant, depuis les travaux de Gauquelin sur les rapports entre planètes et professions, cette idée elle-même commence aujourd'hui à présenter une certaine respectabilité scientifique.

La division véritable entre les milieux de la science et ceux de l'astrologie intervient non point quand les astrologues signalent les modifications du cosmos, mais lorsqu'ils prétendent savoir exactement ce qu'elles signifient. Savants et astrologues décrivent les phénomènes célestes et calculent les modifications discernables que ceux-ci produisent au sein de l'environnement ; mais les astrologues ne s'arrêtent pas là et ont forgé un appareil compliqué, et qui paraît tout à fait arbitraire, pour les aider à interpréter ce qu'ils voient. Aujourd'hui, la plupart de ceux qui pratiquent l'astrologie ne se donnent même plus la peine de regarder, mais se fient entièrement à la charpente traditionnelle pour faire à leur place leurs interprétations. Etant donné qu'il s'agit là de l'actuelle pierre d'achoppement entre les disciplines, il est bon d'examiner de plus près la nature de la tradition.

L'astrologie représente une équation dont les positions de tous les corps célestes importants de notre système solaire constituent les variables. Les positions de ces corps mobiles autour d'un point fixe à un moment donné sont prévisibles et se combinent pour produire un système unique de conditions capables d'influencer tout ce qui se produit à cet endroit. L'astrologie prétend que chacun des corps exerce un effet particulier sur nous (Mercure commande l'intellect), mais que cet effet se trouve modifié par les étoiles situées derrière lui au moment considéré. Chacune des douze constellations du zodiaque possède également sa propre influence particulière (la Vierge passe pour avoir des attributs critiques, analytiques) ; aussi, Mercure apparaissant dans la zone de la Vierge à la naissance de quelqu'un passe pour rendre cette personne non seulement intelligente, mais capable d'appliquer cette intelligence avec adresse et sagacité. Sur l'horoscope, ou carte du ciel à ce moment, la planète figure à l'intérieur de l'arc de 30° qui passe pour englober la zone d'influence de la Vierge.

Egalement sur la carte de l'horoscope existe une seconde subdivision en douze sections qui ne repose sur aucune observation astronomique connue. Elles sont nommées les « maisons », et chacune d'elles, comme les zones stellaires, occupe 30° du cercle céleste. La première maison commence à l'horizon oriental et se projette au-dessous ; le reste suit dans l'ordre jusqu'à la douzième maison, qui s'étend juste au-dessus de l'horizon oriental. Ainsi le signe ascendant se trouve-t-il toujours dans la douzième maison, mais les zones zodiacales et les maisons ne coïncident jamais exactement, à moins que l'enfant ne soit né au moment précis où telle zone cède la place à la suivante. De même que les planètes et les étoiles, les maisons possèdent des attributs traditionnels. La dixième maison, par exemple, passe pour être liée à l'ambition et à la position sociale. Donc, si notre sujet avec Mercure en Vierge a également ces deux derniers dans sa dixième maison, un astrologue prédirait que l'adroite application de son intellect devrait rendre la personne en question très célèbre.

Ainsi l'astrologie prétend-elle qu'une longue expérience a montré que les planètes exercent une influence prévisible sur le caractère, laquelle est modifiée par des effets secondaires, bien qu'également prévisibles, d'étoiles en conjonction avec la planète à ce moment, et que les effets combinés de ces forces sur une personne sont déterminés par la position de la combinaison planète-étoiles dans l'espace au moment de la naissance de l'enfant. Il y a dix gros corps célestes au sein de notre système solaire, douze groupes d'étoiles, et douze zones que tout cela peut occuper ; cependant, les astrologues estiment que les plus importantes associations sont celles qui se produisent en fait à l'horizon oriental au moment de la naissance (les signes ascendants), et celles qui s'y trouveront au lever du Soleil (les signes solaires). Cela s'accorde avec la découverte de Gauquelin, que c'est la planète à l'ascendant lors de la naissance qui se trouve liée à la profession. Donc, si une force cosmique exerce une influence particulière au moment précis où la Terre tourne dans sa direction, il semble raisonnable d'admettre que cette influence sera renforcée par l'apparition supplémentaire du Soleil au même moment. Uns fois encore, il y a peu de chose, dans le mécanisme de ces effets hypothétiques, qui pourrait choquer un homme de science à l'esprit large ; mais c'est avec les attributs spécifiques de la tradition astrologique que naissent les difficultés. Nous ne sommes pas au bout de nos peines.

L'astrologie poursuit en prétendant que le caractère (tel que déterminé par une planète) et ses manifestations (telles qu'influencées par un groupe stellaire) sont modifiés davantage encore par les relations des différentes planètes entre elles. Quand une planète forme un certain angle avec une autre, elles sont dites « en aspect ». Si l'on peut voir les deux ensemble au même point du ciel, elles sont « en conjonction », et passent pour exercer une influence puissante sur les événements. Si l'une est à l'horizon oriental et l'autre à l'horizon occidental, elles sont écartées de 180 degrés et « en opposition », ce qui passe pour une relation négative ou mauvaise. Si l'une se trouve à l'horizon et l'autre au zénith, elles ont un écart de 90 degrés, elles sont « en équerre », et cela aussi est mauvais. Mais si l'angle qui les sépare est de 120 degrés, elles sont « en trigone », ce qui est positif et bon. Bien qu'il s'agisse là des principaux aspects, les angles de 30, 45, 60, 135 et 150 degrés sont également significatifs. En pratique, une variation allant jusqu'à 9 degrés autour de ces angles d'aspect fixes est considérée comme autorisée.

Dans son interprétation d'un aspect, l'astrologue utilise la valeur traditionnelle de l'angle entre les planètes pour déterminer la combinaison de leurs attributs traditionnels. Uranus, par exemple, passe pour être liée au « changement brusque », et Pluton à l' « élimination ». Une fois tous les cent quinze ans, elles entrent en conjonction ; cela s'est produit en 1963, et l'astrologie déclare que toute personne née sous cet aspect se voit destinée à devenir un chef mondial, doté d'énormes pouvoirs aussi bien pour le bien que pour le mal. En ce point, il est fort intéressant de revenir aux travaux de Nelson sur la réception radiophonique (229). Il a découvert que des désordres se produisaient quand deux planètes ou davantage étaient en conjonction ou en aspect de 90 à 180 degrés par rapport au Soleil. Il s'agit précisément là des aspects dont l'astrologie prétend qu'ils sont puissants et risquent d'être « discordants » ou « mauvais ». Nelson découvrit aussi que des conditions prévisiblement bonnes, exemptes de troubles, se produisaient quand les planètes se disposaient selon des angles de 60 ou 120 degrés par rapport au Soleil. Or ce sont les aspects que la tradition astrologique trouve « bons ».

Ces facteurs et ces mensurations sont d'une grande complexité ; ils ne forment pourtant qu'une partie du vaste réseau de relations compliquées dont se servent les astrologues. Il existe des centaines de milliers de guides répertoriés pour l'interprétation, couvrant des millions de combinaisons possibles d'événements cosmiques. Même les plus ardents thuriféraires de l'astrologie admettent que leur étude manque d'une base philosophique nette, que les lois et principes qui la gouvernent sont encore mal coordonnés, que les documents sont dispersés et contiennent des erreurs nombreuses. Pourtant, la somme totale de ce que l'on peut étudier constitue une impressionnante masse d'idées, pleine d'une corrélation de riches symétries qui semblent former un système élégant, intérieurement cohérent.

Notre prochaine étape sera l'examen des preuves fournies par l'astrologie en exercice.

Il est impossible d'enquêter sur les traditions elles-mêmes ; la plupart d'entre elles sont suprêmement illogiques et semblent n'avoir aucun fondement dans aucune espèce de système dialectique ; en outre, leurs origines sont obscurcies dans le mythe et les anciens savoirs, et ne sont pas accessibles à l'examen scrupuleux. Nous pouvons cependant vérifier les effets de ces traditions et leur exactitude dans l'interprétation. La preuve du conglomérat astrologique se trouve dans l'aptitude des astrologues à faire face à l'épreuve des consommateurs. Le test le plus rigoureux et le plus scientifique, à ce jour, a été réalisé en 1959 par un psychologue américain, Vernon Clark.

Le premier test de Clark fut d'étudier la prétention de l'astrologue à être en mesure de prédire les talents et les capacités futurs directement à partir d'une carte de naissance (75). Clark réunit les horoscopes de dix personnes qui avaient travaillé un certain temps dans une profession clairement définie. Elles comprenaient un musicien, un bibliothécaire, un vétérinaire, un critique d'art, une prostituée, un comptable, un erpétologiste, un professeur d'art, un marionnettiste et un pédiatre. La moitié était des hommes et l'autre moitié des femmes ; tous étaient nés aux Etats-Unis et tous avaient entre quarante-cinq et soixante ans. Ces horosocopes furent communiqués à vingt astrologues, en même temps qu'une liste séparée des professions, et ils furent priés de rétablir la correspondance. Les mêmes renseignements furent donnés à un autre groupe de vingt personnes — psychologues et assistants sociaux — qui ne connaissaient rien à l'astrologie. Les résultats se révélèrent concluants. Le groupe témoin ne rendit que des résultats de hasard ;

mais dix-sept astrologues sur les vingt réussirent beaucoup mieux, avec des résultats de cent pour un contre le hasard. Cela montre que les caractères humains semblent effectivement influencés par des dispositions cosmiques et qu'un astrologue peut distinguer la nature de l'influence grâce au simple examen de l'horoscope, lequel est une image traditionnelle, ritualisée, de la disposition cosmique.

De là, Clark passa à la vérification de la faculté de l'astrologue, non seulement à distinguer entre les dispositions, mais à prédire l'effet de telle disposition. Aux mêmes astrologues, Clark donna dix paires d'horoscopes ; attachée à chaque paire était une liste de dates indiquant d'importants événements tels que mariage, enfants, nouvelles situations professionnelles et mort, survenus dans la vie de la personne qui correspondait à l'une des deux cartes. Les astrologues devaient décider quel horoscope prédisait ces événements. Le test était rendu plus malaisé par le fait que les deux cartes de chaque paire appartenaient à des gens du même sexe, habitant la même région et nés la même année. Trois des astrologues reconstituèrent exactement toutes les dix paires, et le reste de nouveau fit mieux que cent pour un contre le hasard. Cela montre qu'un astrologue peut dire, d'après les seules indications de naissance, si un accident ou un mariage appartient à un horoscope déterminé. Ce qui signifie que l'astrologue aurait pu, en théorie, prédire ces événements avant qu'ils ne se produisent.

N'étant pas encore satisfait, Clark combina une troisième expérience. Il estimait que les astrologues avaient peut-être eu trop d'indices sur lesquels travailler ; aussi leur donna-t-il dix nouvelles paires d'indications de naissance, sans histoire de cas, sans dates d'événements importants, sans renseignements personnels d'aucune espèce, sinon qu'un membre de chaque paire était victime de paralysie cérébrale. Cette fois encore, les astrologues tombèrent juste dans une proportion très supérieure à celle qu'on pouvait attribuer au hasard. Conclusion de Clark : « Les astrologues, opérant sur un matériel qui ne peut provenir que des seules indications de naissance, peuvent réussir à distinguer entre individus. » En somme ces tests, où l'astrologue travaille « en aveugle », sans voir ses sujets, évoquent le médecin qui diagnostique une maladie sans voir son malade. A mes yeux d'homme de science, ils apportent une preuve impressionnante à l'opinion que la tradition astrologique n'est pas un simple méli-mélo de superstitions dépourvues de sens, mais constitue un véritable instrument que l'on peut employer pour extraire, d'une simple carte céleste, plus d'information que par aucun autre outil dont nous disposons.

Ces résultats, joints à ceux de Nelson et de Gauquelin, impliquent très fortement que les événements cosmiques affectent les conditions sur la Terre, que des événements différents affectent ces conditions de façons différentes, et que la nature de ces effets peut être déterminée et peut-être même prédite.

Un domaine de prédiction où sont bien souvent consultés les astrologues, c'est : « Ça sera-t-il un garçon ou une fille ? » Ils remportent un certain succès dans leurs prévisions, ce qui n'est guère étonnant étant donné le nombre limité des possibilités ; mais la Tchécoslovaquie filtre la nouvelle d'une technique neuve qui laisse prévoir des réponses exactes dans beaucoup plus que 50 % des cas.

Eugen Jonas est ce psychiatre tchèque que son intérêt pour les rythmes lunaires a conduit à la découverte d'une méthode naturelle, couronnée de succès, dans le contrôle des naissances. A la suite de ce travail, Jonas est tombé sur une nouvelle corrélation lunaire qui permet de prédire avec une grande exactitude le sexe d'un enfant (168). La méthode est fondée sur la position de la Lune dans le ciel au moment de la conception. Dans l'astrologie classique, chacune des zones du zodiaque a une polarité, ou un sexe : le Bélier est mâle, le Taureau femelle, et ainsi de suite. Jonas a découvert que les rapports menant à la conception en un moment où la Lune était dans une zone stellaire « mâle » produisaient un enfant mâle. Dans une clinique de Bratislava, il fit les calculs appropriés pour huit mille femmes qui voulaient avoir des garçons, et 95 % d'entre elles y parvinrent. Mis à l'épreuve par un comité de gynécologues qui ne lui indiquèrent que le moment des rapports, Jonas fut capable de déterminer le sexe de l'enfant avec 98 % d'exactitude.

Les travaux actuellement en cours sur l'insémination artificielle montrent qu'il est possible de séparer les spermatozoïdes mâles et femelles en faisant passer un faible courant électrique à travers un échantillon de semence (217). Nous savons que la Lune produit des modifications régulières dans le champ magnétique de la Terre et que la vie est sensible à ces modifications. A partir de telles prémisses, une étape simple et logique mène à l'hypothèse qu'un genre similaire de tri pourrait se produire au sein de la semence d'un organisme vivant. L'effet des champs de l'environnement sur le sperme serait augmenté par le fait que la semence est fabriquée et emmagasinée à l'extérieur du corps de la plupart des mammifères. La découverte de Jonas nous apprend sur ce processus deux choses importantes. L'une, c'est qu'il semble être gouverné par un rythme cosmique régulier de deux heures, un des plus brefs encore découverts ; et la seconde, que ce rythme est exactement tel que prédit dans l'astrologie traditionnelle.

Nous restons sur une image de l'astrologie bien éloignée de celle que nous donnent les colonnes astrologiques des journaux où l'on nous offre de faciles conseils sur la seule base du signe solaire. Dans l'esprit de beaucoup de gens, le zodiaque et l'astrologie sont synonymes ; cependant, la Vierge et ses compagnons ne forment qu'une partie d'un complexe bien plus vaste et bien plus raffiné. De fait, ce complexe a tant de cohérence qu'il est malaisé de comprendre comment il a pu se former. En ce qui concerne le passé de l'astrologie, il est admis que c'est aux Babyloniens (ou Chaldéens) qu'elle doit le plus ; ces peuplades, étant nomades dans un climat qui permettait une vision sans obstacle du ciel, avaient volontiers accepté l'idée qu'une énergie divine se manifeste dans le mouvement des corps célestes. L'histoire traditionnelle raconte comment ce concept s'élargit progressivement par l'inclusion des présages et des prodiges, jusqu'à ce que les planètes devinssent associées à chaque aspect de la vie. Ensuite, ce rituel fut transmis aux Grecs, aux Romains et aux Arabes, qui le raffinèrent jusqu'à ce qu'il atteignît sa pleine floraison à l'époque médiévale. John West et Jan Toonder rejettent cette explication et suggèrent, dans un minutieux survol historique et critique intitulé *le Dossier de l'astrologie*, qu'elle doit bien davantage aux Egyptiens, lesquels à leur tour avaient rassemblé les éléments d' « une ancienne doctrine qui, à une certaine époque, fondit l'art, la religion, la philosophie et la science en un tout intérieurement cohérent » (339).

Il est possible que les racines de l'astrologie remontent jusqu'à la dernière époque glaciaire : on a récemment découvert qu'un os vieux de plus de trente mille ans était marqué d'une façon qui suggère la périodicité lunaire. Toutefois, une connaissance des trajets et des périodes planétaires ne peut être décelée avant la construction de la première pyramide, vers 2870 av. J.-C. Cinq mille ans ne représentent que deux cents générations et l'on a peine à croire que cela constitue un temps suffisant pour édifier un système dont la plus simple affirmation ne saurait être vérifiée qu'une génération plus tard. Certains des événements les plus inhabituels ont lieu si rarement — Uranus et Neptune ne se sont trouvées en conjonction que vingt-neuf fois dans l'histoire connue — que ce type de développement par la méthode des essais et des erreurs se montre inconcevable. L'image de l'astrologie se développant lentement au fil des années, à mesure qu'on découvrait de loin en loin, pour y ajouter, de nouvelles bribes de connaissance, se révèle aussi peu vraisemblable. Essayer de décider quelle disposition cosmique produit tel effet particulier, c'est comme essayer de découvrir quel gène particulier, sur les milliers d'un chromosome, commande la couleur d'yeux d'un individu. La Fédération américaine des astrologues a treize cents membres et la Société américaine des généticiens deux fois ce nombre ; aussi peut-on honnêtement comparer leurs efforts pour donner une idée de l'étendue du problème. Dans la recherche génétique, l'outil majeur est la drosophile ; une génération de ces mouches dure deux semaines ; deux cents générations dureraient huit ans ; les travaux sur cette mouche ont débuté en 1909, mais il a fallu plus de cinquante ans pour composer une image complète d'un seul chromosome. Si nous admettons que les problèmes sont en gros comparables, cela représenterait une durée de quatorze cents générations humaines, soit trente-cinq mille ans de recherches intensives, pour édifier l'image astrologique. En réalité, le propos de l'astrologie traditionnelle est tellement plus complexe que nous sommes amenés à la conclusion qu'elle doit avoir une autre origine.

Il semble évident que l'astrologie ne constitue pas le résultat de quelque soudaine intuition du type « *Eurêka !* » ; elle n'a jamais jailli tout armée de l'esprit de quiconque. Si donc elle ne naquit d'aucune de ces manières, il n'existe qu'une autre possibilité : qu'elle a évolué comme un organisme vivant, à partir de la substance même dont elle était faite.

Dans les régions de brousse entourant Darwin, au Nord de l'Australie, vit un termite qui bâtit un nid de forme étrange. Beaucoup de termites ciment ensemble de fins grains de sable au moyen de salive et les assemblent en monticules énormes, durs comme du roc ; mais cette espèce construit des dalles de trois mètres carrés, n'ayant que quelques centimètres d'épaisseur, répandues dans l'intérieur des terres à la façon d'énormes pierres tombales. Le fait que chacune d'elles, sans exception, ait son axe longitudinal exactement orienté suivant une ligne nord-sud a valu à l'insecte son nom d'*Omitermes meridionalis,* le termite-boussole. Chaque termitière est comme un iceberg, la majeure partie de sa structure au-dessous de la surface du sol et la partie située au-dessus est criblée de cheminées d'aération qui constituent l'installation de conditionnement d'air pour la forteresse entière. Des milliers d'ouvrières montent et descendent à toute vitesse ces manches à air, les ouvrant et les fermant comme des soupapes, afin de garder constante, tout au long du jour, la température des chambres de larves qui sont les plus profondes. Dans la fraîcheur du petit matin, il est nécessaire d'emmagasiner le plus de chaleur possible, aussi le côté large de l'éminence fait-il directement face au Soleil levant. A midi, il y a intérêt à perdre de la chaleur, aussi le monticule n'expose-t-il que son tranchant de couteau au Soleil, maintenant droit au zénith. La moindre des ouvrières termites a une connaissance innée des mouvements du Soleil qui l'amène à construire son petit bout du monticule en sorte que le tout se relie au cosmos d'une manière qui exprime les besoins de la société. La termitière se trouve littéralement façonnée par les forces cosmiques.

Je crois que l'astrologie est née ainsi : une conscience des forces cosmiques prédisposait l'homme à certaines idées et formes, et bien que chaque astrologue ayant apporté sa contribution ne pût distinguer que son petit fragment de la structure, la synthèse finale revêtit une forme naturelle et pertinente.

Je sais bien que cela paraît du mysticisme, mais ma croyance repose sur de bonnes raisons scientifiques. Tandis que la chimie découvrait que toute vie était construite à partir d'un tout petit nombre de substances de base, la physique étudiait ces substances elles-mêmes, et constatait que les particules fondamentales de la matière se comportent toutes de la même façon : elles ont toutes un mouvement ondulatoire. Nous savons que l'information, qu'elle soit un signal sonore ou une impulsion électromagnétique telle que la lumière, se propage en ondes ; aujourd'hui, le nouveau domaine de la mécanique des quanta nous montre qu'il existe de même des ondes matérielles, et qu'un organisme en train de recevoir une information est lui-même tout vibrant de mouvements ondulatoires. Si deux ondes de fréquences différentes se superposent, il existera des points, le long de leur itinéraire, où les deux se toucheront, où leur apogée concordera, où elles interféreront l'une avec l'autre. Cette interférence est nommée un battement, et un certain nombre de battements en succession régulière produisent un rythme. Tout, dans le cosmos, danse sur ces rythmes.

John Addey, un philosophe anglais, a découvert des rythmes de cette sorte concernant les dates des naissances humaines. Il a tenté de déterminer s'il était vrai que les gens nés sous le signe solaire du Capricorne vivaient plus longtemps que les autres, en réunissant, d'après le *Who's Who*, les dates de naissance de 970 nonagénaires (2). Il n'y en avait, bien sûr, pas plus de Capricornes que d'aucun autre signe, aussi Addey chercha-t-il à voir ensuite, en recueillant des données sur de jeunes victimes de la poliomyélite, s'il était vrai que les Poissons avaient la vie brève (3). Une fois encore, il n'y avait aucune connexion. Mais lorsque Addey examina plus attentivement les résultats des deux expériences, il découvrit un motif ondulatoire qui courait à travers l'année. Il s'agissait d'un motif régulier, ayant 120 apogées par an — il vibrait dans la 120ᵉ harmonique. Un horoscope est construit autour du cercle d'écliptique de 360 degrés ; donc, si l'on y applique le motif ondulatoire, celui-ci culmine une fois tous les 3 degrés. Addey reprit son matériel de recherches et constata qu'un enfant né tous les trois degrés avait 37 % de risques de plus de contracter la poliomyélite qu'un enfant né à d'autres moments.

Addey poursuivit en appliquant l'analyse ondulatoire à d'autres séries de données (339), et trouva que les dates de naissance de 2 593 ecclésiastiques correspondaient à la 7° harmonique, et que 7 302 docteurs s'inséraient dans la 5° harmonique (4). C'est probablement la plus importante de toutes les découvertes récentes qui donnent à la vieille astrologie et à la nouvelle science un lieu de rencontre en terrain commun. Cela démontre tout à fait clairement que les données astrologiques sont susceptibles d'études statistiques, et que, traitées de la sorte, elles fournissent des résultats en accord direct avec notre connaissance des lois fondamentales de la matière. Le cosmos est un frénétique chaos de motifs ondulatoires, dont certains ont été orchestrés sur Terre en un système organisé de vie. L'harmonie entre les deux ne peut être comprise qu'au moyen d'une partition, et de toutes les possibilités qui nous sont actuellement ouvertes, l'astrologie (en dépit de toute la bizarrerie de ses origines, et parfois de la bizarrerie plus grande encore de ses thuriféraires) semble proposer la meilleure interprétation.

Je parviens à cette conclusion en empruntant deux directions : dans l'un de mes itinéraires, je voyage en qualité d'homme de science, cherchant ma route avec scrupule et logique, guidé par la carte de la connaissance officielle, et j'arrive convaincu que l'astrologie, si elle n'a pas été prouvée, n'a du moins pas été réfutée. On a assez d'indices positifs solidement fondés et susceptibles à la fois d'examen et de répétition que l'astrologie renferme une part de vérité pour justifier qu'on la prenne au sérieux et la mène plus avant. Sur l'autre route, je voyage en tant qu'individu possédant une formation scientifique, mais toujours prêt à faire halte pour examiner à peu près tout ce qui sort de l'ordinaire. C'est ainsi que je tombe sur l'astrologie et vis en sa compagnie assez longtemps pour m'assurer qu'il y a quelque chose là-dedans. Certes, il y a des contradictions et des affirmations vagues, ambiguës — l'astrologie est particulièrement faible et vulnérable à la critique dans le domaine de la prédiction ; je reste néanmoins sur le sentiment de justesse, le sentiment que même si les buts sont parfois contestables et le raisonnement souvent faible, l'astrologie a trouvé une formule qui, fondamentalement, a un sens.

Je ne crois pas que des émanations de la planète Mars donnent à un homme « de la décision, l'amour de la liberté et une âme de pionnier ». Il s'agit là d'une absurdité simpliste. Mais ce que je crois, c'est qu'il y a de complexes dispositions de forces cosmiques pouvant prédisposer un individu à se développer dans ces directions. Il se peut que les astrologues aient raison lorsqu'ils affirment que ces conditions prévalent quand Mars apparaît au-dessus de l'horizon ; pourtant, même si la chose est vraie, la planète ne représente qu'un symptôme de la complexité générale. C'est comme la trotteuse d'une montre, qui fournit une indication visible de l'heure précise, mais dépend totalement de tous les ressorts et rouages cachés qui, en fait, fixent l'allure. Je désapprouve aussi la notion que la naissance constitue le moment crucial. Il paraît beaucoup plus raisonnable de croire que les forces cosmiques agissent à tout instant sur toute chose, et que le moment de la naissance est dans le même rapport avec le reste de la vie que la position momentanée de Mars avec le reste du cosmos. Nous savons que le moment de la naissance est lié à des cycles lunaires, à des rythmes solaires, ainsi qu'à une tendance héréditaire à réagir à ces mécanismes d'une certaine manière. Il semble vraisemblable que la naissance, les stades primitifs du développement fœtal, la fécondation et même l'acte sexuel sont reliés entre eux de la même façon, formant un tout continu où aucun moment n'est intrinsèquement plus important qu'un autre.

Il y a du mysticisme dans l'astrologie, mais rien de surnaturel dans sa manière d'opérer. L'homme est influencé par son environnement et des forces physiques clairement définies, et son existence, comme celle de tous les autres êtres vivants, s'organise suivant des lois naturelles et universelles. Croire autre chose serait aussi ridicule que de prétendre que l'Encyclopédie britannique a été procréée par une explosion dans une imprimerie !

CHAPITRE TROIS

La Physique de la vie

Nous choisissons pour vivre. Nous devons choisir, étant donné que cent millions d'impulsions se déversent à chaque seconde sur notre système nerveux et que si nous devions toutes les accepter nous ne tarderions pas à être submergés et à mourir de confusion. Ainsi l'énergie absorbée est-elle mesurée avec soin, de tous les millions de signaux qui nous parviennent, seuls un petit nombre atteignent le cerveau et un nombre encore plus réduit sont transmis aux zones où ils peuvent donner lieu à une prise de conscience.

Un enregistrement au magnétophone paraît toujours capter plus de bruits de fond qu'il n'en existe dans la vie réelle ; pourtant, des sons comme ceux de la circulation ou le tic-tac d'une pendule sont là tout le temps — notre cerveau ne fait que refuser de les entendre. Toute vie est sélective de la sorte. Dans l'arrière-plan de continuelle clameur, ce que Milton appelait « le lugubre chuintement universel », un organisme fait son choix. Les éléments choisis ne sont pas nécessairement les plus spectaculaires stimuli — les bruits les plus forts ou les plus brillantes lumières ; très souvent, ce sont des modifications subtiles de l'environnement, rendues remarquables uniquement par suite de leur incongruité. Du temps que je dirigeais un zoo, je fus une fois obligé de garder chez moi un couple de renards des sables. Ce sont de minuscules, de délicats animaux du désert, aux gigantesques oreilles en forme de feuilles qui frémissent et scrutent ainsi que des antennes de radar, en quête continuelle de sons nouveaux. De pesants véhicules dévalaient dans un fracas de tonnerre une rue qui longeait la maison, souvent assez bruyants pour étouffer la conversation sous leur vacarme et leurs vibrations ; pourtant, fût-ce au milieu de cette confusion, les renards étaient capables d'entendre des sons aussi faibles qu'un froissement furtif de cellophane à deux pièces de distance, et surgissaient comme par magie sur le bras de mon fauteuil afin de voir ce que j'étais en train de développer.

Les organismes vivants ne sélectionnent, à partir du barrage des ondes électromagnétiques de leur environnement, que les fréquences à même de contenir la meilleure information. L'atmosphère terrestre reflète ou bien absorbe une large part du spectre provenant de l'espace : les radiations infrarouges et ultraviolettes sont en partie éliminées ; mais la lumière visible, qui a une longueur d'onde intermédiaire entre les deux, passe presque intacte. Aussi n'est-ce point hasard que la vie soit très sensible à cette source potentiellement précieuse de compréhension. La vision humaine répond à des longueurs d'onde allant de 380 à 760 millimicrons, ce qui représente exactement l'écart de fréquences le moins affecté par la couche protectrice de l'atmosphère. Nous obtenons du cosmos une image sélective à travers un certain nombre d'étroites fenêtres de ce genre, percées dans notre système sensoriel.

On avait coutume de déclarer qu'il n'existait que cinq de ces fenêtres : celles de la vue, de l'ouïe, de l'odorat, du goût et du toucher. Mais nos idées concernant l'architecture de la vie sont en voie de révision continuelle à mesure que nous découvrons en nous-mêmes de nouveaux sens et dans d'autres espèces de nouvelles combinaisons de ceux que nous connaissions déjà. Les chauves-souris « voient » avec leurs oreilles, construisant des images exactes de leur environnement en émettant des sons à haute fréquence et en prêtant attention aux types des échos en retour. Les serpents à sonnettes « voient » avec leur peau, suivant les mouvements de leur proie dans l'obscurité complète au moyen de cellules sensibles à la chaleur situées dans deux dépressions peu profondes entre les yeux. Les mouches « goûtent » avec leurs pattes, piétinant leur nourriture au préalable afin de voir si elle vaut la peine d'être mangée. Le corps entier constitue un organe sensoriel, et selon toute apparence les facultés surnaturelles, à l'examen attentif, se révèlent être des variables de ce genre, développées par une espèce particulière afin de faire face à ses propres besoins particuliers.

Dans les rivières rouges et vaseuses d'Afrique centrale habite une famille de poissons nommés les mormyridés. Ils comprennent quelques-uns des poissons d'aspect le plus bizarre qui soient au monde, allongés, l'échine roide, avec des yeux minuscules et des hures pendantes, en trompes d'éléphant. Certains d'entre eux fouillent la vase épaisse en quête de vers ; la plupart n'opèrent que la nuit et tous ont une extraordinaire aptitude à répondre à des stimuli invisibles à l'homme. Un peigne passé à travers une chevelure s'électrifie avec une puissance de moins d'un millionième de volt ; et pourtant, si un peigne ainsi chargé est tenu près de la paroi externe d'un aquarium contenant un mormyridé, le poisson réagit violemment à l'infime champ électrique produit dans l'eau.

Le professeur Lissmann, de Cambridge, a conservé près de vingt ans une espèce de mormyridé, le *Gymnarchus niloticus,* et a fait de son monde étrange une étude détaillée (200). Malgré ses yeux dégénérés qui peuvent tout juste distinguer la différence entre la lumière et l'obscurité, ce poisson manœuvre avec précision à travers les obstacles, fonçant en flèche sur d'autres petits poissons dont il se nourrit. Lissmann a découvert que ce poisson « voit » grâce à l'électricité qu'il produit dans un organe électrique formé d'une pile musculaire située dans sa longue queue pointue. En plongeant dans l'eau une paire d'électrodes, Lissmann a constaté que le poisson émettait un courant constant de petites décharges électriques, au rythme d'environ trois cents par seconde. Durant chaque décharge, le bout de la queue devient momentanément négatif par rapport à la tête, et le *Gymnarchus* agit comme un barreau aimanté, produisant un champ doté de lignes de force qui en rayonnent en forme de fuseau. En eaux libres, le champ est symétrique, mais un objet proche le déforme, et le poisson le ressent comme une altération du potentiel électrique à la surface de sa peau. Les cellules sensorielles sont de petits pores situés sur la tête et remplis d'une substance gélatineuse qui réagit au champ et transmet l'information à une zone sensorielle électrique spéciale, située dans la tête, et si vaste qu'elle couvre le reste du cerveau comme une coiffe spongieuse.

Lissmann a dressé le *Gymnarchus* à venir chercher de la nourriture cachée derrière l'un des deux pots de céramique similaires posés à un bout de son aquarium. Le poisson ne peut voir ou sentir le contenu des pots ; mais les parois sont poreuses et, une fois plongées dans l'eau, ne présentent aucun obstacle à un champ électrique. Le *Gymnarchus* était capable de distinguer la différence entre de l'eau du robinet et de l'eau distillée, ou bien entre une baguette de verre d'un millimètre d'épaisseur et une autre de deux millimètres, et allait toujours chercher sa nourriture au pot qui était le meilleur conducteur. Si deux poissons ou davantage opèrent dans le même secteur, ils évitent la confusion en adoptant une fréquence légèrement différente, qui donne à chaque individu sa propre voix électrique distinctive. Quand on plonge des électrodes, reliées à un haut-parleur, dans l'eau près de la berge où les poissons se reposent pendant le jour, on peut entendre un ahurissant charivari de râles, de bourdonnements et de sifflements tandis qu'ils mènent leurs conversations électroniques.

Le *Gymnarchus* peut distinguer la différence entre objets vivants et inanimés, même quand le vif est tout à fait immobile. Il n'utilise pas la forme pour indice, étant donné qu'il peut distinguer un poisson vivant d'un poisson mort de la même espèce ; aussi pouvons-nous présumer qu'il répond à un genre quelconque de signal électrique (199). Lissmann a découvert que beaucoup d'espèces de poissons, censés n'être pas électriques, émettent en réalité de fortes décharges, et il avance l'hypothèse qu'ils sont en train d'acquérir un système électrique de localisation, ou l'utilisent peut-être déjà en complément de leurs sens normaux. Chaque fois qu'un muscle se contracte, il change de potentiel ; aussi est-il possible qu'un organisme vivant, dans lequel une activité musculaire quelconque est toujours en train de s'exercer, produise un champ assez puissant pour être décelé par un spécialiste comme le *Gymnarchus*. Tous les organismes fortement électriques connus vivent dans l'eau, bonne conductrice. L'air est un piètre conducteur et il faudrait une beaucoup plus considérable source d'énergie pour s'y diriger efficacement. Aucune espèce ne semble avoir trouvé qu'il valait la peine de se doter d'un pareil système ; il semble néanmoins que toutes les formes de vie peuvent produire et peut-être même déceler un faible champ électrique.

CHAMPS VITAUX

Harold Burr, de Yale, fit la démonstration des champs vitaux grâce à l'une des expériences biologiques les plus simples et les plus élégantes que l'on ait jamais réalisées. Il partit du principe de la dynamo, machine produisant de l'électricité à partir d'une source purement mécanique, telle que la chute d'eau ou le vent qui souffle. Sous sa forme la plus simple, la dynamo consiste en une armature, en général un rouleau de fil de cuivre, que l'on fait tourner au sein d'un champ magnétique en sorte qu'elle forme et rompe le champ en alternance rapide. Cela produit un courant électrique. Dans l'expérience de Burr, la dynamo consistait en une salamandre vivante, flottant dans un récipient d'eau salée. Burr supposait que la salamandre, petit amphibie qui ressemble un peu à un lézard, produisait un champ et qu'il serait en mesure d'interrompre ce champ pour donner naissance à un courant. Aussi choisit-il pour armature de l'eau salée, qui conduit l'électricité presque aussi bien que le fil de cuivre, et fit-il faire au récipient des tours et des tours autour de la salamandre flottante. Effectivement cela rompit le champ et des électrodes plongées dans l'eau ne tardèrent pas à recueillir un courant. Quand celui-ci fut introduit dans un galvanomètre afin de mesurer la charge, l'aiguille oscilla de gauche à droite, suivant le schéma régulier, négatif et positif, d'un parfait courant alternatif. Si l'on faisait tourner le récipient sans l'amphibie flottant, aucun courant ne se formait.

Ayant prouvé que même un petit animal aux mouvements assez lents produisait son propre courant électrique, Burr poursuivit en élaborant un instrument assez sensible pour mesurer le potentiel du champ (57). Il adapta un voltmètre standard, à tube à vide, en lui donnant une très forte résistance afin de l'empêcher de modifier le voltage en prenant le moindre courant à l'animal objet de la mensuration. Ce voltmètre, Burr l'équipa d'une graduation et de deux électrodes à chlorure d'argent parfaitement appariées. Jamais ces dernières ne sont mises en contact direct avec le spécimen que l'on mesure, mais s'en trouvent séparées par un lien de pâte spéciale ou par une solution saline de la même concentration ionique que l'organisme proprement dit.

Le premier test de Burr avec cet instrument fut pratiqué sur un certain nombre d'étudiants volontaires (60). Il immergea les électrodes dans deux petits récipients de solution saline où les sujets plongèrent leurs index, puis les inversèrent afin d'obtenir un résultat moyen. L'expérience fut répétée chaque jour à la même heure durant plus d'un an et Burr constata que chaque individu présentait une petite fluctuation quotidienne, mais que chez toutes les étudiantes se produisaient un énorme accroissement de voltage, qui durait environ vingt-quatre heures, une fois par mois. Ces modifications paraissaient intervenir près du milieu du cycle menstruel et Burr pensa qu'elles devaient coïncider avec l'ovulation. Afin de vérifier cette idée, il se mit à opérer sur des lapines. La lapine n'a pas de cycle menstruel régulier ni de saison de reproduction, mais, conforme à sa réputation de fécondité, peut se reproduire en tout temps. Pareille à beaucoup de petits mammifères, elle est une « ovulatrice de choc ». Tout ce qui est nécessaire, c'est que le mâle soit assez brutal au cours de l'accouplement pour stimuler fortement le col (certaines espèces ont même au pénis un dard vigoureux à cet effet) et l'ovulation se produit neuf heures plus tard environ. Burr stimula artificiellement une lapine, attendit huit heures, l'ouvrit et disposa ses électrodes sur l'ovaire. Tandis que la courbe de voltage était enregistrée sans interruption, Burr observait l'ovaire au microscope. A son intense ravissement, il se produisit dans le voltage une modification spectaculaire au moment précis où il vit le follicule se rompre et libérer un ovule (56).

L'ovulation provoque une modification marquée au sein du champ électrique corporel. Cette découverte se confirma sur un sujet humain qui allait subir une opération mais accepta de la remettre jusqu'à ce que le voltmètre de Burr indiquât que l'ovulation était en train de se produire (58). Quand les ovaires de cette patiente furent dénudés à la salle d'opération, l'un contenait un follicule qui venait de se rompre. Cette découverte d'une méthode électrique pour détecter l'ovulation, méthode si simple que la patiente n'a qu'à plonger les doigts dans des bols d'eau, a été proposée en tant que système de contrôle de naissance pour les femmes qui ne peuvent se résoudre à faire confiance aux horaires lunaires d'Eugen Jonas. Les deux systèmes sont beaucoup plus sûrs que la méthode des rythmes purement mathématiques, laquelle, ainsi que bien des femmes s'en sont aperçues à leur consternation, ne tient nul compte des variations, qui peuvent être considérables, du moment de l'ovulation. La méthode de Burr est désormais utilisée aussi pour assurer la conception volontaire et pour fixer le moment de l'insémination artificielle, mais on n'en est pas resté là.

Ayant découvert qu'un champ vital existe et que les modifications qui surviennent dans ce champ ne sont pas fortuites, mais liées à des phénomènes biologiques fondamentaux, Burr se demanda si le champ serait également influencé par des dommages dus à la maladie. Il apporta son équipement chez un accoucheur et tous deux expérimentèrent sur plus de mille femmes, à l'Hôpital Bellevue de New York (59). Dans cent deux cas, ils constatèrent un écart anormal entre l'abdomen et le col, et dans des interventions chirurgicales ultérieures pratiquées pour d'autres motifs, quatre-vingt-quinze pour cent de ces femmes se révélèrent avoir une tumeur maligne, soit au col, soit à l'utérus. Ainsi le champ vital se modifie-t-il avant même que les symptômes de la maladie ne deviennent manifestes, et une fois que ces modifications seront mieux comprises, il semble vraisemblable que ce procédé deviendra un précieux système de dépistage précoce et d'aide au diagnostic. Burr va plus loin encore : il prétend que l'écart de la réaction électrique est directement lié au taux de guérison et qu'il peut employer son voltmètre comme un genre de super-rayon X (55). Les cicatrices internes ne sont pas facilement visibles avec l'appareillage normal ; mais Burr a pu déterminer l'état de lésions chirurgicales uniquement en suivant les modifications survenues dans le champ vital externe.

Ce champ concerne les potentiels de courant direct, et n'a rien à voir avec les ondes cérébrales, non plus qu'avec les impulsions enregistrées par un électrocardiogramme. Toutes les fois que le cœur bat ou que le cerveau se trouve stimulé, cela produit une charge électrique mesurable ; mais le champ vital semble être l'effet de somme totale de ces charges et de toutes les autres petites charges électriques qui se produisent en tant que résultat de phénomènes chimiques ayant lieu sans arrêt dans le corps. On peut mesurer le champ vital même en tenant les électrodes à quelque distance de la peau, ce qui indique bien qu'il s'agit d'un véritable effet de champ et non point seulement d'un potentiel électrique de surface. Le champ persiste aussi longtemps que dure la vie, en subissant chez les sujets sains de petites modifications régulières et des aberrations plus spectaculaires chez un sujet malade. Mesurées sur une longue période, l'élévation et la chute de voltage peuvent être figurées en cycles réguliers, indiquant l'époque où tel individu se trouve au mieux de sa forme, et les moments où sa vitalité est diminuée et où son efficience risque d'en souffrir. Chez une personne en bonne santé, les cycles sont tellement réguliers que l'on pourrait les utiliser pour prédire les « hauts » et les « bas » des semaines d'avance, et prévenir quelqu'un, dans une occupation risquée telle qu'une course d'automobile, des jours où il devrait prendre un surcroît de précautions, ou même rester dans son lit. A cet égard, nous nous rapprochons de nouveau beaucoup de l'astrologie, spécialisée dans la prédiction de moments « propices » ou « défavorables » pour entreprendre tels projets particuliers ; aussi n'est-il pas surprenant de constater que les modifications du champ vital suivent un rythme cosmique.

Bien qu'il soit manifestement impossible de maintenir un homme attaché à un voltmètre durant des mois d'affilée, il existe à New Haven (Connecticut) un magnifique vieil érable qui depuis trente ans est soumis à un enregistrement continu (52). L'analyse de cet enregistrement montre des courbes irrégulières, produites par des perturbations électriques dues aux orages proches et les fluctuations locales du champ magnétique terrestre ; mais elle montre aussi que l'arbre répond à un rythme solaire de vingt-quatre heures, à un rythme lunaire de vingt-cinq heures, et à un plus long cycle lunaire qui atteint son apogée au moment où la pleine Lune passe au zénith. Une seule étude à long terme de ce genre a été pratiquée sur l'homme. Léonard Ravitz a réalisé des enregistrements continus pendant plusieurs mois, qui ont montré que le champ vital atteint une valeur positive maximale à la pleine Lune et une valeur négative maximale deux semaines plus tard, à la nouvelle Lune (267). Nous savons que les passages du Soleil, de la Lune et des planètes produisent tous des variations dans les conditions magnétiques qui altèrent radicalement le champ terrestre. Et nous savons maintenant que les êtres vivants ont leurs propres champs, qui sont à leur tour influencés par les changements de conditions de la Terre. La boucle est bouclée. Voilà un mécanisme naturel et mesurable qui peut expliquer le rapport entre l'homme et le cosmos. Le surnaturel cède le pas à la Surnature.

L'idée de posséder un champ électrique que nous ne pouvons ni voir, ni entendre, ni goûter est en elle-même assez mystérieuse ; aussi vaut-il la peine d'expliquer qu'un champ n'existe pas en propre. Il ne s'agit que d'une zone où certains phénomènes se produisent. Si on introduit une charge électrique dans un champ électrique, des forces agiront sur elle. Chaque atome porte une charge électrique et se trouve donc affecté par l'action du champ d'un organisme. Même un animal simple, à cellule unique, tel que l'euglène, a son propre champ et édifie sa structure au moyen d'atomes et de molécules, modifiant son champ en incorporant leurs charges. Aussi un organisme complexe a-t-il un champ composite, somme de tous ses éléments constitutifs. Ce champ peut être mesuré comme un tout pour obtenir la « saveur » de la structure entière, ou l'on peut effectuer des mensurations séparées d'organes et peut-être même de cellules individuelles au sein de l'organisme. Chaque élément constitutif a sa fonction propre et développe son propre potentiel en tant que résultat de cette fonction. Burr a étudié ces différences, ce qui l'a amené à une excitante découverte.

Il introduisit des micro-électrodes dans un œuf de grenouille nouvellement pondu et trouva que, avant même que l'œuf ne commençât de se diviser et de se développer en un têtard, il put mesurer des différeces de voltage dans les parties de l'œuf destinées à devenir le système nerveux (50). Le matériau de l'œuf qui finirait par servir à la fonction de communication manifestait déjà le voltage caractéristique de cette partie de l'organisme. Cela laisse à penser que le champ vital a une faculté organisatrice, qu'il est en quelque sorte un patron qui fixe la forme et la fonction de l'organisme en voie de développement. Edward Russell s'est emparé de cet exemple unique d'anticipation, et l'a développé dans une thèse qui vient de paraître sous le titre *Design for Destiny*. Russell envisage ce champ comme un mécanisme intégrateur qui non seulement modèle l'organisme, mais continue à vivre après sa mort, en tant qu'âme (285).

Il serait magnifique de découvrir la preuve scientifique de l'âme, ainsi que l'annonce la publicité de couverture du livre de Russell ; mais je regrette que tel ne soit pas le cas. Burr a pris à partir de l'œuf de grenouille des mensurations qui lui ont permis de prédire où se formerait le futur cordon nerveux ; toutefois, il ne prétend à aucun moment que le champ vital de l'œuf était identique à celui de la grenouille adulte. Il devrait être le même s'il existait avant la grenouille en tant que patron, vivait avec elle en tant qu'intelligence, et lui survivait en tant qu'âme. Toutes les indications dont nous disposons vont dans le sens opposé. Burr a montré qu'une modification du champ vital par rapport à la normale était signe d'une maladie à peine débutante, mais il n'a certainement jamais prétendu que cette modification du champ produisait la maladie. Au contraire, ses travaux démontrent que le champ vital est essentiellement un produit de la vie, fournissant une image-reflet électronique exacte où certains détails sont détectables avant de devenir apparents à nos autres sens. La vie produit le champ vital et, quand la vie meurt, le champ meurt avec elle. Le *Gymnarchus* ne peut distinguer un poisson mort d'un modèle en cire.

Au cours de son existence, tout changement qui survient dans un organisme est reflété par un changement dans son champ. C'est ce que Burr a trouvé grâce à une autre expérience précise. Quand on croise deux souches pures de maïs, elles produisent un épi contenant un mélange de graines pures et hybrides. Celles-ci paraissent identiques et ne diffèrent intérieurement que dans la disposition d'un seul petit gène, que l'on ne peut distinguer fût-ce au microscope électronique. Pourtant Burr a montré qu'elles avaient des potentiels électriques différents et il a été en mesure de trier sans erreur les graines en pures et en hybrides, en se servant uniquement de son voltmètre (51). Voilà qui nous évoque les astrologues prédisant avec succès des événements de la vie ultérieure sur la seule base de l'horoscope et il vaut la peine de poursuivre l'analogie. La mensuration du potentiel électrique est pareille à l'identification d'un signe ascendant : l'une et l'autre sont indicatrices d'un type d'événements, mais aucune en soi ne constitue un facteur déterminant. Le champ vital représente une découverte capitale ; et pourtant, il ne s'agit pas du secret de la vie, ni de la survie après la mort. C'est davantage un moyen en vue d'une fin, une clé pour la compréhension de la Surnature.

Ces recherches sur la vie et l'électricité ont entre autres conduit à une théorie qui pourrait expliquer comment la vie se trouve influencée par des phénomènes extérieurs à notre système solaire. En même temps que la lumière provenant des étoiles, nous recevons une équivalente quantité d'énergie sous la forme de rayons cosmiques de très courte longueur d'onde. La plupart de ces derniers sont absorbés dans l'atmosphère où leur énergie sert en partie à transformer l'acide carbonique en l'isotope radioactif carbone 14, lequel entre dans tous les êtres vivants et nous fournit un moyen de dater de nombreux fossiles. Le reste de l'énergie de ce bombardement cosmique entre dans l'ionisation de l'air, ce qui résout les gaz en atomes porteurs de charges électriques. Cet air chargé se groupe à près de cent kilomètres au-dessus de la surface terrestre en une couche nommée l'ionosphère, qui reflète les plus longues ondes radio et nous permet, à nous qui sommes au sol, d'envoyer des signaux radiophoniques par-delà l'horizon en les faisant rebondir sur cet invisible plafond.

Une partie de l'air ionisé s'infiltre jusqu'à des couches inférieures de l'atmosphère en tant qu'ozone, lequel a sur la vie un effet marqué. A une dose de seulement une partie pour quatre millions de parties d'air, l'ozone tue de nombreuses bactéries, et on l'injecte parfois à cet effet dans le conditionnement d'air des mines et des chemins de fer souterrains (213). Nous pouvons détecter l'ozone sous cette concentration à son odeur fraîche, un peu marine, mais nous percevons aussi l'air ionisé à des concentrations beaucoup plus faibles et pouvons même distinguer entre charges positives et négatives (185). L'air où dominent les ions positifs exerce un effet dépressif sur l'homme, tandis que les ions négatifs ont tendance à être plus stimulants. Nous n'aurions aucun moyen de faire des distinctions de ce genre si nous n'étions nous-mêmes porteurs d'une charge électrique, laquelle ou bien attire, ou bien repousse les particules qui nous entourent. Ravitz a montré que nos champs ont une charge positive à la pleine Lune, en sorte qu'à cette époque nous attirerions à nous les ions négatifs avec effet excitant (267). Ce qui fournit une élégante explication au fait que les caractères psychotiques entrent à cette époque dans leurs phases maniaques et que tout le monde saigne plus facilement à la pleine Lune. Le champ vital forme un mécanisme idéal pour nous relier aux événements cycliques de notre environnement.

La Lune produit des marées dans l'eau, l'air et la terre, lesquelles altèrent le champ magnétique, ce qui à son tour affecte la charge de nos champs vitaux. Pour accentuer ce changement et nous rendre encore plus conscients du rythme lunaire en tant que chronomètre de base, les rayons cosmiques produisent l'air ionisé, qui réagit sur notre champ et accentue nos réponses. Nous sommes sensibles à la Lune, mais cette sensibilité est elle-même modifiée par des événements qui proviennent d'une distance de nombreuses années-lumière. Une fois de plus, nous découvrons de complexes relations mutuelles qui rendent la Terre et tous ses êtres vivants partie intégrante du cosmos.

A l'extrémité opposée du spectre, par rapport aux minuscules rayons cosmiques, il existe de très longues ondes dont les origines semblent être, elles aussi, extérieures à notre système solaire. La fréquence de ces ondes se mesure en infimes fractions de cycle par seconde, leur longueur d'onde étant de millions de kilomètres, et leur énergie est faible au point d'être à peine mesurable ; pourtant, il semble que notre organisme en ait conscience. Une étude effectuée en Allemagne sur cinquante-trois mille personnes a révélé qu'elles réagissaient plus lentement à des stimuli normaux au passage d'ondes de cette longueur (182). Il est hautement significatif que la courbe de ces ondes à très basse fréquence soit presque impossible à distinguer des courbes qu'un électro-encéphalographe enregistre dans le cerveau humain.

ONDES CÉRÉBRALES

L'électrophysiologie naquit au milieu du dix-huitième siècle, peu de temps après que l'on eut disposé de méthodes pour produire de l'électri-cité. D'abord, les expériences furent assez folles : on rapporte que Louis XV, à ses moments perdus, « fit administrer à sept cents moines chartreux joints par les mains un choc électrique provenant d'une pile de bouteilles de Leyde, avec un effet prodigieux » (355). Ensuite, on commença à soupçonner que non seulement tous les tissus vivants étaient sensibles aux courants électriques, mais que le tissu lui-même produisait de petits voltages, qui se modifiaient spectaculairement lors-qu'il était lésé ou qu'il entrait en activité. En 1875, un médecin anglais découvrit que le cerveau produisait lui aussi des courants de cette sorte. Les premières expériences furent pratiquées sur les cerveaux découverts de grenouilles et de chiens, mais sitôt que l'on eut inventé un appareillage plus sensible, les recherches commencèrent pour de bon sur des animaux intacts et sur des hommes. En 1928, Hans Berger découvrit que le courant produit par le cerveau n'était pas constant, mais s'écoulait en un système d'ondes rythmique, ce qu'il démontra sur son *Elektrenkephalogram*.

Aujourd'hui, l'unique ligne tremblée de Berger a été brisée en de nombreux composants par des instruments capables de détecter des fluctuations aussi réduites qu'un dix-millionième de volt. Pour donner quelque idée du caractère infime d'un tel courant, il en faudrait environ trente millions pour allumer une petite ampoule de lampe de poche. Quatre types rythmiques fondamentaux sont cachés dans la confusion de ces très subtils stimuli ; ils ont été nommés alpha, bêta, delta et thêta. Les rythmes delta sont les plus lents, s'écoulant entre 1 et 3 cycles par seconde, et sont le plus prépondérants dans le profond sommeil. Les rythmes thêta sont ceux qui possèdent une fréquence de 4 à 7 cycles par seconde, et qui semblent être liés à l'humeur. De 8 à 12 cycles sont les rayons alpha, qui se produisent le plus souvent dans la méditation détendue et sont brisés par l'attention. Quant aux rythmes bêta, entre 13 et 22 cycles par seconde, ils paraissent confinés à la zone frontale du cerveau, où ont lieu de complexes processus mentaux.

Les recherches primitives concernant ces rythmes étaient limitées à de simples expériences comme l'effet de l'ouverture et de la fermeture des yeux, du calcul mental ou de la prise de drogues, mais les résultats restaient fort maigres. Pour en découvrir davantage sur le rayon d'action et sur la sensibilité du cerveau, Grey Walter et ses collègues décidèrent en 1946 d'essayer d'imposer par l'intermédiaire des sens de nouveaux modèles aux rythmes cérébraux existants. Ils commencèrent par projeter à intervalles réguliers une lumière dans les yeux du sujet, et constatèrent que ce papillotement produisait de nouvelles et étranges courbes sur les graphiques. A certaines fréquences, le clignotement provoquait aussi des réactions violentes chez le sujet, soudain saisi par ce qui semblait être une crise d'épilepsie.

Walter s'empressa alors d'étudier les ondes cérébrales normales, au repos, d'épileptiques connus, et s'aperçut que leurs rythmes cérébraux se trouvaient groupés selon certaines fréquences. « C'était comme si certains accords principaux apparaissaient constamment superposés aux trilles et arpèges de l'activité normale. » Ce groupement harmonique fit supposer à Walter que la seule chose nécessaire pour obtenir des rythmes qu'ils se synchronisent en une explosion formidable, c'était un coordinateur externe, un chef d'orchestre apte à réunir en une grandiose convulsion simultanée les accords séparés. Un clignotement au niveau du rythme alpha, entre 8 et 12 cycles par seconde, joua précisément ce rôle chez les épileptiques, permettant de provoquer une crise à n'importe quel moment. Cette technique est devenue un précieux moyen de diagnostic de l'épilepsie, mais on a de plus découvert qu'un grand nombre de gens par ailleurs normaux présentent sous certaines conditions une réaction similaire.

Walter examina des centaines de gens qui n'avaient jamais eu d'accès ou de crise d'aucune sorte, et constata qu'environ une personne sur vingt réagissait à un clignotement soigneusement adapté. Ces sujets éprouvaient « des sensations bizarres », un malaise ou des vertiges ; certains perdaient conscience quelques instants, ou leurs membres se mouvaient par saccades au rythme de la lumière. Sitôt qu'une sensation de ce genre était constatée, on arrêtait le papillotement pour éviter une convulsion complète. Chez d'autres sujets, le clignotement devait être exactement harmonisé avec le rythme cérébral pour produire un effet. Un circuit de réaction, où la lumière clignotante était effectivement allumée par les signaux cérébraux eux-mêmes, provoquait d'immédiates crises d'épilepsie chez plus de la moitié des personnes soumises à l'expérience.

Conduire au long d'une avenue bordée d'arbres, où le Soleil clignote entre les troncs à un certain rythme, peut se révéler fort dérangeant. On rapporte qu'un cycliste perdit à plusieurs reprises connaissance en passant par une route de ce genre pour rentrer chez lui. Dans son cas, un moment d'inconscience l'empêchait de pédaler, le faisant ralentir à une vitesse où le clignotement cessait de l'affecter, et il revenait à lui à temps pour éviter de tomber. Mais une automobile a plus d'élan, et il y a des chances qu'elle continue d'aller à la vitesse critique, ce qui peut influencer le conducteur assez longtemps pour lui faire perdre tout à fait contrôle. On ne sait pas combien d'accidents mortels se sont produits de la sorte.

Dans un autre cas, un homme s'aperçut que chaque fois qu'il allait au cinéma, il était pris d'un désir aussi soudain qu'incoercible d'étrangler la personne assise à côté de lui. Une fois, il lui arriva même de reprendre ses esprits pour découvrir qu'il avait les mains serrées autour de la gorge de son voisin. Quand on lui fit subir le test, on s'aperçut qu'il avait de violentes secousses des membres lorsque le clignotement était fixé à vingt-quatre cycles par seconde, ce qui est exactement le rythme d'un film tourné à vingt-quatre images par seconde.

Les implications de cette découverte sont énormes. Nous sommes tous les jours exposés à des clignotements variés et courons des risques de maladie ou de crises fatales. Le taux de clignotement des lumières fluorescentes, entre 100 et 120 par seconde, est trop élevé pour provoquer des convulsions, mais qui sait quel effet cela risque d'avoir sur ceux qui s'y trouvent exposés durant plusieurs heures chaque jour ? La Société britannique d'acoustique s'est inquiétée de la vibration à basse fréquence produite par les véhicules à moteur tournant à vitesse constante (318). Ces « infrasons » se situent au niveau de 10 à 20 cycles par seconde, ce qui se trouve au-dessous de la limite de l'ouïe humaine, et cependant ils peuvent nous affecter de la même façon que des clignotements lumineux. La Société attire l'attention sur les manifestations d'imprudence ou d'euphorie que risquent de provoquer ces sons : diminution d'efficacité, étourdissements par perte d'équilibre. Elle estime que les infrarouges sont responsables des écarts que commettent certains conducteurs de l'autre côté de la ligne médiane des autoroutes, apparemment tout à fait oublieux des dangers de la circulation inverse, et que des vibrations peuvent être l'explication d'un grand nombre d'accidents autrement incompréhensibles.

Un ingénieur, le professeur Gavraud, faillit renoncer à son poste dans un institut marseillais, car il avait toujours des malaises en travaillant. Il renonça à partir en découvrant que ses crises récurrentes de nausées ne le prenaient que dans son bureau, au sommet de l'immeuble. Présumant qu'il se trouvait dans la pièce quelque chose qui le dérangeait, il essaya de le dépister grâce à des appareils sensibles à diverses substances chimiques, et même avec un compteur Geiger ; mais il ne trouva rien jusqu'au jour où, découragé, il s'adossa contre le mur. La pièce entière vibrait à une très basse fréquence. La source de cette énergie se révéla être une installation de conditionnement d'air située sur le toit d'un bâtiment de l'autre côté de la rue, et le bureau de notre ingénieur avait la forme et la distance qu'il fallait par rapport à la machine pour résonner en harmonie avec elle. C'était ce rythme, de sept cycles par seconde, qui rendait malade le professeur.

Fasciné par le phénomène, Gavraud décida de construire des machines à produire des infrasons afin de poursuivre son enquête. En cherchant des objets susceptibles de lui servir, il s'aperçut que le sifflet à roulette que l'on distribue à tous les gendarmes français produisait tout un éventail de sons à basse fréquence. Aussi construisit-il un sifflet de police de près de deux mètres de long, et l'actionna-t-il à l'air comprimé. Le technicien qui fit le premier essai du sifflet géant tomba mort sur-le-champ. L'autopsie révéla que tous ses organes internes avaient été broyés en une gelée amorphe par les vibrations.

Gavraud poursuivit ses travaux avec plus de circonspection et procéda au grand air à l'expérience suivante, après avoir mis tous les observateurs à l'abri de la machine dans un bunker en béton. Quand tout fut prêt, on brancha lentement l'air — et l'on brisa les carreaux de tous les immeubles dans un rayon de huit cents mètres autour du lieu de l'expérience. Par la suite, les chercheurs apprirent à contrôler avec plus d'efficacité l'amplitude du générateur d'infrasons et conçurent une série de machines plus petites en vue de travaux expérimentaux. L'une des plus intéressantes découvertes, à ce jour, est que les ondes de basse fréquence peuvent être dirigées et que deux générateurs braqués sur un point particulier, fût-ce à huit kilomètres de distance, produisent une résonance capable de démolir un immeuble avec autant d'efficacité qu'un tremblement de terre de première importance. On peut construire à très bas prix ces machines à fréquence 7, dont il est possible de se procurer les plans pour trois francs au Bureau des brevets de Paris.

Voilà maintenant bien des années que les ondes sismiques sont enregistrées de la même façon que les ondes cérébrales. On a élaboré des sismographes assez sensibles pour recueillir des vibrations du sol que nous sommes dans l'incapacité de percevoir consciemment. Ces enregistrements révèlent quand des tremblements de terre ont lieu, fût-ce à l'autre bout du monde. Durant le tremblement de terre au Chili de mai 1960, par exemple, la planète entière retentit comme un gong d'oscillations d'ondes longues, ayant des périodes qui atteignaient une heure. Mais on a maintenant découvert qu'un tremblement de terre est en outre accompagné, et précédé, de périodes de vibrations à basse fréquence, situées au niveau de sept à quatorze cycles par seconde. Elles commencent plusieurs minutes avant les premiers chocs manifestes du tremblement lui-même, et fournissent un système d'alarme auquel beaucoup d'espèces paraissent réagir. C'est pourquoi les Japonais, qui vivent en plein sur un système de fracture, ont toujours élevé des poissons rouges. Quand les poissons commencent à nager frénétiquement de droite et de gauche, leurs propriétaires se précipitent au dehors à temps pour éviter d'être pris au piège par la chute de maçonnerie. Les poissons possèdent l'avantage de vivre au sein d'un milieu bon conducteur des vibrations ; pourtant, même les animaux qui vivent dans l'air sont capables de percevoir les signaux avertisseurs. Des heures avant un tremblement de terre, on a vu des lapins et des cervidés terrorisés fuir les zones d'épicentre. Certaines personnes, en particulier des femmes et des enfants, sont également sensibles à ces fréquences.

Le fait que les fréquences coïncident avec celles qui agitent et rendent malade expliquerait la frayeur sauvage, irraisonnée, qui accompagne un tremblement de terre. F. Kingdon-Ward a survécu à la grande secousse de l'Assam en 1951, et décrit les sentiments qu'il éprouva sur le moment (175). « Soudain, après le plus léger tremblement (ressenti par ma femme, mais non par moi), il se produisit un bruit épouvantable et la terre se mit à frissonner violemment... les contours du paysage, visibles contre le ciel étoilé, se brouillèrent — chaque arête, chaque arbre flous — comme s'il se mouvait rapidement de haut en bas... le premier sentiment d'ahurissement — un étonnement incrédule que ces collines à l'aspect robuste fussent la proie d'une force qui les secouait comme un terrier secoue un rat — céda bientôt la place à la terreur absolue. » Il s'agissait là d'un tremblement de terre de première importance où ils étaient en grand péril ; pourtant les sentiments de terreur semblent n'avoir aucun rapport avec l'ampleur de la secousse. Je me souviens d'avoir couru dehors au cours d'un petit tremblement de terre en Crète, en 1967, et, en dépit du fait que j'étais en parfaite sécurité à l'extérieur et que ce qui se passait me fascinait, d'avoir éprouvé une peur irrationnelle si profonde que je fus dans l'incapacité de dormir à l'intérieur durant plus d'une semaine.

Des vibrations d'une fréquence trop basse pour être entendues pourraient expliquer les sentiments de dépression et de frayeur qui semblent s'attacher à certains lieux. Beaucoup de gens se sentent intensément mal à leur aise dans l'île de Santorin, au sud de la mer Egée, et peu de visiteurs y séjournent plus d'un jour ou deux. Cette île, que certaines personnes croient aujourd'hui être le site de l'ancienne Atlantide, fut le théâtre d'une éruption violente en 1450 av. J.-C., et la victime d'un tremblement de terre en 1956. Depuis le récent désastre, on y a établi une station sismologique qui signale un constant courant sous-jacent de murmures à très basse fréquence. La terre exprime ses mises en garde d'une voix douce et basse.

Une découverte inattendue a été faite à la suite du tremblement de terre de Tachkent en 1966. Dès un an avant la secousse, les savants avaient été surpris de constater des concentrations croissantes du gaz inerte argon dans l'approvisionnement d'eau de la ville, qui provient de profonds puits artésiens. Le 25 avril, le phénomène avait atteint quatre fois son niveau normal, et le 26, le tremblement de terre éclata. Le lendemain du désastre, le taux d'argon était revenu à la normale. La raison de ce changement n'est pas connue, mais il constitue encore un de ces indices invisibles à quoi la vie pourrait bien être capable de réagir comme par enchantement.

L'unique chose qu'aient en commun les tremblements de terre, les marées atmosphériques et les rayons cosmiques, c'est que tout cela opère à très basse énergie et émet des signaux d'une extrême ténuité. L'aptitude apparemment surnaturelle de la vie à réagir à des stimuli comme la position de la Lune invisible, la concentration d'ions invisibles, et l'infime influence magnétique d'une planète à l'horizon, tout cela peut être attribué à un seul phénomène physique : le principe de résonance.

RÉSONANCE

Si l'on fait sonner un diapason conçu pour produire une fréquence de 256 cycles par seconde (à savoir le *do* moyen) n'importe où près d'un autre diapason possédant la même fréquence naturelle, le second se mettra à vibrer doucement en accord avec le premier, même sans être touché. De l'énergie a été transmise de l'un à l'autre. Un insecte sans oreilles serait dans l'incapacité d'entendre le son du premier diapason, mais s'il était posé sur le second, il ne tarderait point à prendre conscience de la vibration — et par conséquent d'événements se produisant par-delà sa sphère normale. C'est tout le problème de la Surnature.

Un événement qui se produit dans le cosmos déclenche la vibration d'ondes électromagnétiques, qui voyagent à travers l'espace et créent une vibration équivalente par résonance avec une partie quelconque de la Terre qui possède la même fréquence naturelle. La vie peut réagir à ces stimuli de façon directe, mais plus souvent elle réagit en résonnant en sympathie avec une partie de son environnement immédiat. Une lumière s'allumant à la même fréquence qu'un rythme cérébral produit une résonance et des effets alarmants, même si le clignotement risque d'être trop rapide pour que nous le distinguions. Un très faible champ électrique ou magnétique devient perceptible du moment qu'il résonne à la même fréquence que le champ vital de l'organisme qui y réagit. De la sorte, des stimuli infimes, trop faibles pour faire aucune impression sur les sens normaux, sont agrandis et portés à notre conscience. Le surnaturel devient partie intégrante de l'histoire naturelle.

Dans la plupart des instruments de musique, le son est produit par des cordes, des membranes tendues, des baguettes ou des anches, et dans tous une importante partie est une structure qui accroît la zone de contact que ces vibrateurs ont avec l'air. Une corde de guitare a une caisse de résonance et une anche de clarinette a un tuyau. La forme de la structure détermine la façon dont résonnera l'air et la qualité du son. Forme et fonction sont très étroitement liées, non seulement pour l'émetteur du signal, mais aussi pour le receveur. Pour que l'auditeur entende le son comme il faut, il ne doit pas s'installer dans une salle de mauvaise forme ni porter un casque de football.

En dernier ressort, la sensibilité au son dépend de vibrations établies dans le liquide de l'oreille interne, mais le son doit d'abord être recueilli par l'oreille externe. Chez l'homme, le passage entre la caisse du tympan et le monde extérieur est en forme de cheminée, dont les parois font un angle d'environ trente degrés par rapport au tympan : exactement l'angle qui convient le mieux à l'amplification des sons situés dans la gamme critique. Le plus répandu, et donc vraisemblablement le plus efficace, des cornets acoustiques à l'ancienne mode présente aussi cet angle de trente degrés. Evidemment cela pourrait n'être qu'une coïncidence, mais j'en doute.

Naturellement, le son est une vibration qui ne peut être transmise que par un milieu élastique ; il ne peut voyager à travers le vide. Les ondes électromagnétiques, elles, se propagent à travers l'espace libre, et nous en savons beaucoup moins sur les facteurs qui gouvernent leur résonance. Il existe néanmoins un indice tout à fait extraordinaire, suggérant que la forme pourrait être importante dans la réception des stimuli cosmiques eux-mêmes. Il provient de ces objets favoris des mystiques à travers les âges : les pyramides égyptiennes.

Les pyramides, sur la rive occidentale du Nil, furent édifiées par les pharaons en tant que tombes royales, et datent d'environ 3000 av. J.-C. Les plus célèbres sont celles de Guizèh, bâties durant la quatrième dynastie, et dont la plus grande est celle qui abritait le pharaon Khoufou, plus connu sous le nom de Chéops. On l'appelle aujourd'hui la Grande Pyramide. Il y a quelques années, elle fut visitée par un Français nommé Bovis, qui s'abrita du soleil de midi dans la salle du pharaon, située au centre de la pyramide, exactement au tiers à partir de la base. Bovis trouva là une humidité insolite ; mais ce qui le surprit véritablement, ce furent les boîtes à ordures qui contenaient, parmi les habituels déchets touristiques, les corps d'un chat et de quelques petits animaux du désert qui s'étaient égarés dans la pyramide et y étaient morts. Malgré l'humidité, aucun d'eux ne s'était décomposé, mais ils s'étaient seulement desséchés comme des momies. Bovis commença de se demander si, après tout, les pharaons avaient été si bien embaumés que ça par leurs sujets, ou s'il y avait quelque chose, dans les pyramides elles-mêmes, qui préservait les corps en état de momification.

Bovis fabriqua une maquette exacte de la pyramide de Chéops et la disposa, comme l'original, avec ses lignes de base faisant exactement face aux directions nord-sud et est-ouest. A l'intérieur de la maquette, au tiers en direction du haut, il plaça un chat mort. Ce dernier se momifia et Bovis en conclut que la pyramide favorisait la déshydratation rapide. Des rapports sur cette découverte attirèrent l'attention de Karel Drbal, ingénieur de radio à Prague, qui répéta l'expérience avec plusieurs animaux morts et conclut : « Il existe un rapport entre la forme de l'espace à l'intérieur de la pyramide et les processus physiques, chimiques et biologiques effectués au sein de cet espace. En utilisant des formes et structures appropriées, nous devrions être en mesure de faire se dérouler plus vite ou de retarder les processus (233). »

Dral se souvint d'une vieille superstition qui prétendait qu'un rasoir laissé au clair de lune s'émoussait. Il essaya d'en mettre un dans sa maquette de pyramide, mais rien ne se produisit ; aussi continua-t-il de se raser avec jusqu'à ce qu'il fût émoussé, puis le replaça dans la pyramide. Il redevint affilé. Il est encore malaisé de se procurer une bonne lame de rasoir en de nombreux pays de l'Europe de l'Est ; aussi Drbal essaya-t-il de breveter et mettre sur le marché sa découverte.

Le Bureau des brevets de Prague refusa de la prendre en considération jusqu'à ce que son spécialiste scientifique en chef eût tenté lui-même de construire une maquette et constaté qu'elle fonctionnait. Ainsi l'affûteur de lames de rasoir « Pyramide de Chéops » fut-il enregistré en 1959 sous le numéro de brevet 91304 de la République tchécoslovaque et une usine ne tarda pas à fabriquer des pyramides miniature en carton. Aujourd'hui, elles sont faites en matière plastique.

Le fil d'une lame de rasoir a une structure cristalline. Les cristaux sont presque vivants, en ce qu'ils se développent en se reproduisant eux-mêmes. Lorsqu'une lame s'émousse, une partie des cristaux du tranchant, où ils n'ont qu'une seule couche d'épaisseur, se trouve ôtée par frottement. En théorie, il n'y a pas de raison pour qu'avec le temps ils ne se remplacent pas d'eux-mêmes. Nous savons que la lumière solaire a un champ orienté dans toutes les directions ; néanmoins la lumière solaire, réfléchie par un objet tel que la Lune, est polarisée en partie et vibre surtout dans une seule direction. On peut concevoir que cela serait capable de détruire le fil d'une lame laissée exposée à la Lune, mais cela n'explique pas l'action inverse de la pyramide. Nous pouvons seulement supposer que la Grande Pyramide et ses imitations réduites jouent le rôle de lentilles concentrant l'énergie ou de résonateurs qui la recueillent, et que celle-ci encourage le développement du cristal. La forme même de la pyramide ressemble beaucoup à celle d'un cristal de magnétite ; aussi peut-être édifie-t-elle un champ magnétique. Je ne sais pas la réponse, mais ce que je sais, c'est que cela marche. Jusqu'ici, mon record avec les lames Wilkinson Sword est de quatre mois d'usage quotidien continu. J'ai l'impression que les fabricants ne vont pas du tout aimer ça.

Essayez vous-même. Découpez quatre morceaux de carton fort en triangles isocèles ayant la proportion base-côtés de 15,7 à 14,94. Collezles ensemble au ruban adhésif en sorte que la pyramide se dresse à une hauteur de 10,0 exactement des mêmes unités. Orientez-la de façon précise en sorte que les lignes de base soient face aux nord-sud et estouest magnétiques. Faites un support haut de 3,33 unités, et placez-le juste sous le sommet de la pyramide afin de soutenir vos objets. Les tranchants de la lame doivent faire face à l'est et à l'ouest. Maintenez le tout loin des appareils électriques.

J'ai constaté que la vitesse de déshydratation des matières organiques dépend beaucoup de la substance en cause et des conditions météorologiques. A cela on se serait attendu ; cependant j'ai tenté de garder les mêmes objets — œufs, romsteck, souris crevées — à la fois dans la pyramide et dans une boîte à chaussures ordinaire ; or ceux de la pyramide se conservèrent tout à fait bien tandis que ceux de la boîte ne tardèrent pas à sentir et il fallut les jeter, cela m'oblige à conclure qu'une réplique en carton de la pyramide de Chéops n'est pas qu'une disposition fortuite de morceaux de papier, mais possède effectivement des propriétés particulières.

Il existe un fascinant post-scriptum à cette histoire de pyramide. En 1968, une équipe de savants des Etats-Unis et de l'université Ein Shams du Caire s'attela à un projet d'un million de dollars en vue de radiographier la pyramide de Chéphren, successeur de Chéops. Ils espéraient trouver de nouvelles sépultures cachées dans les six millions de tonnes de pierre en plaçant des détecteurs dans une chambre située à la base, et en mesurant la pénétration des rayons cosmiques, la théorie étant que des rayons traverseraient en plus grand nombre les cavités. Les enregistreurs fonctionnèrent vingt-quatre heures sur vingt-quatre pendant plus d'un an jusqu'à ce qu'au début de 1969 le dernier ordinateur, un IBM 1130, fût livré à l'université pour analyser les bandes. Six mois plus tard, les savants durent s'avouer battus : la pyramide était absolument incompréhensible. Des bandes enregistrées avec le même équipement, du même endroit, plusieurs jours de suite, présentaient des types tout à fait différents de rayons cosmiques. Le directeur de l'entreprise, Amr Gohed, dans une interview donnée plus tard, déclara : « La chose est scientifiquement impossible. Appelez ça comme vous voudrez : occultisme, malédiction des pharaons, sorcellerie ou magie ; il existe une force quelconque, à l'œuvre dans la pyramide, qui défie les lois de la science. »

L'idée que la forme a une influence sur les fonctions qui s'exercent au sein de cette forme n'est pas nouvelle. Une firme française a fait breveter un récipient destiné à la fabrication du yaourt, parce que sa forme particulière renforçait l'action du micro-organisme impliqué dans le processus. Les brasseurs d'une bière tchécoslovaque essayèrent de substituer à leurs tonneaux ronds des tonneaux angulaires, mais constatèrent qu'il en réultait une détérioration dans la qualité de leur bière en dépit du fait que la méthode de fabrication demeurait inchangée. Un chercheur allemand a montré que des souris atteintes de blessures identiques guérissent plus rapidement si elles sont gardées dans des cages sphériques. Des architectes canadiens signalent une amélioration soudaine chez des schizophrènes soignés dans des services hospitaliers trapézoïdaux.

Il est possible que toutes les formes aient leurs qualités propres et que les structures que nous voyons autour de nous soient le résultat de combinaisons des fréquences de l'environnement. Au dix-huitième siècle, le physicien allemand Ernst Chaldni découvrit un moyen de rendre visibles les types de vibrations. Il monta sur un violon une mince plaque métallique, répandit du sable sur la plaque, et constata que lorsqu'on tirait l'archet en travers des cordes, le sable se disposait en beaux dessins. Ces arrangements, aujourd'hui connus sous le nom de figures de Chladni, se développent parce que le sable ne se rassemble que sur les parties de la plaque où il n'y a pas de vibration. On s'en est beaucoup servi en physique afin de démontrer la fonction ondulatoire, mais elles montrent aussi très bien que des fréquences différentes produisent des motifs de formes différentes. En faisant joujou avec des poudres de densités différentes et en jouant des notes ayant un large écart de fréquences, il est possible d'amener un motif à prendre presque n'importe quelle forme. Il est intéressant, et peut-être significatif, que les figures de Chladni adoptent le plus souvent des formes organiques familières. Cercles concentriques, tels que les anneaux annuels d'un tronc d'arbre ; lignes alternées, comme les rayures sur le dos d'un zèbre ; grillage hexagonal, comme les cellules d'un rayon de miel ; rayons de roue, comme les canaux internes d'une méduse ; spirales de plus en plus petites, comme les coquillages — tout cela se présente communément. L'étude de ce phénomène, l'effet des ondes sur la matière, a reçu le nom de cymatique (166).

Le principe fondamental de la cymatique, c'est que les pressions de l'environnement s'exercent par propagation ondulatoire et que la matière réagit à ces pressions en prenant une forme qui dépend de la fréquence des ondes. Il existe un nombre limité de fréquences en cause et la nature a tendance à y réagir de façons prévisibles, en répétant un nombre limité de formes fonctionnelles. Le modèle en hélice d'un courant ascendant d'air chaud (un thermal) se reflète dans la croissance d'une plante grimpante enroulée autour d'un arbre et dans la disposition des atomes d'une molécule d'ADN. La raie manta flotte dans les eaux tropicales grâce à des ondes musculaires qui se déplacent par trains à travers son large dos plat comme les risées du vent à la surface de la mer. Les mollusques sans coquille et les vers plats qui vivent dans l'eau se meuvent exactement de la même façon. Devant le même problème, la nature trouvera le plus souvent la même solution. Elle ne pourrait le faire avec des matières premières aussi largement divergentes si celles-ci ne répondaient à des pressions identiques. Il y a même un exemple d'évolution convergente au niveau moléculaire chez deux enzymes, l'un provenant d'une bactérie du sol et l'autre de l'homme, lesquels ont exactement la même disposition d'aminoacides à l' « extrémité fonctionnelle » (184).

La récurrence d'un petit répertoire fondamental de formes ne peut être fortuite. Il y a beaucoup de variations sur les thèmes choisis, mais elles sont en général un compromis entre les pressions de l'environnement et les nécessités individuelles. Le matériel embryonnaire de la plupart des reptiles, par exemple, se trouve enclos dans l'un des empaquetages standard, une sphère parfaite, étant donné que c'est la forme qui combine le maximum de volume avec le minimum de zone superficielle et d'utilisation de matériaux. Crocodiles et tortues de mer produisent des œufs ronds à mince coquille élastique, qui doivent être enfouis dans le sol humide afin d'empêcher leur dessication. Les oiseaux, toutefois, ont franchi une étape évolutive de plus ; ils sont devenus relativement indépendants par rapport au terrain, et plus soucieux de soin parental. Ils gardent leurs œufs dans l'air et, pour empêcher leur dessication, ont élaboré une coquille plus dure, moins poreuse. Mais cela soulève un nouveau problème. L'empaquetage fragile, non élastique, est plus à même de se briser sous la pression de la gravité ; aussi les œufs de presque tous les oiseaux sont-ils aujourd'hui des sphères devenues assez pointues. Ils se sont déformés de la seule façon qui pouvait leur donner la plus grande robustesse mécanique possible sans modifications internes d'aucune espèce. La forme fondamentale a été déterminée par des pressions de l'environnement et modifiée en vue de faire face à des nécessités spécifiques.

En Suisse, au cours des dix dernières années, Hans Jenny a raffiné sur les figures de Chladni et fourni une preuve élégante que la forme est fonction de la fréquence. Une de ses inventions est le « tonoscope », lequel convertit les sons en motifs visibles, à trois dimensions, dans un matériau inerte (167). Cela peut s'utiliser avec la voix humaine en tant que source du son, et quand une personne prononce au microphone le son de la lettre O, cela donne un motif parfaitement sphérique. La sphère est une des formes fondamentales de la nature, mais il est saisissant de découvrir que la forme produite par la fréquence du son O est exactement la forme que nous avons choisie afin de le représenter figurativement dans notre écriture. Cela évoque le spectre d'anciennes croyances d'après quoi mots et noms avaient des propriétés particulières. Aujourd'hui, nous avons encore tendance à considérer les noms de personnes comme quelque chose de spécial et on constate que les enfants tiennent souvent beaucoup à cacher le leur. Les jeunes enfants, en particulier, demandent toujours à savoir quel est le nom d'un objet, sans jamais douter qu'il en possède un et considèrent cette connaissance comme une acquisition précieuse. Se peut-il que les mots aient un pouvoir en vertu de leurs fréquences particulières ? Les vocables magiques, les formules et chants sacrés peuvent-ils effectivement exercer une influence qui diffère de celle d'autres sons choisis au hasard ? Il semble que oui, et avec la découverte par Jenny des formes des mots, je me surprends à considérer non sans quelque malaise et terreur sacrée l'affirmation de saint Jean : « Au commencement était le Verbe. »

En qualité de biologiste, je devrais la paraphraser en « Au commencement était le Son du Verbe », étant donné qu'il existe d'énormes variations nationales et individuelles dans les sons utilisés pour figurer oralement le même vocable écrit (242). L'Alphabet phonétique international résout cette difficulté en fournissant des symboles représentant la moindre nuance de son dans la plupart des langues humaines. L'analyse de cet alphabet permet de distinguer certaines disposition de base. Le son de la parole est produit en faisait résonner l'air dans la gorge, la bouche et les fosses nasales tout en le soumettant à des modifications variées grâce à la luette, au palais, à la langue, aux dents et aux lèvres. Il y a deux espèce fondamentales de sons : les voyelles, qui sont produites sans friction ni arrêt, et les consonnes, caractérisées par la friction, la constriction ou l'arrêt du souffle à un endroit donné du passage. Les sons vocaliques sont toujours accompagnés par la vibration des cordes vocales et possèdent beaucoup plus de puissance que les consonnes, en grande partie non voisées. La puissance des voyelles s'étend de neuf à quarante-sept microwatts, cependant que les consonnes atteignent rarement deux microwatts ; aussi les voyelles portent-elles plus loin, et sont-elles plus faciles à percevoir. La résonance du liquide de l'oreille humaine rend les sons vocaliques â, ô, ê, i, ou, dans cet ordre, les plus faciles à entendre de tous les sons parlés. (Les voyelles en swahili, sabir servant à plus de deux cents tribus d'Afrique orientale, se prononcent exactement ainsi.) Les consonnes, d'autre part, sont souvent explosives, lorsque l'air est soudain libéré de derrière un obstacle, comme dans le son « p », ou bien encore elles sont fricatives, lorsque l'air s'échappe de façon graduelle, comme dans la formation du son « s ». Elles produisent peu d'énergie, mais ont des fréquences beaucoup plus élevées que les sons vocaliques. Lorsqu'ils appellent un chat, animal destiné à réagir aux sons à haute fréquence de ses proies, les gens de toutes langues utilisent des combinaisons de ces deux consonnes à onde courte.

Ainsi les sons des mots ont-ils effectivement des propriétés physiques différentes. Si on peut produire une résonance entre une colonne d'air située dans la gorge d'un émetteur et une autre située dans l'oreille d'un receveur, des transferts similaires d'énergie peuvent avoir lieu entre la gorge et d'autres parties de l'environnement. Quand le peuple de Josué « poussa un grand cri », les murailles de Jéricho s'abattirent. Le cri brusque et sonore d'un escrimeur samouraï démoralise l'adversaire et le trille d'un soprano brise le verre. Il s'agit là d'effets soutenus, comme la chaleur accablante du soleil de midi ; mais nous savons que la vie réagit à des actions aussi faibles que celles de la lune filtrant à travers six mètres d'eau ; aussi n'est-il pas déraisonnable de supposer que la matière vivante est sensible de façons différentes aux non moins subtils changements et types de fréquences du langage humain.

Les linguistes n'ont pas résolu les problèmes des origines du langage. Les idées sont nombreuses, dont certaines ont des noms pittoresques, comme la théorie du « ouâ-ouâ » qui prétend que le langage et né par imitation des sons qui se produisent dans la nature, ou la théorie du « oh hisse », déclarant qu'il provient des grognements dus aux efforts physiques. Il ne semble pourtant pas qu'il ait existé la moindre tentative concertée en vue de rechercher des origines biologiques parmi les sons fondamentaux de l'alphabet phonétique. La démonstration par Jenny que le son « oh » possède une forme sphérique est spectaculaire, mais ne devrait pas nous surprendre. Elle donne un sentiment de justesse. Nous arrondissons la bouche afin de produire le son arrondi, et ce faisant, jusqu'à nos yeux s'arrondissent. Un visage émettant le son « oh » fait aussi l'expression qu'utilisent la plupart des primates pour indiquer la menace agressive. Les observateurs du comportement animal supposent que cette grimace est née de diverses postures corporelles de compromis qui se présentent en des situations de menace, et que ladite expression s'accompagne d'un grognement sonnant comme un « oh » dur afin d'en renforcer l'effet. Mais il se peut également que le son soit venu en premier et ait produit la grimace, et, en poussant plus avant, que le son lui-même ait été adopté parce qu'il avait pour effet de désorienter un adversaire. Ses fréquences provoquaient une résonance, incluant peut-être des infrasons, d'une qualité telle qu'elle s'entremêlait avec les ondes cérébrales de l'adversaire et le mettait en fuite de panique. Les Japonais ont développé cet emploi du son jusqu'à l'art du cri de guerre, ou kiaï, du samouraï. On dit qu'un kiaï dans un ton mineur provoque une paralysie partielle en vertu d'une réaction qui abaisse brusquement la pression artérielle. Un ton majeur, s'il est sonore et soudain, a certainement l'effet contraire.

La musique fournit un autre exemple d'ondes espacées de manière intentionnelle. Donald Andrews a incorporé le mouvement harmonique au sein d'une complexe théorie de l'univers qu'il nomme la « symphonie de la vie ». En ce système, les atomes fournissent les notes musicales, chacun vibrant comme une cloche sphérique. Les molécules sont des accords composés de dispositions régulières de ces notes, et la musique se trouve jouée sur des instruments dont l'organisme lui-même fournit la forme. Andrews a montré que même un violon reposant immobile sur une table est toujours en train de fredonner doucement pour lui-même, et croit la chose vraie de toute matière. Les muscles sous tension produisent certainement un son audible. En une expérience pleine d'imagination, Andrews fit le tour du musée de Baltimore en frappant avec un marteau des statues de bronze et de marbre, et en enregistrant les sons sur une bande à grande vitesse, dans l'espoir de capter les vibrations essentielles caractéristiques de leurs formes. Ce qu'il découvrit en réalité, c'est que des formes identiques, dans la proportion de taille de deux contre un, donnaient le même son fondamental, mais à une octave de distance. C'est exactement l'effet que l'on obtient en divisant en deux la longueur d'une corde de violon, ce qui suggère que des objets à trois dimensions pourraient opérer sur la base des mêmes principes musicaux.

Le cosmos est plein de « bruit », méli-mélo irrégulier de longueurs d'ondes, mais tous ses signaux utiles sont des motifs réguliers. Les combinaisons de notes musicales choisies au hasard nous portent sur les nerfs ; nous les trouvons désagréables. En revanche, les sons qui présentent entre eux certains intervalles réguliers sont harmonieux ; nous les trouvons agréables. Une note jouée en même temps qu'une autre qui possède exactement le double de sa fréquence, c'est-à-dire une octave plus haut, rend un son très harmonieux. Trois notes vont bien ensemble en tant qu'accord si leurs fréquences relatives sont dans la porportion 4-5-6. Il s'agit là de relations purement mathématiques, mais nous savons par expérience qu'il s'agit de celles à quoi réagit l'homme. On joue actuellement de la musique à des animaux dans les fermes et les zoos, avec des effets pareillement marqués. Les préférences diffèrent d'une espèce à l'autre, vraisemblablement parce que leur structure et leur sensibilité, et par conséquent leurs fréquences de résonance, sont différentes. Des recherches sont en cours aujourd'hui quant à l'effet de la musique sur les plantes. On a découvert que les géraniums poussent plus vite et plus haut sur l'accompagnement des *Concertos brandebourgeois* de Bach. Si les fréquences qui prédominent dans ces morceaux de musique sont diffusées aux plantes, elles ont un certain effet, mais la croissance est plus marquée si les fréquences se produisent dans la relation spatiale conçue avec tant de soin par le compositeur. Les bactéries sont affectées de la même façon, se multipliant sous l'influence de certaines fréquences, et mourant lorsqu'on les soumet à d'autres. Il n'y a pas un grand pas à franchir de cette découverte à la vieille idée que la fréquente répétition de certaines psalmodies ou de certains chants pouvait guérir les maladies.

Il existe d'autres relations spatiales qui exercent un effet sur nous. Les artistes savent depuis des siècles que certaines proportions sont plus agréables que d'autres. Si l'on montre à des gens un grand nombre de quadrilatères allant du carré à un très long rectangle mince, la plupart d'entre eux choisiront une forme dont la longueur est un peu plus d'une fois et demie la largeur (33). Cette proportion que la plupart des gens trouvent la plus agréable est nommée le nombre d'or ; ses dimensions exactes ont été établies comme étant de 1 sur 1,618. Bien qu'il y ait d'énormes différences entre les arts traditionnels des différents peuples, il semble que chez tous les goûts esthétiques soient gouvernés par des lois fondamentales similaires (98). Une étude effectuée à Londres a constaté des similitudes interculturelles quant à la couleur et au dessin dans des tests pratiqués à une large échelle sur des étudiants britanniques et japonais. Notre réaction aux proportions est vraisemblablement gouvernée par la distance commune entre nos yeux. Un borgne de naissance, qui n'aurait jamais connu la vision binoculaire, trouverait sans doute un carré plus agréable. Nous savons que les gens qui n'ont qu'un œil ont un développement inégal d'une moitié du cerveau, et que cela se reflète dans leurs ondes cérébrales. Ayant des rythmes différents, ils répondent à des fréquences différentes.

A la suite des découvertes sur la nature de la lumière, du magnétisme et de l'électricité au dix-neuvième siècle, la théorie d'un « univers en vibration » devint très populaire dans les milieux occultistes ; c'est pourtant Pythagore qui, au cinquième siècle avant Jésus-Christ, développa le premier cette idée. La notion que tout l'univers est lié dans un grand dessein a toujours été un des fondements de la magie et les pythagoriciens se servaient de la relation mathématique des intervalles musicaux pour exprimer numériquement cette disposition. Les pythagoriciens furent les premiers numérologistes professionnels. Les adeptes des systèmes numériques signalent les sept couleurs de l'arc-en-ciel, les sept jours de la semaine, les sept sceaux de la chrétienté, les sept Dévas de l'hindouisme, les sept Amshaspends de la foi perse, et ainsi de suite, revendiquant des propriétés occultes pour ce nombre et d'autres nombres particuliers. Gœthe avait l'obsession du trois, Swoboda ne jurait que par le vingt-trois, et Freud croyait à des périodes de vingt-sept. Il est difficile de voir dans aucun de ces intervalles une signification biologique et il est tentant de rejeter l'idée entière en alléguant que tout nombre en vaut un autre, mais il semble que cela ne soit pas vrai.

Un mathématicien américain s'aperçut que les premières pages des tables de logarithmes de la bibliothèque de son université étaient plus sales que les dernières, indiquant par là que les étudiants en sciences, pour une raison inconnue, avaient plus souvent l'occasion de calculer avec des nombres commençant par 1 qu'avec tout autre (261). Ce mathématicien fit une collection de tableaux et calcula la fréquence relative de chaque chiffre de 1 à 9. En théorie, ils devraient apparaître avec une égale fréquence ; toutefois, notre mathématicien constata que 30 % des nombres étaient 1, tandis que le 9 n'occupait que 5 % de la place. Telles sont presque exactement les proportions données à ces nombres dans la graduation d'une règle à calcul logarithmique ; donc, ceux qui conçurent cet instrument reconnaissaient nettement l'existence de pareille tendance. L'écologiste Lamont Cole travailla sur une publication de la Rand Corporation qui donne un million de chiffres au hasard (262). Il choisit des nombres à intervalles réguliers, représentant le niveau d'activité métabolique d'une licorne de mer à la fin de chaque heure sur une longue période. Il n'aurait pas dû exister de rapport entre les nombres, non plus que la moindre espèce de courbe cyclique ; et pourtant, on doit à Cole la fracassante découverte zoologique que les licornes sont le plus actives à trois heures du matin (77).

Il se peut que ces divergences proviennent d'une particularité quelconque dans notre façon de compter ; cependant, il semble que la tendance suive une loi naturelle. La nature paraît compter de manière exponentielle. Non pas 1, 2, 3, 4, 5, mais 1, 2, 4, 8, 16, les nombres croissant chaque fois par un pouvoir logarithmique. La population augmente ainsi, et même à un niveau individuel les phénomènes comme la force d'un stimulus et le niveau de réaction à ce stimulus varient sur un mode exponentiel. Il ne s'agit pourtant là de rien de plus qu'une observation ; cela n'explique pas la manière anormale dont se comportent les nombres.

Le groupement inattendu de nombres similaires est quelque chose comme le groupement insolite de circonstances que nous appelons coïncidence. Tout le monde a fait l'expérience de rencontrer pour la première fois un mot ou un nom nouveau, puis de le voir dans une douzaine d'endroits différents, en rapide succession. Ou de se trouver dans un petit groupe de gens dont trois sont nés le même jour. Souvent, ces coïncidences arrivent par groupes : certains jours sont particulièrement chanceux, tandis que par d'autres les choses se traînent tout bêtement à la queue leu leu. Plusieurs personnes ont consacré une partie du travail de leur existence à recueillir des renseignements sur les coïncidences de cet ordre. Le biologiste Kammerer fut du nombre et c'est lui qui donna le nom de sérialité au phénomène. Kammerer définit une série comme « une apparition légitime de choses ou d'événements identiques ou similaires... qui ne sont pas reliés par la même cause active », et prétend que la coïncidence constitue en réalité le résultat d'un principe naturel (171). Kammerer a passé des journées entières simplement assis dans des endroits publics, à coucher par écrit le nombre des gens qui passaient, la façon dont ils s'habillaient, ce qu'ils transportaient, etc. A l'analyse de ces notes, il s'aperçut qu'il y avait des groupements typiques de choses qui se produisaient ensemble, puis disparaissaient tout à fait. Ce genre de courbe ondulatoire au sein des événements est familier à tous les agents de change, à tous les joueurs et toute compagnie d'assurance fait reposer sur des tables similaires de probabilité le système entier de ses polices.

Ces groupes de « coïncidences » constituent un véritable phénomène. Kammerer les explique par sa Loi de sérialité qui dit que, opérant en opposition à la seconde loi de thermodynamique, il existe une force qui tend vers la symétrie et la cohérence en réunissant ce qui se ressemble. A sa façon bizarre, illogique, une telle idée est assez convaincante ; il n'existe néanmoins aucune bonne preuve scientifique à son appui et cette théorie n'a pas grande importance pour nous ici. Il suffit de savoir qu'il existe une organisation discernable des événements. Outre l'harmonie musicale et artistique, le caractère non fortuit des nombres et la périodicité des mouvements planétaires, nous commençons d'obtenir l'image d'un environnement comportant des motifs reconnaissables. Superposés au chaos cosmique, il y a des rythmes et des harmonies commandant maints aspects de la vie sur terre au moyen d'une communication d'énergie rendue possible par la forme des objets d'ici-bas et leur résonance en accord avec des thèmes cosmiques.

LA BIOPHYSIQUE

Tous, nous sommes sensibles aux forces physiques qui nous entourent et il semble qu'il y ait des moyens d'accroître cette sensibilité. L'un se trouve en usage depuis cinq mille ans au moins. Des bas-reliefs de l'Egypte ancienne montrent des silhouettes aux coiffures étranges, portant à bout de bras devant elles un bâton fourchu ; et l'empereur

Kouang Sou de Chine est représenté, par une statue datant de 2200 av. J.-C., porteur d'un objet identique. Dans les deux cas, semble-t-il, l'objet de la recherche était l'eau.

Beaucoup d'animaux ont à l'eau une extraordinaire sensibilité et certains, comme l'éléphant, réussissent à la trouver sous terre. En époques de sécheresse, les éléphants rendent souvent à la communauté des services vitaux en fouissant la terre de leurs défenses et de leurs pieds afin de mettre au jour des sources d'eau cachées. Il se peut que les éléphants soient capables de humer l'eau qui filtre à travers le sol ou qu'ils en soient venus à posséder une assez élémentaire connaissance de la géologie, creusant toujours au point le plus bas de la courbe externe d'un lit desséché de cours d'eau, à l'endroit où l'eau a le plus de chance de se rassembler. Il y a pourtant des cas où aucune de ces deux solutions n'est envisageable ; reste l'éventualité de l'utilisation de quelque autre sens. Comme la surface de la Terre, les deux tiers de la plupart des animaux sont constitués par de l'eau. L'une des conditions préalables pour la résonance est qu'il existe des structures similaires, ou du moins compatibles, chez l'émetteur et le receveur ; si donc l'énergie est émise par une source d'eau, elle devrait pouvoir trouver une réponse dans le corps de la plupart des mammifères. Notre matière cérébrale est formée de 80 % d'eau, ce qui la rend plus liquide encore que le sang ; aussi la résonance pourrait-elle avoir lieu là ; pourtant, la réaction semble être le plus manifeste dans les muscles longs du corps.

La méthode classique pour deviner l'eau, ou faire de l'hydroscopie, consiste à couper un rameau fourchu d'un arbre d'ombrage comme le saule, le coudrier ou le pêcher, et de le tendre au-devant du corps, parallèle au sol. En cette position, les muscles du bras sont soumis à une certaine tension ; on prétend qu'à mesure que le sourcier s'approche de l'eau, cette tension s'étend jusque dans le rameau et le fait se mouvoir. Les types de mouvement dépendent beaucoup de l'individu. Certains déclarent qu'un brusque mouvement vers le haut de la baguette de sourcier indique la direction vers l'amont d'un cours d'eau, et que le dessin de sa giration indique la profondeur, mais d'autres sont en complet désaccord. Il y a chez les sourciers une considérable variété dans la technique. Les instruments en usage comprennent des baguettes de métal, des portemanteaux, des baleines, des fils de cuivre, des cannes, des fourches, des bandes de bakélite, des ciseaux chirurgicaux, des pendules, et même, dit-on, une saucisse allemande. Pour chaque instrument de sourcier, il y a autant de façons différentes de le tenir et d'interpréter la manière dont il se meut. Une seule chose écarte du domaine de la farce pure et simple cette extraordinaire pantomime : les sourciers jouissent d'une proportion très élevée de réussite.

Aux Etats-Unis, toute importante société qui s'occupe d'eau et de canalisations a dans son personnel un sourcier. Le ministère canadien de l'Agriculture en emploie un à titre permanent. L'Unesco a engagé un sourcier et géologue hollandais pour mener des recherches officielles. Des ingénieurs appartenant aux première et troisième divisions de Marines au Viêt-nam ont été entraînés à se servir de baguettes de sourcier pour localiser les mines et les bombes enfouies. Une unité spéciale de l'armée techécoslovaque a un corps permanent de sourciers. Les départements de géologie des universités de l'Etat de Moscou et de Leningrad ont entrepris une enquête à large échelle sur l'hydroscopie — non pour découvrir si cela fonctionne, mais comment cela fonctionne. Il y a visiblement quelque chose là-dedans.

Les recherches sérieuses sur l'hydroscopie semblent avoir débuté en France en 1910. Elles furent instaurées en grande partie par le vicomte Henri de France, qui publia *le Sourcier moderne,* et fut, en 1933, partiellement responsable de la fondation de la Société britannique des sourciers. La recherche dans les deux pays se résume en deux livres, *The Divining Rod* [*la Baguette divinatoire*] (16) et *The Physics of the Divining Rod* [*la Physique de la baguette divinatoire*] (204), intéressants, mais qui montrent nettement les limites des recherches privées à petits moyens. Qu'elles soient menées sans contrôle sérieux et maladroitement publiées permet à la plupart des savants occidentaux de se désintéresser totalement du sujet, mais en Russie les recherches sur l'hydroscopie jouissent maintenant du soutien de l'Etat, et c'est là que les plus grands progrès sont en train de s'effectuer.

Ces recherches ont commencé quand une commission officielle a désigné de célèbres géologues et hydrologues pour travailler conjointement avec des sourciers de l'Armée rouge. Après des milliers de tests, la commission a rapporté que les rameaux fourchus réagissaient, tant à des sources d'eau souterraines qu'à des câbles électriques, avec une force atteignant 1 000 centimètres-grammes. On constata que si vite que marchât le sourcier, ou si soigneusement qu'il fût isolé par des plaques d'acier ou par une armure de plomb, les baguettes continuaient de réagir. Le rapport mentionne aussi que les rameaux n'étaient efficaces que durant deux ou trois jours, et qu'un rameau brisé ne pouvait être réparé sans perte de sensibilité. Dans certains des tests, du plomb, du zinc et de l'or furent détectés à une profondeur de 75 mètres et la commission conclut que la radiesthésie pouvait servir avec un succès frappant à localiser sous terre des câbles électriques, des tuyaux, des points endommagés dans les réseaux de câbles, des minéraux et de l'eau. On proposa de renoncer au vieux nom russe qui signifiait « baguette de magicien » ; aussi, aujourd'hui, les recherches sur la radiesthésie se poursuivent-elles sous le nom plus sûr, neuf, démythifié, de « Méthode des effets biophysiques ».

En 1966, un minérologiste de Leningrad, Nikolaï Sotchévánov, dirigea une expédition dans la région kirghize, près de la frontière russo-chinoise. On commença par un survol à bord d'un avion équipé d'un magnétomètre du genre utilisé par les sociétés minières en vue de la prospection aérienne. Dans l'avion se trouvaient Sotchévanov et plusieurs autres « opérateurs », avec des baguettes de sourcier toutes prêtes. En survolant le fleuve Tchou, ils constatèrent que la vaste quantité d'eau, au centre du fleuve, n'avait aucun effet, mais que tous pouvaient ressentir une pression sur les baguettes à proximité des rives, des deux côtés. Des tests effectués en d'autres parties du monde ont donné des résultats similaires et il semble vrai que l'eau influence le plus fortement l'homme non point là où une large masse se meut à grande vitesse, mais là où l'eau se trouve en friction avec le sol, en particulier là où la surface de sol en contact avec l'eau est étendue, ainsi que c'est le cas dans un terrain saturé d'eau qui se déplace avec lenteur à travers de minuscules capillaires. En survolant des gisements minéraux connus, Sotchévanov obtint des réactions marquées et, au cours d'expériences de complément pratiquées au sol, son équipe décela un gisement de plomb épais seulement de huit centimètres, à une profondeur d'environ cent cinquante mètres.

Avec des gisements plus importants à proximité de la surface, ils constatèrent que les baguettes leur sautaient tout bonnement des mains ; aussi Sotchévanov conçut-il un nouvel instrument d'acier, capable de tourner librement. Il est en forme d'U, avec aux extrémités des poignées mobiles, écartées d'une soixantaine de centimètres, et une boucle de 20 centimètres enroulée au centre de la courbe. Sotchévanov prétend que le nombre des tours effectués par la baguette fournit une indication quant à la profondeur et à la dimension du gisement souterrain, et il a fabriqué un système d'enregistrement automatique fixé à l'instrument, qui note son comportement. Des tests effectués sur une large échelle avec des centaines d'opérateurs ont permis de tracer des coupes de régions entières de territoire. Un survol de ce genre a été accompli le 21 octobre 1966 dans une région proche d'Alma-Ata, où trois millions de mètres cubes de roc devaient être détruits par des explosifs en exécution d'un plan d'aménagement. L'équipe couvrit ce site juste avant l'explosion et revint aussitôt après pour effectuer un second examen. Les baguettes signalèrent d'énormes transformations dans la dsposition du sous-sol et pendant quatre heures à la suite de l'explosion, la forme des courbes continua de se modifier tandis qu'ils les dessinaient. Enfin elles se stabilisèrent et quand les sismographes indiquèrent que les secousses avaient cessé, les sourciers constatèrent que le schéma était presque revenu à sa configuration d'avant l'explosion. Les petites différences entre les images « avant » et « après » se révélèrent ensuite, à l'excavation, dues à des fractures souterraines produites par l'explosion.

Sotchévanov effectua des tests sur le terrain avec des sourciers opérant à l'intérieur de véhicules en mouvement, leurs systèmes enregistreurs liés à l'arbre de transmission. Il constata que les baguettes continuaient de réagir, mais qu'à des vitesses plus grandes leurs révolutions étaient plus rares. L'existence d'une réaction au sein d'un véhicule métallique semble indiquer que l'énergie en question n'est pas électrique et tout essai de renforcer l'arrivée des signaux en attachant de longues antennes de métal aux poignets des sourciers n'est parvenu jusqu'ici qu'à diminuer la réaction. Des aimants puissants liés au dos des opérateurs n'ont eu aucun effet, mais des gants de cuir ont supprimé complètement la réaction. Bien que des groupes de sourciers attachés les uns aux autres n'aient présenté aucun effet cumulatif, quand un sourcier aguerri touchait la main d'un profane, la baguette prenait vie entre les mains du novice.

Les expériences effectuées en tous pays suggèrent que, quelle que puisse être la force radiesthésique, elle ne saurait opérer sur la seule baguette. Un être vivant doit jouer le rôle d' « intermédiaire ». Le géologue hollandais Solco Tromp a montré que les sourciers sont d'une sensibilité peu commune au champ magnétique terrestre et réagissent à des modifications du champ que l'on peut vérifier au magnétomètre (323). Tromp a découvert aussi qu'un bon sourcier peut détecter un champ artificiel n'ayant qu'un deux-centième de la puissance du champ terrestre et qu'il peut se servir en laboratoire de sa baguette afin d'en relever l'étendue. Des sourciers testés au Laboratoire de physique de Paris furent capables de déterminer si un courant électrique était branché ou débranché uniquement en passant devant une bobine à un mètre de distancc, leurs baguettes en main (279). A l'université de Halle, on a découvert que les sourciers manifestent un accroissement de la pression sanguine et de la vitesse du pouls dans certains champs (233). Les savants soviétiques divisent tous les gens en quatre groupes fondamentaux d'après la façon dont la baguette de sourcier les « voit ». Elle est attirée vers le premier groupe, lequel inclut toutes les femmes (qui présentent en radiesthésie un taux de réussite de 40 % plus élevé que les hommes). Le groupe deux consiste en hommes qui repoussent complètement la baguette, alors que ceux des deux derniers groupes la repoussent respectivement à partir des épaules et de la taille. Des cartes de polarité du corps humain, établies par Tromp au moyen d'un électrocardiogramme, confirment ce groupement.

L'existence de champs radiesthésiques, zones où les sourciers obtiennent des réactions puissantes, a été confirmée grâce à des magnétomètres protoniques, suffisamment sensibles pour mesurer le champ magnétique d'un atome. Des expériences effectuées sur les champs qui se présentent dans la nature ont donné d'intéressants résultats. Des souris placées dans un enclos allongé situé pour moitié sur une zone radiesthésique et pour moitié en dehors ont refusé de dormir à l'intérieur du champ (323). Les concombres, le céleri, les oignons, le maïs, les haies de troènes et les frênes ne pousseront guère en un sol situé au-dessus d'une zone radiesthésique. On dit que les fourmis contruisent toujours leur nid en plein dans une zone et que les abeilles essaiment sur des branches situées au-dessus d'un champ. On a également émis l'hypothèse que les rhumatisants ressentent des contractions musculaires et des douleurs articulaires au sein d'un champ produit par l'eau et que les puissantes zones radiesthésiques de toute espèce ont un mauvais effet sur la santé humaine. La littérature radiesthésique regorge d'incidents impliquant des « rayons néfastes » et des « radiations nuisibles », que l'on peut minimiser en écartant tel siège ou tel lit de la zone funeste, ou bien en plantant de complexes bobines de fil de cuivre à l'intérieur du champ pour le « neutraliser ». Il est très malaisé de juger ces rapports avec objectivité, et d'évaluer l'importance du rôle joué par la suggestion dans les prétendues guérisons ; pourtant, le fait subsiste qu'un électrocardiographe relié même au corps d'un non-sourcier enregistre une différence de potentiel au moment où la personne pénètre dans une zone radiesthésique.

La littérature abonde aussi en comptes rendus sur la localisation par des sourciers de personnes disparues, de criminels et de cadavres en suivant les indications d'une baguette « sensibilisée ». Il s'agit le plus souvent d'un pendule à lentille creuse, contenant quelque chose qui appartient à la personne recherchée, ou d'un pendule « accordé » en le tenant au-dessus d'un objet témoin pour déterminer la longueur du fil en vue de produire la bonne réaction. Cette technique a remporté maints succès fameux, objets d'une large publicité, les plus impressionnants étant ceux où le sourcier localise sa proie en travaillant non sur le terrain mais sur la carte à grande échelle d'un territoire qui ne lui est pas familier. Pour autant que l'on puisse en juger d'après des rapports qui sont rarement scientifiques, sur des événements qui de par leur nature même ne sont pas répétables, la méthode fonctionne. Ayant quelque notion de l'influence de la forme sur la fréquence, on peut imaginer que les formes à deux dimensions des cartes ou des photographies possèdent certaines propriétés similaires à celles des objets réels, bien que l'esprit renâcle à cette idée.

Cette technique : l'utilisation d'un pendule pour rassembler des renseignements non seulement sur la localisation d'un objet, mais encore sur son caractère, est connue sous le nom de « radiesthésie » — ce qui veut dire sensibilité à des radiations. Elle sert, entre autres, à la détection du sexe. Les Japonais ont toujours été des experts dans l'art malaisé de déterminer le sexe de poussins du jour, mais ils sont maintenant en mesure de le faire avant même l'éclosion de l'œuf, sans autre assistance qu'une perle au bout d'un fil de soie. Les œufs défilent devant l'expert sur une courroie de transmission, leurs axes longitudinaux dans la direction nord-sud. La perle, tenue au-dessus de la chaîne, se balance le long du même axe si l'œuf est stérile, décrit un cercle dans le sens des aiguilles d'une montre pour un coq, et dans le sens opposé pour une poule. Ces entreprises revendiquent pour ce système un taux de réussite de 99 %. On trouve en Angleterre des spécialistes capables, semble-t-il, de déterminer de la même façon le sexe des humains quand on ne leur fournit qu'une goutte de sang ou de salive sur un morceau de papier buvard (20). On les a utilisés plusieurs fois pour assister les laboratoires de police judiciaire dans les enquêtes criminelles.

Il est très facile de déclarer, comme le font les radiesthésistes : « Toute matière émet un rayonnement, et le corps humain, jouant un rôle très voisin de celui d'un poste récepteur de radio, le capte (322). » Néanmoins, les affirmations spécieuses de ce genre ne disent absolument rien sur le processus ou la biologie en cause. La somme totale de connaissances précises sur la radiesthésie paraît s'élever à ceci : « L'eau, par l'action du frottement entre elle-même et le sol, crée un champ qui paraît avoir des propriétés électromagnétiques. Le caoutchouc et le cuir isolent ce champ, mais les métaux semblent n'avoir aucun effet. Les métaux eux-mêmes, peut-être grâce à leur position dans le champ magnétique terrestre, produisent également un effet de champ. Les champs créés ou modifiés par des objets inorganiques sont perceptibles par certains animaux et certaines personnes. On peut rendre manifeste une sensibilité inconsciente à ces champs en utilisant un objet tel qu'une baguette ou un pendule en tant qu'indicateur visible de la force et de la direction du champ. »

L'homme emploie depuis si longtemps des techniques de sourcier qu'il est probable que des animaux sont capables de faire de même. Antilopes et cochons sauvages ont des cornes et des défenses incurvées, de forme similaire au rameau fourchu traditionnel, et ces deux espèces sont fort expertes à trouver des sources d'eau cachées. Se pourrait-il que leurs baguettes de sourcier naturelles les aident d'une façon ou d'une autre ? Les meilleurs sourciers humains peuvent opérer à mains nues ; aussi est-il possible que même des animaux sans antennes puissent s'orienter de la sorte. Pour autant que je le sache, aucun observateur de la migration des oiseaux n'a jamais envisagé cette possibilité. Si le rameau de saule fonctionne entre les mains de l'homme, comment fonctionne-t-il attaché à l'arbre ? Les racines d'arbres sont positivement géotropiques — elles poussent droit vers la source de gravité —, mais elles recherchent aussi des sources d'eau. Peut-être le font-elles par hydroscopie ?

La découverte que les animaux sont sensibles au champ radiesthésique et y réagissent fortement ne surprendra quiconque a jamais observé un mammifère sauvage en train de s'installer pour dormir. Le choix d'un lieu de repos doit bien sûr être effectué avec grand soin, eu égard à la chaleur, à l'abri, à la sécurité par rapport aux prédateurs ; mais souvent l'animal choisira un endroit qui paraît bien moins séduisant à ces égards qu'un autre situé seulement à une courte distance. Chiens et chats domestiques manifestent le même comportement et leurs propriétaires savent parfaitement qu'il est inutile de prendre cette décision pour le compte de leur compagnon — ils doivent attendre que l'animal ait choisi sa propre place, puis y mettre le panier à dormir. Il y a des endroits où un animal ne couchera sous aucun prétexte. Que les humains aient des facultés similaires a été montré par Carlos Castaneda en un récent livre sur les croyances des Yaqui, l'ouvrage d'ethnographie le plus vivant et le plus révélateur que j'aie jamais lu (67). Le sorcier Don Juan a dit à Castaneda qu'il existe sur la véranda de sa maison un endroit unique où il se sentira heureux et fort et qu'il doit trouver par lui-même. Castaneda essaie pendant des heures, s'asseyant partout à tour de rôle et même se roulant par terre ; mais rien ne se produit jusqu'à ce qu'il concentre son regard sur un point situé droit devant lui ; alors, le monde entier, vu du coin de l'œil, devient jaune verdâtre. Puis, « ... soudain, en un point proche du milieu du sol, je pris conscience d'un autre changement de teinte. A un endroit situé à ma droite, toujours à la périphérie de mon champ de vision, le jaune verdâtre devint d'un violet intense. Je concentrai mon attention dessus. Le violet s'affaiblit en une couleur pâle, mais encore brillante, qui resta fixe aussi longtemps que je maintins dessus mon attention ». Castaneda résolut de se coucher à cet endroit, mais, dit-il, « j'éprouvais une insolite appréhension. Cela ressemblait davantage à la sensation physique de quelque chose qui me pesait sur l'estomac. Je bondis sur mes pieds et d'un seul mouvement battis en retraite. Sur ma nuque, les cheveux se hérissaient. Mes jambes s'étaient légèrement arquées, mon torse était plié en avant, et j'avais les bras tendus devant moi, tout roidis, les doigts contractés comme des griffes. Je m'aperçus de mon étrange posture, et ma frayeur augmenta. Involontairement je reculai, et... m'affalai par terre ». Il avait trouvé sa place.

En 1963, un Sud-Africain de douze ans nommé Pieter van Jaarsveld acquit une célébrité mondiale en tant que « le jeune garçon aux yeux à rayons X » en raison de son aptitude à détecter de l'eau cachée profondément sous terre. Il n'utilisait aucune espèce de baguette de sourcier, mais se prétendait capable de voir l'eau « luire comme un clair de lune vert » à travers la surface du sol. Pieter fut très surpris d'apprendre que les autres gens ne pouvaient pas la distinguer aussi bien. Je pense que bientôt, à mesure que nous commencerons de nous rendre compte que la nature et les cinq sens classiques ne sont qu'une petite partie de la magie réelle de la Surnature, un plus grand nombre d'entre nous se joindront à lui pour voir les choses telles qu'elles sont réellement.

DEUXIÈME PARTIE

LA MATIÈRE

Que sait un poisson de l'eau dans laquelle il nage toute sa vie ?

ALBERT EINSTEIN,
dans *le Monde tel
que je le vois*,
1935.

LES PHILOSOPHES GRECS ont découpé la matière en sections de plus en plus fines, jusqu'à ce que Démocrite eût mis un terme à la discrimination en déclarant qu'il existait une limite au-delà de quoi les particules devenaient indivisibles ou a-tomiques. Plus de deux mille ans après, John Dalton montra que toute matière, au sein de l'univers, se composait de blocs de construction fondamentaux, ou atomes.

Ils avaient tous deux raison, mais nous savons maintenant qu'une division supplémentaire est possible et que les atomes peuvent être désintégrés en particules encore plus fondamentales. D'abord, il sembla que ces dernières opéraient suivant un principe planétaire, les électrons voyageant en orbite autour d'un noyau central. Plus récemment, il est devenu apparent que les électrons ressemblent davantage à des nuages d'électricité vibrant sur un mode ondulatoire. Rien de tout cela ne peut se voir, mais on a la preuve nette qu'au centre de ce brouillard épais se trouve une collection de pièces et de morceaux nucléaires, contenant presque toute la masse de l'atome et presque la totalité de son énergie. Si l'on devait gonfler l'atome au point de lui faire emplir un stade olympique, ce noyau présenterait la dimension d'un pois posé seul au milieu de la piste. Il y a proportionnellement autant d'espace vide au sein de l'atome qu'il y en a dans l'univers.

Toute matière est ainsi. Prenez un homme, pressez hors de lui les espaces vides, pareils aux trous dans une éponge, et il vous restera un petit tas de substance solide pas plus gros qu'une chiure de mouche. Nous sommes des hommes creux et nos corps immatériels sont liés ensemble au moyen de forces électromagnétiques et nucléaires qui ne font pas plus que créer l'illusion de la matière. A cet égard, peu de chose sépare le vivant du non-vivant ; l'un et l'autre se composent des mêmes rares particules fondamentales, interagissant entre elles sur les mêmes modes élémentaires.

La seule différence réelle est que les atomes de la vie sont organisés. Ils se sont disposés en modèles autorenouvelables, qui défient le chaos cosmique en se réparant et se remplaçant constamment eux-mêmes. Nourris d'ordre, ils apprennent à le reconnaître et à y réagir ; plus ils sont organisés, plus ils deviennent réagissants. La voie doit être un étroit contact avec la matière et aux plus hauts niveaux cela signifie que non seulement elle emprunte à son entourage de l'énergie et de l'information, mais qu'elle les lui retourne aussi bien.

Dans cette seconde partie, nous allons voir les façons dont la vie peut influencer son environnement.

CHAPITRE QUATRE

L'esprit sur la matière

Pour une large part, l'écologie s'occupe du système complexe d'interactions entre la vie et son environnement. Les grands troupeaux de zèbres et de gnous du Serengeti répondent à des signaux de l'environnement qui déclenchent leur annuelle migration et dans leur long et difficile voyage, montant par millions des plaines d'Olduvai jusqu'au pays boisé du Mara, ils taillent à travers la région un andain qui laisse une marque pour des années. Les castors répondent aux signes d'approche de l'hiver en bâtissant une digue afin de protéger leur hutte et ce faisant ils inondent une zone de territoire en modifiant complètement son caractère. L'homme répond aux défis de l'environnement de façon directe et souvent brutale — défrichant des régions pour son agriculture, abandonnant de la terre à la mer par négligence et par érosion et la récupérant grâce à ses machines monstrueuses.

Il s'agit là de connexions physiques, directes, entre matière vivante et non vivante ; or il existe d'autres liens, beaucoup moins évidents. Chaque année, la transpiration des végétaux envoie en l'air huit mille kilomètres cubes d'eau qui retombe sur terre sous forme de pluie. La respiration de l'homme, et d'autres genres de combustions qu'il estime nécessaires à son entretien, brûlent plus d'oxygène que l'environnement ne peut en fournir, et créent une couche d'acide carbonique qui risque de déclencher une nouvelle époque glaciaire, avec tous ses dramatiques effets sur la matière. Même au plus simple niveau individuel, on a la preuve d'une action indirecte de ce genre. Un bœuf musqué qui revient chaque soir dormir au même endroit fond la neige par sa chaleur corporelle et expose une surface de terre qui garde jusqu'en été l'aspect d'une cicatrice livide au sein du tapis de verdure qui, partout ailleurs, a joui de la pleine protection d'une couverture de neige hivernale.

Au-delà de ces effets indirects de la vie sur la matière, il existe d'autres connexions plus ténues encore. Ells dépendent non de l'action musculaire directe, ni même de la respiration et de l'échauffement indirects, mais des effets des champs de force entourant tous les êtres vivants. Je crois que ces forces, surnaturelles en apparence, sont susceptibles de description et de compréhension physiques, mais toute l'affaire est si neuve et en même temps si enveloppée de superstititions anciennes qu'il nous faut avancer à pas de loup et aborder le sujet à l'improviste.

Un organisme vivant dépend d'une information externe. Celle-ci arrive sous trois formes : ondes électromagnétiques, telles que la lumière ; pressions mécaniques, telles que le son ; et stimuli chimiques, tels que ceux qui donnent naissance au goût et à l'odorat. Si l'organisme est un animal, les trois genres de signaux sont convertis par des récepteurs sensoriels situés à l'extérieur du corps en impulsions d'énergie électrique qui portent des messages à l'intérieur, au système nerveux central. Le fait que toute nouvelle voyageant au long des nerfs soit transportée par le même genre de véhicule peut être démontré en détournant sa circulation. Si l'on relie une fibre nerveuse en provenance de la langue à une autre conduisant de l'oreille au cerveau, une goutte de vinaigre dans la bouche est « goûtée » à la façon d'une explosion violente et effrayante. Voilà comment naissent les hallucinations, par des courts-circuits provoqués dans le système nerveux par une drogue ou par un effort, et qui permettent à la musique, par exemple, d'atteindre le cerveau sous l'aspect d'images lumineuses. Ainsi, ce que nous désignons en général comme la qualité d'une sensation dépend complètement de la partie du cerveau qui se trouve stimulée sur le moment.

Une fibre nerveuse est une cellule très longue et mince, qui non seulement produit une charge électrique lorsqu'elle est stimulée, mais la transmet à la cellule suivante par une série de modifications chimiques qui s'écoulent sur sa longueur à la façon d'un rond de fumée voyageant à plus de trois cents kilomètres à l'heure. Cela se produit chaque fois exactement de la même façon. Aussi bien la quantité de courant que la vitesse de propagation sont toujours les mêmes et nulle action supplémentaire ne peut avoir lieu tant que le phénomène entier n'est pas achevé. Un signal puissant, venu de l'environnement, ne saurait susciter au sein du nerf une plus grosse charge électrique ; il se borne à le faire plus souvent. Ainsi, l'intensité d'une sensation telle que l'apprécie le cerveau ne dépend que de la fréquence des impulsions qui surviennent.

Tandis qu'une impulsion longe une fibre nerveuse, elle utilise une petite quantité d'oxygène et se débarrasse d'une petite quantité d'acide carbonique. Il se produit une légère élévation locale de la température et une pulsation de la fibre que l'on peut distinguer avec un puissant microscope ; cependant, l'effet le plus manifeste est une modification du champ électrique. Avec un appareillage adéquat et des électrodes sur la peau, on peut suivre une impulsion déclenchée par une piqûre au doigt grimpant tout le long du bras, et enregistrer son arrivée dans le cortex, du côté opposé du cerveau. Cette communication se présente comme une modification du potentiel électrique et l'appareil, en enregistrant le passage d'une charge unique, peut même être utilisé pour détecter si tel nerf particulier fonctionne bien ou non. Si une seule impulsion de ce genre crée un champ électrique mesurable que l'on peut détecter à l'extérieur du corps d'un organisme complexe, il est clair que des millions d'événements similaires, ayant lieu tout le temps, doivent produire un considérable champ environnant.

Pavel Goulyaïev, de l'université de Leningrad, a élaboré une très sensible électrode à forte résistance, encore plus efficace pour mesurer l'intensité du champ que l'équipement de Harold Burr (294). Bien qu'un certain secret entoure encore son instrument, il paraît semblable aux détecteurs de champ magnétique en usage dans la recherche spatiale. L'appareillage de Goulyaïev peut détecter un champ électrique jusqu'à trente centimètres du nerf sciatique dénudé d'une patte de grenouille et a réussi également à enregistrer un champ humain à une certaine distance du corps (129).

Ce champ ne dure qu'une fraction de seconde, tandis que chaque impulsion passe au long de la fibre ; mais si le stimulus est prolongé, alors un courant constant d'impulsions crée un champ durable, qui persiste quelque temps. Si le stimulus est assez fort, il peut affecter directement un muscle et produire une action réflexe. Par exemple, si on marche sur une épine, il ne faut qu'un vingtième de seconde aux impulsions nerveuses pour parvenir à la moelle épinière et revenir aux muscles qui font retirer le pied. La plupart des stimuli, cependant, ont besoin d'être triés par le cerveau et cela prend quatre fois plus de temps. Chez la girafe, il faut même un tiers de seconde aux impulsions pour parcourir les cinq mètres qui du pied grimpent jusqu'au cerveau. Ensuite, le cerveau doit examiner le stimulus, l'enregistrer comme étant douloureux, et lancer le message en vue de prendre les mesures appropriées d'évitement. Jusqu'à ce que ces mesures aient été prises, et tant qu'elles sont en cours d'exécution, le cerveau poursuit son émission vers les muscles en cause et instaure un champ électrique beaucoup plus puissant que le champ provoqué par le stimulus initial. Goulyaïev et d'autres ont démontré que c'est ce champ d'origine cérébrale qui possède l'intensité la plus élevée et qui peut être détecté aux plus grandes distances du corps.

PSYCHOKINESIE

En 1967, une société cinématographique de Kiev produisit à grands frais un film professionnel sur une ménagère entre deux âges de Leningrad (271). On la voit assise à une table, dans un laboratoire de physiologie, après qu'elle eut été médicalement examinée et radiographiée afin de s'assurer qu'il n'y a rien de caché sur ou dans son corps. Elle tend les mains, doigts écartés, au-dessus d'une boussole placée au milieu de la table et bande ses muscles. Elle fixe intensément la boussole du regard, les rides profondément gravées sur son visage montrent les efforts d'un corps en proie à une tension aiguë. Les minutes passent ; la sueur perle à son front tandis qu'elle continue à lutter ; puis, lentement, l'aiguille de la boussole frémit et se déplace vers une direction nouvelle. La femme se met à déplacer ses mains dans un mouvement circulaire et l'aiguille tourne avec elles, décrivant la même rotation qu'une trotteuse de montre. Dans certaines conditions, le champ produit par le corps peut, semble-t-il, être encore plus puissant que celui de la Terre elle-même.

On a noté beaucoup d'exemples où la matière est apparemment commandée ainsi de façon directe. La plupart traitent d'horloges du grand-père qui « se sont arrêtées net, pour ne plus jamais repartir, à la mort du vieux », ou de tableaux qui se sont décrochés du mur à l'instant précis de quelque lointaine calamité. Par nature, les phénomènes de cet ordre ne sont pas renouvelables et ne fournissent aucun élément à plus ample analyse. On les accumule sous le nom de télékinésie — faculté de faire mouvoir des objets à distance — et sont soigneusement négligés par tous, à l'exception des parapsychologues endurcis ; néanmoins, une fois de temps en temps, on découvre une personne qui paraît capable de faire bouger à la demande des objets éloignés.

Le plus impressionnant de tous les premiers tests de laboratoire sur ce phénomène fut organisé à Londres par Harry Price, qui se fit un nom dans les années trente en tant qu'enquêteur fortement sceptique sur les fantômes (309). Son sujet pour cette expérience était une jeune fille et la tâche qu'il lui assignait consistait à débrancher un manipulateur de télégraphe qui fermait un circuit et allumait une petite ampoule de lumière rouge, sans rien toucher de l'appareil. Price rendit l'expérience difficile en soufflant une grosse bulle formée d'un mélange de savon et de glycérine et en la plaçant avec soin par-dessus tout l'appareil. La bulle fut alors emprisonnée sous un globe en verre, lui-même enclos dans une cage en fil de fer, située au centre d'un treillage en bois. En dépit de toutes ces barrières, les témoins rapportent que la jeune fille se montra capable d'allumer et d'éteindre plusieurs fois l'ampoule, et qu'à l'issue de l'expérience la bulle de savon fut retrouvée intacte. Il s'agit là d'une démonstration précise, qui semble avoir été rapportée honnêtement, mais ainsi que la plupart des expériences anciennes concernant l'occulte elle a des lacunes sur lesquelles tombent à bras raccourcis les savants modernes pour tourner le tout en ridicule. Le rapport omet de dire si l'on voyait bouger le manipulateur, ce qui pourrait avoir de l'importance étant donné que nous savons maintenant qu'il est possible d'induire un courant à distance.

Tout le tableau de l'investigation se transofrma en 1934, lorsqu'un maître de conférences au département de psychologie de la Duke University, en Caroline du Nord, reçut la visite d'un jeune joueur qui prétendait pouvoir commander la chute des dés par force de volonté. Le maître de conférences était J. B. Rhine, déjà occupé à une étude statistique à long terme de la télépathie ; mais ce que le joueur lui montra dans l'endroit même, sur le sol du bureau, suffit pour le lancer sur une piste entièrement nouvelle.

Rhine et ses amis achetèrent des dés ordinaires, en plastique, et commencèrent à les jeter. Ils essayèrent activement de vouloir la chute de deux dés en sorte que le total de leurs faces s'élevât à plus de sept. Il y a trente-six combinaisons possibles de deux dés, dont quinze sont supérieures à sept ; aussi s'attendaient-ils à atteindre leur cible 2 810 fois sur 6 744 lancées. En réalité, ils marquèrent 3 110, ce qui se trouvait si loin de la coïncidence fortuite que cela ne pouvait se produire qu'une fois sur bien plus d'un milliard. Rhine en conclut à la possibilité pour l'esprit d'influencer la chute des dés et c'est ce qui l'incita à enquêter sur ce qu'il nomma la « psychokinésie » : le mouvement physique produit par l'esprit.

On avait déjà procédé à des tests de ce genre, mais ce que Rhine apporta à la recherche sur l'occulte, ce fut une méthode scientifique fondée sur l'analyse statistique d'un grand nombre de tests. La valeur du système de Rhine se manifeste clairement dans ce premier test. Ici, le taux moyen de réussite aurait dû être de quinze sur trente-six ; et pourtant, il se révéla être de 16,5. Une aussi petite déviation peut facilement passer inaperçue dans un seul test ; cependant, lorsqu'elle se produit sur des centaines de tests, elle revêt une signification tout à fait différente, dont le sens ne peut être déterminé que par une complexe analyse statistique. Il ne s'agit pas là de simple jonglerie mathématique, mais d'une méthode pour distinguer entre ce que l'on peut raisonnablement attribuer à la coïncidence et ce qui a vraisemblablement lieu pour quelque autre motif. Dans la plupart des recherches scientifiques, un résultat est déclaré significatif s'il n'eût dû se produire par hasard que cinq fois sur cent, ce qui représente une probabilité de dix-neuf contre un ; mais Rhine prit délibérément des précautions supplémentaires en négligeant tout ce qui aurait pu se produire par hasard plus d'une fois sur cent.

Après vingt-cinq ans de tests, Rhine conclut que « l'esprit possède effectivement une force capable d'affecter directement la matière physique (275) ». Il estime que la masse des preuves en faveur de la psychokinésie (PK) est si grande que « le simple fait de répéter les tests PK avec l'unique objectif de trouver plus de preuves de l'effet PK lui-même serait un inconcevable gaspillage de temps ».

Voici quelques-uns des résultats.

Les tests de Rhine, lorsqu'ils sont évalués selon ses propres méthodes statistiques, présentent une signification générale à un haut niveau de probabilité. Bien que ces méthodes aient été critiquées, peut-être à bon droit, les analyses effectuées par des statisticiens indépendants ont révélé d'autres courants encore plus importants cachés dans les chiffres (254). Chez toutes les personnes testées, on constate au cours de l'expérience des fluctuations de réussite ; presque tous les sujets obtenaient de bon résultats au début et de nouveau vers la fin de chaque série. Cela donne à supposer que le déclin situé au milieu de l'expérience est dû non seulement à la fatigue, mais à une perte d'intérêt. Les « effets de position » de cet ordre étaient le plus accentués dans des tests où le sujet marquait ses propres résultats et pouvait en suivre la courbe (256). C'était presque comme si la personne qui jetait les dés influençait le dessin de leur chute — ce qui est précisément ce que les tests étaient destinés à découvrir. Une tendance constante à obtenir des résultats meilleurs dans une partie du test que dans une autre a beaucoup plus de chances d'être due à l'influence personnelle qu'à un quelconque défaut de l'expérience. L'étendue de cette tendance a été joliment démontrée par un mathématicien anglais qui a pu produire exactement la même distorsion des probabilités en faisant jeter au hasard par les sujets des dés lestés de plomb à un angle (180).

D'autres tests ont apporté d'autres preuves de l'influence mentale. Dans une série, on constata que les sujets réussissaient mieux avec des objectifs, comme le double six, qui les séduisaient (268). Et dans une autre série, on obtenait toujours des réussites plus nombreuses lorsqu'on laissait le sujet lancer des dés de la dimension qu'il aimait le mieux (151). Qu'il s'intéressât fortement au résultat du test avait une importance évidente. Si le sujet tentait consciemment d'obtenir une combinaison particulière, mais savait que l'expérimentateur s'intéressait à un autre nombre, alors ce dernier sortait plus souvent lui aussi qu'on ne s'y fût attendu (274). L'importance des facteurs psychologiques dans le test fut clairement démontrée en une très longue série, de deux cent mille coups, effectuée par une équipe mixte. Après avoir analysé leurs résultats, qui montraient une courbe marquée et changeante déterminée par leurs relations entre eux, un statisticien conclut que les indices de réussites ne pouvaient être attribués au hasard ou bien à « des dés pipés, des désirs pris pour des réalités, des erreurs de notation ni toute autre contre-hypothèse raisonnable (255) ». Il terminait ainsi : « La PK reste la seule cause adéquate de ces effets. »

Tout au long de ces tests, il était évident que l'humeur du sujet jouait un rôle capital. Les meilleurs résultats de tous les tests de dés furent fournis par une expérience en forme de compétition entre quatre joueurs heureux, convaincus d'avoir de la chance, et quatre étudiants en théologie, non moins convaincus du pouvoir de la prière (114). Il semble capital, pour l'opérateur, d'être stimulé par l'expérience et curieux de voir s'il peut réussir, obliger les dés à se comporter comme il le désire. En aucun test effectué à ce jour, les enquêteurs qui répétaient les expériences de quelqu'un d'autre ne sont jamais parvenus à faire tout à fait aussi bien que les sujets d'origine. Rhine observe que « ceux qui luttent pour tracer leurs propres pistes et développer leurs propres méthodes en territoire inconnu se sont révélés fois après fois plus à même d'obtenir des preuves de PK (275) ».

Cette tendance, chez les enquêteurs, à obtenir les résultats qu'ils désirent avec ardeur a bien entendu provoqué des critiques sur ces travaux, alléguant le parti pris et le manque d'objectivité de l'expérimentateur. L'investigation scientifique devrait, dans l'idéal, être neutre, mais l'est rarement, et dans les sciences de la vie, les risques sont particulièrement grands. Par exemple, parmi la masse d'informations sur la façon dont les rats blancs franchissent des labyrinthes, il existe un élément bien révélateur. Il a trait à une expérience effectuée sur un certain nombre de rats spécialement choisis, sur la base de performances antérieures dans des labyrinthes, pour leurs aptitudes similaires. Leurs cages furent marquées au hasard d'écriteaux où l'on pouvait lire « INTELLIGENT » et « STUPIDE », et chaque rat fut testé par plusieurs enquêteurs au cours d'une nouvelle série d'expériences. Les rats « intelligents » obtinrent les meilleures scores, mais seulement lorsqu'ils portaient leurs insignes de mérite. Si l'on interchangeait les étiquettes, les scores en pâtissaient d'autant (282) !

Pour éviter les critiques sur ce genre de parti pris, Rhine élimina tout contact avec les dés en créant une machine électrique destinée à lancer les dés à sa place, tandis qu'il se tenait à proximité pour exercer sa volonté (273). Les résultats furent encore meilleurs. Un physicien de Pittsburgh continuait à s'inquiéter du rôle du parti pris au stade de la notation ; aussi, pour éliminer « les erreurs de notation, la perte ou le choix de données, la sélection de l'expérience, le choix rétroactif du but et l'interruption délibérée », il construisit une machine à tout faire. L'appareil secouait et lançait les dés, puis photographiait et classait le résultat sans jamais laisser voir au sujet dans quelle mesure il réussissait ou non (223). Tout ce que l'expérimentateur avait à faire, c'était d'appuyer sur un bouton pour déclencher chaque coup tandis que lui-même souhaitait un résultat particulier. Au bout de 170 000 coups, il constata qu'il avait des résultats présentant des chances de plus de cent contre un par rapport au hasard. Mais s'il complétait la machine en ajoutant un déclencheur automatique, de façon qu'il n'y eût pas la moindre intervention humaine, les résultats se trouvaient strictement conformes au hasard.

Prises dans leur ensemble, ces expériences font supposer que, du moins pour les dés, on a des preuves d'une force d'origine mentale, capable d'influencer le mouvement d'objets physiques.

Si l'effet PK dépend de l'action d'une force infime ces tests ne paraissent pas un instrument très sensible pour la mesurer. A la suite de la publication des premiers résultats de Rhine, plusieurs techniques différentes furent développées ailleurs. En Allemagne, un lycéen de dix-sept ans réalisa des performances incroyablement élevées avec des pièces de monnaie. Il lança dix mille fois une pièce et fut en mesure de prédire correctement sa chute avec des résultats présentant des chances d'un milliard contre un par rapport au hasard. Et dans un test avec une roulette, il marqua soixante-quinze coups dans le mille sur cinq cents tentatives, ce qui représente des chances de plusieurs millions contre un par rapport au hasard (25).

Dans d'autres laboratoires, on poursuivit des travaux fondés sur l'hypothèse que tout le monde ne peut pas atteindre des scores exceptionnels de ce genre, mais que tout le monde a une certaine aptitude à la PK, qui ne doit pouvoir se détecter qu'au moyen de tests fort sensibles. John Beloff, un psychologue de Queens University, à Belfast, fit le raisonnement que des particules microscopiques devraient être plus faciles à influencer que des particules macroscopiques, et eut l'idée d'utiliser ce qu'il nomme « les dés propres de la nature (21) ». Dans le noyau de chaque atome, il y a deux types de base de particules fondamentales : neutrons et protons. Il existe 275 combinaisons différentes de ces particules qui forment des alliances stables et constituent la majeure partie de la matière terrestre ; mais il y a environ cinquante autres éléments chimiques apparaissant dans la nature, avec un noyau instable qui lance des particules : c'est la radio-activité. Beloff suggéra que, étant donné que ces particules se détachent au hasard, elles fourniraient un test parfait de l'aptitude à la PK, où l'on chercherait soit à les arrêter, soit à augmenter leur taux d'émission.

Deux savants français reprirent la suggestion de Beloff ; ils choisirent le nitrate d'uranium en tant que source radio-active, et un compteur Geiger en tant que moyen de mesurer le taux d'émission des particules (70). Leurs sujets furent deux écoliers qui se montrèrent bien entendu fascinés par l'expérience ; leur tâche était soit d'accélérer, soit de ralentir les déclics du compteur. Ils réussirent, avec des résultats d'un milliard contre un par rapport au hasard.

Helmut Schmid, à l'université de Durham, en Caroline du Nord, utilisa le même principe en réalisant un genre d'appareil à sous électronique. La source de radiation de Schmid alimentait un générateur binaire, qui produisait au hasard, une fois par seconde, un genre de réaction sur deux seulement. Schmid disposa neuf ampoules lumineuses, en cercle sur un panneau-cadran, et les relia de façon qu'une seule pût être allumée à la fois. Une réaction « face » faisait sauter la lumière dans le sens des aiguilles d'une montre autour du cercle, tandis qu'une réaction « pile » la faisait aller dans l'autre sens. Les sujets de Schmid se concentrèrent pour la faire constamment se mouvoir dans l'une ou l'autre direction, au lieu de clignoter dans les deux sens au petit bonheur. En trente-deux mille essais, ils y parvinrent avec des chances de dix millions contre un par rapport au hasard (295).

Le résultat de ces deux études suggère que Beloff avait raison : que l'action PK s'exerce le plus efficacement à un niveau subatomique. Il s'agit là d'une découverte capitale, étant donné que nous savons maintenant que les prétendues particules contenues dans les atomes ne sont point du tout solides, mais consistent à ce qu'il semble en zones d'action électromagnétique du type ondes. Il n'existe qu'un seul genre de force qui puisse influencer un champ électrique — et c'est un autre champ. La force psychokinésique commence à ressembler à un phénomène de champ électrique.

Un ingénieur mécanicien de Caroline du Sud a fourni des preuves à l'appui de cette théorie. Il a construit une horloge mue par un courant électrique qui doit traverser un bain de solution saline (80). En présence d'électricité, le sel se décompose en ions chargés de sodium et de chlore, qui se dirigent vers des électrodes opposées et portent un courant à travers la solution. La vitesse à laquelle se forment les ions détermine l'écoulement du courant et donc le taux de mouvement des aiguilles de l'horloge. Notre ingénieur estima que la PK pourrait agir sur les ions et soit accélérer, soit ralentir l'horloge — et c'est ce qui se produisit, avec des chances d'un millier contre un par rapport au hasard. Ce qui paraît démontrer que la PK peut faire agir une force purement électrique sur des particules de dimensions atomiques aussi bien que subatomiques. L'unique lacune de toute la théorie électrique, c'est qu'il existe des exemples de l'action sur des substances électriquement inertes, comme le plastique et le bois, par ce qui semble être des forces PK.

Haakon Forwald, un ingénieur suédois, a entrepris de décrire la PK en fonction de l'énergie qu'elle exerce. Il a construit une rampe inclinée vers une table, et, au sommet, a installé un système destiné à lâcher simultanément un certain nombre de cubes. Les cubes roulaient au bas de la pente et continuaient sur la table, où ils pouvaient s'arrêter d'un côté ou de l'autre d'une ligne centrale. Forwald essaya de les faire aller dans une seule direction et, en mesurant leur déplacement à partir de la ligne centrale, fut en mesure de calculer la quantité de force en cause. Avec des cubes en hêtre pesant chacun deux grammes, il constata que la force moyenne impliquée dans le déplacement du cube à partir d'une position témoin était d'environ trois cents dynes (104). Une dyne est « la force qui, lorsqu'elle agit sur une masse d'un gramme, l'accélérera d'un centimètre par seconde ». C'est donc une mesure physique précise et il est très satisfaisant de pouvoir assigner une rigoureuse valeur numérique à l'énergie développée dans au moins un résultat de PK. Cela rend l'ensemble du phénomène plus normal et plus admissible, mais cela n'explique pas comment il fonctionne.

Forwald a travaillé en outre sur des cubes de zinc, de bakélite, de cuivre, de cadmium, d'argent, de plomb et d'aluminium. Il a constaté que des matériaux différents réagissent de façon différente, mais que la distance dont ils sont déviés n'est pas liée à leur poids. Il émit l'hypothèse que, puisque son esprit paraissait faire un effort identique pour mouvoir chacun des cubes, si différence il y avait, elle ne pouvait provenir que des cubes eux-mêmes, qui donc libéreraient de l'énergie (105). Il explique que peut-être « l'action de l'esprit est du type relais, capable de déclencher un processus énergétique au sein de l'atome, mais sans y transmettre d'énergie ». Forwald étudia les cubes pour voir s'ils portaient des traces d'une quelconque radiation secondaire que devrait produire ce genre de réaction, mais n'en trouva point.

La notion d'une force mentale n'agissant qu'en tant que déclencheur présente un sens quand on l'applique à toutes ces expériences de PK, où des gens normaux tentent d'influencer des objets déjà en mouvement. La plupart des résultats ne sont pas du tout spectaculaires et n'acquièrent de signification qu'envisagés statistiquement. Il est donc possible qu'un petit nombre des dés qui tombent ou des pièces qui tournoient tombent dans un état d'équilibre où ils pourraient aussi bien aller dans un sens que dans l'autre, et c'est sur ceux-là qu'une force infime, peut-être pas plus grande que la pression d'un rayon lumineux, agit pour produire le résultat désiré. Cependant, cette théorie n'est même pas l'amorce d'une explication de certaines des choses extraordinaires qui sont accomplies par des gens doués de talents particuliers de PK.

FORCE DE VOLONTÉ

De tous ces gens à part, nul n'a plus de talent ni de régularité que Nelya Mikhaïlova. Elle naquit dix ans juste après la Révolution russe et à l'âge de quatorze ans combattait sur le front de l'Armée rouge. Elle fut blessée par un feu d'artillerie vers la fin de la guerre et passa longtemps à se remettre à l'hôpital. C'est durant cette période qu'elle commença de manifester ses étranges facultés. « Un jour, j'étais très irritée et bouleversée, se remémore-t-elle. Je me dirigeais vers un placard quand soudain une cruche se déplaça vers le bord de l'étagère, tomba et se brisa en mille morceaux (233). » Après quoi, toutes sortes de modifications commencèrent à se produire autour d'elle. Les objets se déplaçaient de leur propre chef, les portes s'ouvraient et se fermaient, les lumières s'allumaient et s'éteignaient. Néanmoins, à la différence de la plupart des gens affligés de pouvoir du type esprit frappeur, Nelya se rendit compte qu'elle devait en être, d'une façon ou d'une autre, responsable, et pouvoir commander cette énergie. Elle pouvait y faire appel et la diriger à volonté.

L'un des premiers à étudier ses talents fut un biologiste de l'université d'Etat de Moscou, Edouard Naumov. Au cours d'un test effectué dans son laboratoire, il répandit sur une table une boîte d'allumettes ; Nelya promena ses mains en cercle au-dessus d'elles, tremblant sous l'effort, jusqu'à ce que le groupe entier d'allumettes se déplaçât comme un train de billes de bois jusqu'au bord de la table et qu'elles tombassent l'une après l'autre à terre. Afin d'éviter les courants d'air, les fils métalliques ou autres, Naumov mit un second lot d'allumettes sous une couverture en plexiglas ; Nelya n'en continua pas moins de les faire aller et venir (233). Cinq cigarettes furent alors placées sous le verre et Nelya démontra qu'elle pouvait être sélective, en n'en choisissant qu'une afin de la faire bouger. Ensuite, on déchiqueta les cigarettes pour s'assurer que rien n'était caché dedans.

Deux célèbres écrivains soviétiques l'ont examinée, de leur propre aveu dans des conditions dépourvues de contrôle, mais leurs comptes rendus fournissent quelque notion de l'étendue de ses talents. Lev Kolodny se rendit chez elle pour une interview et fut stupéfait de voir le capuchon de son stylo poursuivi à travers la table par un verre. « Les deux objets se dirigèrent vers le bord de la table, comme attachés l'un à l'autre. La nappe ne bougeait pas — les verres autres que le mien demeuraient à leur place. Pouvait-elle par un moyen quelconque souffler dessus pour les faire bouger ? Il n'y avait pas de courant d'air et Mikhaïlova ne respirait pas fortement. Pourquoi un pichet qui se trouvait sur leur chemin ne bougeait-il pas, lui aussi ? Je passai les mains à travers l'espace qui séparait Mikhaïlova de la table. Aucun fil d'aucune sorte. Si elle s'était servie d'aimants, ils n'auraient pas agi sur du verre (181). »

Vadim Marine, qui dîna en ville avec Nelya, rapporte : « Un morceau de pain se trouvait sur la table, à quelque distance de Mikhaïlova. Se concentrant, elle le regarda attentivement. Une minute s'écoula, puis une autre... et le morceau de pain commença de se déplacer. Il bougeait par à-coups. Vers le bord de la table, il se déplaça de façon plus régulière et plus rapide. Makhaïlova pencha la tête, ouvrit la bouche et, tout comme dans le conte de fées, le pain lui-même (excusez-moi de n'avoir pas d'autres mots pour le dire) lui sauta dans la bouche (233) ! »

Dans ces deux comptes rendus les possibilités de fraude et d'hypnotisme existent ; mais du moins une série d'expériences a-t-elle été menée sous des conditions de contrôle où n'existait aucun risque d'imposture. Genady Sergeyev, neurophysiologiste à l'Institut Outomskii de Leningrad, organisa les tests dans un laboratoire de physiologie. Mikhaïlova fut ligotée dans un harnachement d'électroencéphalographe et de cardiographe et on mesura d'abord ses réactions physiologiques au repos. Sergeyev découvrit qu'elle avait autour du corps un champ magnétique dix fois moins puissant seulement que celui de la Terre elle-même (271). A une date plus récente, le fait se trouva confirmé par des examens pratiqués à l'Institut de météorologie de Leningrad. Sergeyev constata de plus que Nelya présentait un type inhabituel d'ondes cérébrales, le voltage produit à l'arrière de la tête étant cinquante fois supérieur à celui de devant.

L'expérience commença par une des démonstrations de PK les plus difficiles et les plus impressionnantes que l'on ait jamais faites (233). On cassa un œuf cru dans une solution saline contenue dans un aquarium situé à 1,80 m de Nelya puis, sous l'œil de caméras qui enregistraient chaque seconde, elle lutta jusqu'à ce qu'elle fût capable de séparer le blanc de l'œuf du jaune et de les éloigner l'un de l'autre — acte que nul ne pourrait jamais attribuer à des ficelles ou à des aimants cachés.

Tandis qu'avait lieu la démonstration, l'EEG de Nelya montrait une intense excitation émotionnelle. Il se produisait une grande activité dans les couches profondes de la formation réticulée, laquelle coordonne et filtre l'information dans le cerveau. Le cardiogramme trahissait un mouvement irrégulier du cœur, avec la confusion entre les cavités qui est caractéristique d'une grande inquiétude. Le pouls s'éleva jusqu'à deux cent quarante battements par minute, quatre fois son niveau normal, et l'on enregistra des pourcentages élevés de sucre sanguin, en même temps que d'autres troubles endocriniens, tous caractéristiques d'une réaction de stress. Le test dura trente minutes au cours desquelles Nelya perdit plus d'un kilo. A la fin de la journée, elle était très faible et temporairement aveugle. Ses facultés de goût s'étaient altérées, elle éprouvait des douleurs dans les bras et les jambes, des étourdissements, et fut incapable de dormir pendant plusieurs jours.

Tout cela est assez stupéfiant ; pourtant, à l'occasion de la même démonstration, Sergeyev inaugura aussi un instrument nouveau, d'une importance capitale. Pour l'heure, on ne le connaît que sous le nom de détecteur Sergeyev ; en principe, il paraît similaire à celui dont on s'est récemment servi à l'université de Saskatchewan (320). Ses éléments fondamentaux sont des condensateurs et un préamplificateur lié à un cardiographe, et il est réglé en vue de réagir à des modifications du champ vital. Sergeyev avait l'instrument près de Nelya durant le test en laboratoire, et, dans les moments précis où elle semblait mouvoir des objets grâce à sa force PK, il enregistra de grands changements dans les mensurations électrostatiques et magnétiques de son champ (233). Tandis qu'elle luttait pour exercer son influence, le champ électrostatique se mit à manifester des pulsations jusqu'à subir une fluctuation régulière à un rythme de quatre cycles par seconde. Cette turbulence était liée de façon précise, à ce moment, au rythme de quatre battements à la seconde du pouls, ainsi qu'à une puissante action des ondes cérébrales thêta, à la même fréquence. Les rythmes corporels semblaient produire un battement recueilli et amplifié par le champ qui entourait Nelya, et concentré sur le point où ses yeux se fixaient. Sergeyev prétend que ces vibrations du champ se comportent à la façon d'ondes magnétiques. « Dès que ces vibrations ou ondes magnétiques apparaissent, elles font se comporter l'objet sur lequel Mme Mikhaïlova se concentre, même s'il s'agit de quelque chose de non magnétique, comme s'il était magnétisé. Cela provoque l'attraction vers elle ou la répulsion loin d'elle de l'objet. »

Une partie de cette attraction pourrait être due à un champ électrostatique d'une largeur exceptionnelle aidé par la pulsation d'un champ magnétique. On a récemment découvert que les particules fondamentales de la plupart des atomes peuvent manifester un tournoiement qui produit des ondes giratoires et un champ magnétique fluctuant du type même qui est nécessaire pour réduire la friction entre un objet et la table sur quoi il repose. Il s'agit pour le moment d'une simple conjecture ; nul n'a encore observé ce genre d'interaction magnétique sur des objets en train d'être mus par une activité de PK ; on n'en a pas moins un nombre croissant de preuves étonnantes que la plupart des corps vivants produisent la force nécessaire. Leonard Ravitz a découvert que des modifications mentales peuvent provoquer des effets mesurables sur des instruments servant à relever le champ vital (265). Grâce à eux, il se fait fort de déterminer l'état d'esprit d'une personne, et même la profondeur d'hypnose. Au Canada, des neurophysiologistes utilisent actuellement un détecteur de champ pour déterminer à distance si le niveau d'anxiété d'un malade est élevé, moyen ou bas. Il n'est plus possible de douter qu'une espèce de champ entoure à la façon d'un cocon le corps humain.

L'AURA

Les observations indiquant que ce champ vibre vont réjouir le cœur des médiums spirites du monde entier, lesquels ont toujours insisté sur le fait que leur sensibilité était due à des « vibrations ». Beaucoup, y compris la fameuse voyante new-yorkaise Eileen Garrett, ont rapporté avoir vu des spirales d'énergie quitter un corps qui vient de mourir (113). Et maintenant, Sergeyev soutient que ses détecteurs se sont mis brusquement en action près du corps d'un homme dont les ondes cardiaques et cérébrales s'étaient arrêtées, et qui était donc mort chimiquement, mais qui semblait encore émettre une énergie électrique. La notion d'un nuage énergétique, ou « aura », entourant le corps remonte à de nombreux siècles. D'anciennes représentations de saints hommes les montrent debout dans un environnement lumineux, bien avant que les chrétiens n'aient inventé le halo. Cette brume, dotée de propriétés mystiques, a été étudiée pour la première fois par Walter Kilner, de l'hôpital Saint-Thomas de Londres, qui découvrit en 1911 qu'en regardant à travers des écrans de verre coloré il pouvait distinguer une frange rayonnante, large d'une quinzaine de centimètres, autour de la plupart des corps (174). Il prétendait que cette aura changeait de forme et de couleur suivant l'état de santé de la personne qui la portait, ce qu'il utilisa comme aide au diagnostic médical.

Nos yeux sont sensibles à la lumière située entre les longueurs d'onde de 380 à 760 millimicrons. Grâce à des sources artificielles à intensité très élevée, nous pouvons étendre ces limites, aux deux extrémités du spectre, dans les zones de lumière infrarouge et ultraviolette. Le fait que le corps de l'homme émet des ondes électromagnétiques un peu trop longues pour être vues de la plupart des gens a été démontré avec éclat par la nouvelle technique « thermographique », qui traduit la radiation calorique en merveilleuses images colorées (308). Par leur mouvement incessant, les atomes créent des rayons infrarouges, et plus ils sont chauds, plus ils deviennent actifs. Dans les portraits thermographiques, les cheveux et les ongles froids apparaissent en noir ou bleu, les lobes frais des oreilles sont verts, le nez est d'un jaune pâle, le cou et les joues sont enluminées d'orange et de rouge. Le système sert maintenant à la détection des tumeurs, de l'arthrite et du cancer, lesquels apparaissent sous l'aspect de zones chaudes isolées. Ainsi le corps rayonne-t-il effectivement sur une longueur d'onde juste extérieure à notre vision normale, et cette radiation se modifie suivant la santé de l'émetteur.

Peut-être Kilner avait-il raison. L'éventail de la sensibilité humaine est tout à fait large ; certaines personnes entendent des sons qui pour d'autres sont ultrasoniques, et certaines gens voient des longueurs d'onde qui pour d'autres sont invisibles. Ceux qui se disent capables de distinguer une aura entourant les êtres vivants pourraient bien être suprasensibles à l'extrémité infrarouge du spectre. Les ondes de cette longueur outrepassent les capacités des cellules en forme de cône de notre rétine, lesquelles apprécient les couleurs visibles, mais il se peut qu'elles soient dans les limites des cellules en forme de bâtonnet, plus sensibles aux faibles intensités lumineuses. Les ouvrages d'occultisme qui donnent des instructions sur « le moyen de voir l'aura » recommandent le plus souvent de la rechercher dans une lumière faible, les yeux mi-clos et la tête tournée en sorte que la lumière frappe le coin de l'œil. Telles sont précisément les conditions les plus adéquates pour éviter les cônes, au centre de la rétine, et stimuler les beaucoup plus sensibles bâtonnets, autour des bords. Les animaux doués d'une bonne vision nocturne n'ont point de cônes et point de faculté de distinguer la couleur ; mais ils peuvent agir dans l'obscurité presque complète, et beaucoup semblent posséder une certaine sensibilité à la radiation infrarouge émise par leur proie. On a démontré que les hiboux peuvent déceler à distance une souris silencieuse, immobile, mais sont incapables de localiser un morceau de viande morte de même taille et de même forme. Si tous les animaux nocturnes sont capables de distinguer certains infrarouges et par conséquent de détecter l' « aura », nous savons maintenant pourquoi les deux animaux le plus souvent choisis pour « familiers » par les sorcières étaient les hiboux et les chats.

Tous ceux qui prétendent avoir vu l'aura la décrivent comme entourant le corps en une forme ovoïde régulière, plus large à la tête qu'aux pieds. Il est intéressant de remarquer que cette même forme est décrite dans des ouvrages mentionnant des phénomènes du type aura observés dans d'autres cultures. Dans le deuxième de ses beaux livres sur ses conversations avec un sage yaqui, Castaneda note une discussion sur le regard ordinaire et la « vision » véritable (68). Don Juan déclare : « J'aime bien m'asseoir dans des parcs et des garages d'autobus pour observer. Les personnes réelles ressemblent à des œufs lumineux quand on les *voit*. » Il continue en expliquant que parfois, dans une foule de créatures ovoïdes, il en repère une qui a tout à fait l'air d'une personne ; alors, il sait qu'il y a quelque chose qui ne va pas et que, sans l'éclat lumineux, il ne s'agit pas du tout d'une personne réelle.

A la suite des travaux de Kilner, le biologiste de Cambridge Oscar Bagnall a tenté de décrire l'aura en termes physiques. Il prétend qu'elle est très facile à voir une fois que l'on a « sensibilisé » les yeux en regardant un certain temps à travers une solution de teinture de goudron dicyanine ou pinacyanol. Afin de faciliter la chose, Bagnall a conçu des lunettes à verres creux que l'on peut remplir de la teinture, dissoute dans de la triéthanolamine (12). Gabnall rapporte que l'aura ne peut être dispersée par un courant d'air, mais qu'elle est attirée par un aimant tenu près de la peau et que, pareille au champ électrique entourant un conducteur chargé, elle s'étend plus loin à partir d'une projection comme un doigt ou le bout du nez. Il décrit l'aura comme étant composée d'une couche externe floue et d'une couche interne plus brillante, qui paraît contenir des striures s'échappant à angle droit de la peau. Bagnall et d'autres observateurs d'aura disent que de temps à autre un rayon beaucoup plus brillant « s'échappe de l'aura comme un coup de projecteur » et s'étend à plusieurs dizaines de centimètres du corps avant de disparaître.

Comparez cela avec la description suivante : « Des labyrinthes lumineux entiers, étincelant, scintillant, flamboyant. Certaines des étincelles étaient immobiles, d'autres erraient contre un arrière-plan sombre. Par-dessus ces galaxies fantastiques de lumières spectrales, il y avait de brillants flamboiements multicolores, et d'épaisses nuées. » Il ne s'agit point d'un extrait de compte rendu sur un « voyage » au LSD, mais du rapport d'un éminent académicien soviétique au Præsidium sur des recherches en cours actuellement à Krasnodar, près de la mer Noire (233).

En 1939, l'électricien Semyon Kirlian fut appelé dans un laboratoire universitaire afin de réparer un instrument utilisé en électrothérapie. Il s'aperçut que lorsqu'un patient était traité par la machine, il se produisait un minuscule jaillissement de lumière entre les électrodes. Kirlian essaya de prendre des photographies avec cette lumière et découvrit qu'il était possible de le faire sans appareil en insérant une plaque directement entre l'étincelle à haute fréquence et sa main. Au développement, la plaque photographique produisit une image flamboyante de ses doigts étendus. D'autres sujets vivants donnèrent aussi des images constellées de points et de flamboiements, mais dans le cas d'objets inertes, il n'y avait aucune image. Kirlian construisit sa propre machine afin de créer des champs électriques à haute fréquence avec une oscillation de deux cent mille étincelles par seconde entre deux électrodes. Il conçut aussi une visionneuse optique (aujourd'hui l'objet de quatorze brevets soviétiques) en vue de permettre d'observer le processus directement, sans pellicule ni émulsion (192). Ce fut la vision de son propre doigt sous cet instrument qui inspira la fameuse description pyrotechnique à l'académicien.

Tout objet vivant placé dans la décharge à haute fréquence produit ces motifs. Une main entière peut ressembler à la Voie lactée, étincelante et scintillante contre un flamboyant arrière-plan d'or et de bleu.

Une feuille fraîchement cueillie luit d'une lumière interne qui ruisselle à travers ses pores en rayons qui s'éteignent peu à peu l'un après l'autre à mesure qu'elle meurt. Des feuilles prélevées sur des plantes de la même espèce montrent des motifs similaires de joaillerie ; pourtant si l'une des plantes est malade, le motif de sa feuille est tout à fait différent. De façon similaire, les motifs produits par le même bout de doigt changent avec l'humeur et la santé de son propriétaire. Kirlian dit : « Chez les êtres vivants, nous voyons les signaux de l'état interne de l'organisme reflétés dans le brillant, le terne et la couleur des flamboiements. Les activités de vie interne de l'être humain sont inscrites dans ces hiéroglyphes de " lumière ". Nous avons créé un appareil pour écrire les hiéroglyphes, mais pour les déchiffrer nous allons avoir besoin d'aide (233). »

Durant vingt-cinq ans, Kirlian et sa femme se sont efforcés de perfectionner leur appareil. Un flot constant de visiteurs — physiciens, médecins, biochimistes, pathologistes, experts en électronique et ministres du gouvernement — sont venus voir les résultats. Tous repartaient impressionnés et la bibliographie concernant le procédé Kirlian prit des proportions massives ; pourtant rien n'arriva jusqu'en 1964 où les portes s'ouvrirent soudain pour Kirlian. Ils furent installés dans leur propre laboratoire avec tous les équipements les plus récents et des programmes de recherche débutèrent sur des machines conçues par Kirlian dans une douzaine d'autres centres. Les résultats commencent à peine d'arriver et promettent de révolutionner maints aspects de la biologie et de la parapsychologie. C'est l'avènement de l'aura électrique.

Une des croyances fondamentales de nombreuses branches de l'occultisme est qu'il existe des corps « astraux », ou « éthériques », censés être des doubles spirituels de nos corps physiques. Les amputés d'une jambe déclarent pouvoir toujours la sentir et même se plaignent de démangeaisons à des orteils absents. Cela peut s'expliquer par la persistance d'anciens schémas sensoriels dans le cerveau ; mais certains médiums se prétendent capables de « voir » des membres fantômes encore attachés au corps. Aujourd'hui, l'effet Kirlian montre qu'ils pourraient bien être dans le vrai. A Moscou, on s'est servi d'une machine Kirlian pour prendre des images d'une feuille intacte ; ensuite, on enlève un tiers de la feuille et l'on prend d'autres images. Durant une courte période après l'ablation d'une partie de la feuille, une image de cette partie persiste sous forme de « fantôme », dessinant les contours complets, étincelants, de la feuille originale entière.

Cela donne à supposer qu'il existe une espèce de matrice énergétique chez tous les êtres vivants, et qu'elle a une forme pareille à celle de l'organisme, bien que relativement indépendante de lui. C'est une idée incroyable, mais en Russie on la prend au sérieux. A l'université d'Etat de Kirov, à Alma-Ata, un groupe de biophysiciens et de biochimistes essaient d'étudier ce corps énergétique au moyen d'un microscope électronique (233). Ils prétendent qu'il s'agit d' « un genre de constellation élémentaire du type plasma, fait de particules ionisées. Ce n'est pas un système chaotique, mais en soi-même tout un organisme unifié ». Ils le nomment le « corps de plasma biologique ».

Plasma sonne à la façon d'un mot sorti d'une réunion spiritualiste victorienne, mais possède une réalité physique aujourd'hui. Un plasma, c'est un gaz qui a été si complètement ionisé que tous les électrons ont été enlevés des noyaux de ses atomes. Cela se produit dans une réaction thermonucléaire, quand la température est élevée à trois cents millions de degrés C, et que les particules gazeuses accélèrent jusqu'à des vitesses assez grandes pour provoquer la fusion ; toutefois l'on n'a pas de preuve que quoi que ce soit de pareil puisse avoir lieu à la température du corps. Ce qui ne signifie pas que cela soit impossible ; cela signifie seulement que toute cette branche de la physique est si nouvelle que nul ne sait au juste en quoi consiste un plasma ni ce qu'il est réellement capable de faire. Un fait intéressant que l'on connaît, lui, sur le plasma, c'est que l'unique chose capable de contenir efficacement son énergie est un champ magnétique — et nous savons que le corps en possède un.

Parmi ceux qui firent le pèlerinage à Krasnodar pour voir les Kirlian se trouve un chirurgien de Leningrad, Mikhaïl Gaïkine. Après avoir observé la cavalcade de lumières en ses propres mains, il s'interrogea sur leur origine. Les plus puissants flamboiements sortaient droit de la peau comme des projecteurs, mais leurs positions ne correspondaient à aucune terminaison nerveuse majeure du corps et le schéma de leur répartition ne montrait aucune correspondance avec des artères ou des veines. Gaïkine se rappela alors ses expériences sur le front de Zabaïkal en 1945 et les leçons qu'il avait reçues d'un médecin chinois dans l'art de l'acupuncture. Sur cette intuition, Gaïkine envoya aux Kirlian une carte classique d'acupuncture indiquant sept cents points importants de la peau — or ils correspondaient exactement à des cartes que les Kirlian avaient commencé d'établir des feux visibles sous leur machine à haute fréquence.

Acupuncture signifie littéralement « piqûre avec une aiguille ». Il s'agit d'un système chinois de médecine, très ancien et très respecté, qui met l'accent sur la prévention de la maladie plutôt que sur un traitement des symptômes. Dans l'ancien temps, un patient payait un médecin pour l'empêcher de tomber malade ; toutefois s'il tombait malade, c'était le médecin qui le payait (189). L'essence de l'acupuncture est la croyance que toute matière contient deux activités, le Yin et le Yang, et que le bien-être dépend d'un équilibre défini entre elles. Ces activités sont manifestes sous forme d'infimes courants d'énergie circulant au sein du corps, qui en certains points se rapprochent assez de la surface pour qu'on puisse agir sur eux. Les points clés de manipulation ont été déterminés de manière exacte par des millions d'années de pratique, et en chaque point un excès de l'énergie appropriée peut être libéré soit par massage du bout des doigts, soit par insertion d'une aiguille métallique.

Peut-être la mise à l'épreuve la plus rigoureuse de l'acupuncture est son efficacité en tant qu'anesthésique. Des journalistes occidentaux furent invités récemment à voir, à Pékin, une série d'opérations graves entièrement pratiquées sans aucune autre espèce d'anesthésique. Neville Maxwell a rendu compte de l'ablation d'un poumon tuberculeux chez un malade qui n'avait qu'une fine aiguille d'acier insérée dans l'avant-bras droit, ce qui engourdissait apparemment toute la région thoracique et permettait à l'opération de se dérouler tandis que le patient bavardait en buvant du thé avec l'équipe de la salle d'opération. « L'observateur a pu échanger quelques mots avec le malade et, dans la mesure où il ne gênait pas les chirurgiens, se tenir aussi près qu'il voulait. Une fois l'opération terminée, la plaie a été refermée, l'aiguille ôtée, et l'on a aidé M. Han à s'asseoir. Ensuite on lui a massé le bras et aidé à passer sa veste de pyjama, de nouveau sans le plus petit signe de douleur. » M. Han, alors, donna une conférence de presse (209).

Les praticiens chinois passent des années pour apprendre à localiser avec précision les points d'acupuncture, mais, moins patients, les étudiants occidentaux ont toujours trouvé cela difficile. Aujourd'hui, Gaïkine et les Kirlian ont construit un appareil électronique pour indiquer les points à moins d'un dixième de millimètre près. Avec fierté, les Russes ont fait la démonstration de cette machine, maintenant appelée « tobiscope », à l'Expo 67 de Montréal, en même temps que du vaisseau spatial *Vostok*. Grâce à cet instrument, des laboratoires médicaux du monde entier se servent aujourd'hui d'aiguilles, d'électricité, d'ondes sonores, afin de stimuler les points clés pour provoquer des guérisons spectaculaires. Ces résultats fournissent une preuve tangible, pratique, de l'efficacité de l'acupuncture et de la réalité du « plasma » auquel elle semble être liée (331).

S'il existe un corps de plasma biologique, on s'attendrait à ce qu'il fût produit par l'organisme. Une fois qu'il existe, il est possible qu'il exerce une sorte de fonction d'organisation sur le corps qui l'a créé. Une étude a montré qu'un muscle ôté chirurgicalement à une souris et découpé en petits morceaux se régénérait complètement si l'on rempaquetait ce hachis dans la blessure (289). Mais peut-être le meilleur exemple est-il fourni par l'éponge. Il y a des colonies d'animaux unicellulaires qui se réunissent en vastes groupes sociaux ; les éponges, pourtant, sont plus complexes que cela et se trouvent classées parmi les organismes uniques. Les cellules de leur corps sont organisées de façon lâche, mais se présentent sous plusieurs formes, lesquelles accomplissent des fonctions différentes. Il y a des cellules de saisie, qui vivent au sein de cavités et agitent des flagelles afin de créer les courants d'eau traversant les pores de l'animal pour lui apporter de la nourriture et de l'oxygène ; il y a des cellules sexuelles, qui produisent des ovules et des spermatozoïdes ; et il y a des cellules qui bâtissent des squelettes de soutien d'une si magnifique structure géodésique qu'ils servent d'inspiration aux créateurs d'avions. Certaines éponges atteignent plusieurs dizaines de centimètres de diamètre ; et pourtant, si on les coupe en morceaux et presse ceux-ci à travers un tissu de soie afin de séparer chaque cellule de ses voisines, ce brouet ne tarde pas à se rassembler, à s'organiser — et l'éponge complète réapparaît comme un phénix pour se remettre à l'ouvrage. Un corps plasmatique persistant fournirait un patron parfait pour une régénération de ce genre.

De quelque nom qu'on le puisse appeler, « bioplasma », « aura » ou « champ vital », il devient malaisé d'éviter la conclusion que notre sphère d'influence ne finit pas avec la peau. Au-delà des confins traditionnels de notre corps sont des forces que nous semblons produire et pouvons être en mesure de commander. A partir du moment où on l'admet, la psychokinésie cesse de paraître étrange. Nul ne met en doute le fait que l'esprit commande et guide les muscles de notre corps, or, ce faisant, il a déjà prouvé la psychokinésie. Une chose intangible comme l'esprit, que l'on n'a jamais vu, saute par-dessus le gouffre séparant l'irréel du réel, créant l'énergie nerveuse qui dirige l'énergie musculaire, qui meut des objets physiques. De cette situation à la PK, le pas n'est pas grand à franchir ; tout ce que nous avons à faire, c'est de combler le fossé à l'autre extrémité. C'est ce que les Russes ont peut-être fait.

Le rapport entre l'esprit et le cerveau demeure un mystère absolu. Sir John Eccles, un grand neurophysiologiste australien, a décrit le cerveau comme un système de « dix mille millions de neurones... dans un équilibre momentané proche du seuil exact d'excitabilité. C'est le genre de machine que pourrait faire marcher un fantôme, si par « fantôme » nous entendons avant tout un « agent » dont l'action a échappé à la détection, fût-ce par des instruments les plus délicats » (92). Ce fantôme de la machine psychokinétique semble avoir été matérialisé par les sensibles instruments de Sergeyev et de Kirlian. Plus : il pourrait bien être un fantôme du même genre que ce que les Allemands nomment « Poltergeist », l'esprit frappeur.

ESPRITS FRAPPEURS

On ne manque pas de bonnes preuves de l'activité des esprits frappeurs, fournies en grande partie par des savants sceptiques, des policiers professionnels et des reporters à qui on ne la fait pas. Dans le monde entier le phénomène est le même. Des objets tombent des tables, des ampoules électriques tombent de leurs prises, des liquides se répandent, des coups sont frappés de manière inexplicable, des pierres volent à travers les fenêtres et des robinets sont laissés ouverts. Ces farces d'aspect infantile semblent souvent associées avec un adolescent, en général une fille à l'âge de la puberté ou dans une période d'adaptation affective (142). Dans un cas bien connu, une jeune femme de vingt ans aux sentiments délicats se trouvait juste en train d'accéder à la vie conjugale. L'association des activités d'esprits frappeurs avec une personne au lieu d'un endroit est capitale. Cela donne à supposer que les phénomènes géophysiques insolites, comme une aberration locale dans la gravité, jouent un rôle moins important que des forces d'origine psychologique (292). Il existe une zone, à la pointe du Songe Fjord en Norvège, et une autre dans le cratère volcanique de Kintamani, à Bali, où les cailloux ne sont pas aussi fermement ancrés au sol qu'ils devraient l'être. Mais l'enquête, telle que l'étude minutieuse de l'esprit frappeur de Sauchie par George Owen, montre que lorsque le personnage central de l'un de ces cas se déplace, les phénomènes suivent de près (237).

Le psychanalyste Nandor Fodor a décrit l'esprit frappeur comme « un faisceau de refoulements projetés » (103). Si la chose est vraie, la projection est totalement inconsciente. Il pourrait s'agir d'énergie psychokinésique se contentant de frapper en aveugle, comme le mouvement réflexe qui nous fait renverser un verre sur la table quand un grand bruit nous fait sursauter. Mais parfois, les activités d'esprits frappeurs font preuve d'un certain degré d'intelligence ou d'intention, comme lorsqu'un texte écrit apparaît sur un mur, ou que des objets visent une personne particulière. En ces cas, l'activité PK pourrait être commandée par quelque plus profond niveau inconscient ; néanmoins, ici même, le fantôme n'est point tant un esprit qu'une manifestation du mental.

Un des caractères communs à presque tous les esprits frappeurs est qu'il est rare que l'on voie réellement des objets en mouvement et, même dans les cas peu fréquents où cela se produit, je n'ai pu trouver un seul rapport effectué par une personne ayant vu un objet *commencer* à se mouvoir. Voilà qui pourrait être important. Dans les expériences de laboratoire sur la PK chez les gens ordinaires, les effets échouent souvent à se produire quand le sujet se concentre fortement sur eux, puis soudain font leur apparition quand son attention se trouve détournée. Les activités d'esprits frappeurs cessent fréquemment sitôt qu'un enquêteur arrive pour les étudier. Rhine décrit certains de ses travaux comme « essayer de développer une pellicule à la lumière du jour » (275). Tout comme l'obscurité constitue pour le développement photographique une condition préalable essentielle, ainsi la spontanéité semble être importante pour le sujet de laboratoire PK ou l'esprit frappeur. Les rares personnes qui ont appris à produire à volonté des effets de PK sont manifestement situées dans une catégorie à part. Rhine conclut que la PK représente « une faculté qui ne s'exerce que dans les étroites limites de certaines conditions psychologiques et qui se trouve aisément inhibée si ces conditions sont défavorables »... Chez la plupart des gens, elle est tout le temps inhibée.

Peut-être le plus utile indice qui ressorte jusqu'ici de ces recherches est-il la découverte par Sergeyev que, pendant la PK, le champ électrostatique, le cœur et le cerveau fonctionnent tous à quatre cycles par seconde. On sait depuis longtemps que le cerveau des très jeunes enfants présente un type ondulatoire lent. Des électrodes fixées au ventre d'une femme en fin de grossesse montrent que l'enfant à naître émet des ondes de moins de trois cycles par seconde — les mêmes ondes (delta) que produisent les adultes dans « un sommeil de bébé ». Pendant les trois premières années de la vie, les rythmes delta sont prédominants et ce n'est que plus tard que le pouls s'accélère jusqu'aux rythmes alpha de la méditation, et jusqu'aux rythmes plus rapides encore de la pensée et des calculs complexes. On croyait au début que les rythmes de quatre à sept cycles ne constituaient qu'une transition entre delta, qui cesse à trois, et alpha, qui commence à huit cycles par seconde. Et l'on pensait que ces types intermédiaires étaient seulement caractéristiques de la croissance des enfants ; mais plus tard on les découvrit aussi dans certaines conditions chez les adultes, et on leur donna le nom d'ondes thêta.

Les rythmes thêta ont leur origine au sein du thalamus, la région du cerveau qui semble gouverner la manifestation affective. Ils sont très faciles à provoquer chez un jeune enfant, en lui arrachant un bonbon ou un jouet, et en le tenant juste en dehors de sa portée. On peut les provoquer presque aussi facilement chez les adultes, en les offensant ou bien en les frustrant. En situation de laboratoire, on fait souvent la démonstration des rythmes thêta en offrant au sujet un stimulus agréable, comme de lui faire caresser le front par une jolie fille, puis en la renvoyant brusquement. Dès que cesse la sensation agréable, les rythmes thêta font leur apparition, clignotent jusqu'à un crescendo pendant un court moment, puis disparaissent. La plupart des adultes sont accoutumés à de fréquentes déceptions, et il semble qu'ils s'y adaptent en supprimant très rapidement les thêta. Chez les enfants, les rythmes persistent beaucoup plus longtemps et mènent souvent à des crises de colère ou à d'aveugles destructions. On a découvert que les adultes sujets à des accès incontrôlés d'agressivité violente ont fréquemment dans leurs ondes cérébrales une prédominance de rythmes thêta. Le symptôme est si caractéristique que l'on s'en est servi comme d'un moyen pour dépister ce type de psychopathie.

Il semble donc que, jeunes enfants, nous ayons tous une tendance naturelle à réagir émotionnellement à la frustration par des actes d'agressivité liés aux ondes thêta du cerveau. Il semble aussi que les animaux réagissent de même. Hebb nous parle d'un chimpanzé qui restait paisiblement assis durant des heures, se contentant de contempler une femelle dans une autre cage, et puis, sitôt qu'elle se retirait dans son antre à dormir, il manifestait un brusque et violent déploiement de rage, accompagné par l'équivalent chez les chimpanzés de nos ondes thêta (144). Dans notre enfance, nous prenons de la même façon la mouche, mais en mûrissant nous apprenons à supprimer les rythmes violents. Le fait qu'il s'agisse là d'un processus conscient et délibéré a été démontré par Walter en des tests de laboratoire où la colère était provoquée artificiellement en exposant les sujets à une lumière clignotant au rythme thêta, entre quatre et sept cycles par seconde (335). Il existe une large variation dans l'aptitude individuelle à se contrôler, et il apparaît que les gens à mauvais caractère ne sont souvent que les moins capables d'apaiser les thêta.

Les descriptions que donnent les manuels du comportement sous les rythmes thêta recourent aux mots « intolérance », « égoïsme », « impatience », « suspicion » et « puérilité ». Ce qui représente une excellente description de la plupart des esprits frappeurs. Il est tentant de mettre les deux en parallèle et de signaler que les activités d'esprits frappeurs sont le plus souvent associées à des gens qui traversent des phases difficiles de leur existence, où ils auraient sans doute un grand bénéfice à être autorisés à faire une crise de colère, mais où ils ont dépassé l'âge où la chose est socialement admissible. Peut-être la frustration s'amoncelle-t-elle au point de ne pouvoir trouver de libération qu'à travers l'inconscient, par une absurde psychokinésie telle que bris de fenêtres et lancement d'objets en tous sens. Il s'agit là de pure hypothèse ; je n'ai aucune preuve à présenter en faveur d'une telle théorie, mais il y a les rapports sur la physiologie de Neyla Mikhaïlova sur quoi s'appuyer. Tandis que l'on observait les effets de PK, elle opérait presque exclusivement sur un puissant rythme thêta provoqué par elle-même. Ses mensurations endocriniennes et de sucre sanguin montrent qu'elle était dans un état de rage contrôlée. Telles pourraient bien être justement les conditions nécessaires à l'apparition de la PK.

Dans les communautés animales, de hauts niveaux d'agressivité apparaissent fréquemment, aboutissant à un combat très stylisé de sorte que les affects puissent trouver à s'exprimer sans que soit trop malmené l'un ou l'autre protagoniste. Il y a des règles, mais en certaines conditions les règles s'effondrent, et l'animal voit son agressivité contrecarrée. Cela se produit quand deux antilopes sont de force tellement égale qu'aucune des deux ne cédera, ou quand deux mouettes se rencontrent au bord de leurs territoires respectifs, où ni l'une ni l'autre n'a droit de passage. Les tendances contradictoires entre combattre et fuir s'opposent directement en chacune d'elles, et c'est l'impasse ; pourtant, le niveau de l'affect est si élevé qu'il lui faut trouver un issue quelque part ; aussi, une « activité de remplacement » a-t-elle lieu. L'antilope peut se mettre à se gratter la patte de derrière comme si elle la démangeait soudain de manière intolérable, et la mouette à tirer sur des brins d'herbe comme si elle éprouvait un irrésistible besoin de construire un nid sur-le-champ. De la sorte, l'accumulation d'agressivité s'exprime dans une action d'un genre absolument différent. Peut-être est-ce là ce qui se produit dans la psychokinésie. Peut-être le niveau de la colère due aux rythmes thêta est-il tellement élevé, tellement frustré qu'il se trouve détourné dans un autre canal, et au lieu que le sujet renverse une chaise d'un coup de pied, ce qui serait considéré comme puéril et répréhensible, son esprit inconscient le fait faire à sa place par le champ de force.

Dans tout cela, il reste beaucoup de « peut-être » et d' « il se peut ». Nous ne connaissons pas encore les réponses, mais un dessin général semble en train d'apparaître. Dans l'évolution biologique, il est malaisé de trouver un emplacement logique à la psychokinésie au-dessous du niveau humain. Chez toutes les autres espèces, l'agressivité s'exprime aisément. Ce n'est que chez l'homme qu'il existe un conflit entre l'agressivité et la pression sociale ; ce n'est que chez l'homme que le cerveau s'est développé assez avant pour produire un esprit qui établit ses propres critères de comportement et supprime consciemment les mouvements instinctifs qui n'obéissent pas à ces critères. On doit enseigner aux enfants à se comporter ainsi, mais, à une époque de la vie où les pressions exercées sur eux sont les plus grandes, il se peut qu'ils trouvent un exutoire inconscient. Les rares personnes capables de produire à volonté des effets psychokinésiques ont vraisemblablement appris à le faire en amenant cette activité de remplacement sous contrôle conscient. Peut-être, à mesure que nous en apprendrons davantage sur nous-mêmes, un plus grand nombre d'entre nous seront-ils en mesure de le faire aussi bien. Pour le moment, il semble un peu inutile de gaspiller de l'énergie et de perdre un kilo chaque fois que nous avons besoin de séparer le jaune et le blanc d'un œuf. Nous pouvons faire ces choses-là beaucoup plus efficacement avec nos mains ; toutefois, ces tours de société de la PK pourraient bien n'être que jeux d'enfant pour un esprit capable d'exercer un véritable contrôle sur la matière.

CHAPITRE CINQ

Matière et Magie

EN THÉORIE, des jeux comme la roulette et les dés ne dépendent que du hasard, mais si les gens le croyaient, le jeu du hasard ne tarderait pas à mourir de sa belle mort. Ceux qui prennent part aux courses de chevaux, au football et au poker exercent manifestement beaucoup d'adresse, et ceux qui parient sur l'adresse de leurs favoris doivent aussi manifester une certaine habileté dans leur détermination. Pourtant, beaucoup de « jeux de hasard » les plus populaires survivent uniquement parce que le joueur se croit de manière ou d'autre capable d'en commander le résultat ; il croit qu'en manipulant les objets en cause, soit de façon directe, soit à distance, il peut exercer une influence qui se révélera pour lui bénéfique. Il appelle cette influence chance, bien qu'elle ressemble fort à de la psychokinésie.

Richard Taylor a demandé récemment à des sujets de son laboratoire de deviner la succession de couleurs d'un jeu de cartes mélangées. Après le premier tour, ceux dont la performance était élevée furent séparés des autres, et dans les tests suivants les « chanceux » continuèrent de faire beaucoup mieux que le groupe des « malchanceux ». Taylor en conclut avec circonspection que « ces données fournissent un certain soutien empirique à la notion populaire de chance » (315). De similaires indices ont amené le directeur de la Fondation néerlandaise de psychologie industrielle à déclarer : « Il y a de nettes indications que certaines personnes ont un certain flair en vue d'attirer la chance (326). » Ce sont là des commentaires valables, mais qui tous deux passent purement et simplement à côté de la question, laquelle se clarifie aussitôt que l'on pousse le test de Taylor jusqu'au stade suivant. Si, à la suite du premier tour on choisit au hasard un groupe de sujets sans tenir compte de leur performance et en leur disant qu'ils ont obtenu des résultats exceptionnellement bons et qu'ils ont beaucoup de chance, ce groupe continue à réussir significativement mieux que les autres. La chance est un état d'esprit, semble-t-il.

Tous les casinos savent que certains individus ne cessent de gagner lentement et sûrement ; dernièrement la rédaction d'un magazine de jeu a publié un livre donnant des instructions détaillées sur la façon de se joindre à ces rares heureux. Ces auteurs ont étudié les méthodes d'enquêtes de laboratoire sur la psychokinésie et les ont adaptées à l'environnement du casino. Incluse dans leurs conseils est l'importance de cultiver l'attitude appropriée en vue de gagner, qu'ils décrivent comme « confiante, détendue et presque enjouée » (283). Bien que nous soyons encore éloignés du moment où les maisons de jeu seront carrément privées de leurs moyens d'existence par une invasion de parapsychologues, certains signes montrent que quelques personnes commencent à apprendre comment faire pencher la chance en leur faveur !

Pour que la psychokinésie puisse être d'une utilité véritable au jeu de hasard, elle devrait être assez puissante pour déplacer des dés et des boules. Ce serait déjà là un talent très développé, et il est plus utile de commencer un survol de la PK en activité par des exemples situés au niveau moléculaire. Les objets les plus facilement influencés sont les objets déjà en mouvement ou dans un état de déséquilibre ; au sein de notre technologie, peu de systèmes instables sont plus communs que le nitrate d'argent dans l'émulsion de la pellicule photographique non exposée.

Dans la dernière partie du dix-neuvième siècle, durant une folie d'occultisme qui possédait ses milliers de tables tournantes et d'appareils à écriture automatique, un autre passe-temps populaire était la photographie spirite, où l'on essayait d'obtenir l'apparition sur des plaques photographiques de tableaux ou « images psychiques ». Beaucoup prétendaient y réussir, mais aucun des résultats ne résistait véritablement à l'examen approfondi, et l'intérêt déclina. Au Japon, entre 1910 et 1913, Tomokitchi Foukouraï fit ce qui semble être la première enquête scientifique sur des images produites par l'esprit. Foukouraï parvint à obtenir le transfert direct d'images mentales sur des plaques photographiques sèches, enroulées, sous conditions apparemment bien contrôlées ; on accorda néanmoins peu d'attention à ses résultats jusqu'à l'avènement de l'incroyable Ted Serios.

« PENSÉOGRAPHIE »

Serios naquit en 1918 à Kansas City, dans le Missouri ; il était fils d'un cafetier grec. En 1963, il était chômeur, souvent ivre, ex-portier d'hôtel à Chicago, quand il rencontra Jule Eisenbud, professeur de psychiatrie à l'école de médecine de Denver, sur qui il fit beaucoup d'impression. Eisenbud soumit Serios à trois années d'investigation intensive, et prouva sans aucun doute qu'il est capable de produire des images reconnaissables d'objets éloignés simplement en regardant fixement dans des appareils photographiques. Devant des quantités de témoins dignes de foi, dans toute une variété de situations contrôlées avec soin, Serios a créé des centaines d'images d'édifices, de gens, de paysages, de fusées, d'autobus et de voitures de course. On l'a mis nu comme un ver, soumis à des examens médicaux, radiographié, cousu dans une camisole de force qui ne lui permettait de remuer que la tête, et mis à l'épreuve au moyen d'appareils et de pellicules fournis par des observateurs indépendants et critiques. En dépit de toutes les précautions, et sans rien toucher de l'appareillage en cause, il n'en réussit pas moins à produire ses « penséographies » (96). On trouvera la description détaillée des expériences, les déclarations des témoins et les images elles-mêmes dans le livre d'Eisenbud, mais il n'est pas inutile d'examiner quelques-uns des résultats par rapport à ce que nous savons maintenant de la psychokinésie.

Les champs magnétiques semblent n'avoir aucun effet sur Serios. Il a produit ses images à l'intérieur d'un champ de douze cents gauss, à l'intérieur d'une cage de Faraday qui réduisait le' champ naturel au tiers de sa force normale. On l'a mis à l'épreuve également entre les parois d'acier, épaisses de douze centimètres, d'une chambre de mesure des radiations, avec un récepteur de cristal hypersensible destiné à détecter les radiations électromagnétiques. Celui-ci ne décela rien d'insolite alors que Serios produisait ses images à moins de cinquante centimètres. Serios a été capable d'obtenir des images alors que l'appareil photographique était braqué sur lui à travers près de deux centimètres de verre imprégné de plomb, à la fenêtre d'une chambre d'hôpital destinée à exclure les rayons X. Infrarouges et ultraviolets furent aussi exclus quand Serios opéra au travers d'écrans de bois et de plastique. Toutes conditions excluent formellement la possibilité qu'aucune des espèces ordinaires de radiations électromagnétiques, des ondes longues de radio aux ondes courtes gamma, soit responsable des images. Il serait passionnant que Serios pût être examiné en Russie par le détecteur Sergeyev, pour voir s'il manifeste les mêmes réactions que Nelya Mikhaïlova, mais les chances de coopération à ce niveau semblent éloignées.

Nous avons quelques connaissances sur la physiologie des images mentales. En travaillant, Serios entrait généralement dans un état d' « intense concentration, les yeux ouverts, les lèvres serrées, et une tension très visible de son système musculaire. Ses membres avaient tendance à trembler quelque peu comme d'une paralysie légère et le pied de sa jambe croisée se mettait parfois à sauter de haut en bas de manière un peu convulsive. Son visage rougissait par taches, les veines lui saillaient sur le front ; il avait les yeux visiblement injectés de sang ». Durant tous les tests, il buvait beaucoup, et ses battements de cœur s'accéléraient souvent très fort. Il est clair, d'après cette description, que Serios se met dans le même genre de rage que Mikhaïlova ; mais dans son cas, la rage éclatait souvent en injures et en attaques envers les appareils photographiques qui refusaient de collaborer avec lui. Il semble fondé de croire que tous deux opéraient suivant le même principe. Les démonstrations russes nous disent peu de chose sur les facteurs mentaux en cause ; au contraire, dans les portraits de Ted Serios nous avons une vivante analyse de son état d'esprit.

Eisenbud nous apprend que Serios, quelquefois, semble exercer un contrôle sur le sujet de ses images, mais que la plupart du temps « Ted avait l'air d'agir en tant qu'observateur passif d'objets flottants non identifiés pour lesquels son esprit n'était qu'un écran réfléchissant ». Parfois, il y avait conflit entre des images qu'il se proposait consciemment pour but et d'autres qui faisaient intrusion malgré ses violents efforts pour les tenir à distance ; alors Ted agissait « comme un arbitre un peu exaspéré dans un combat de boxe entre deux blancs-becs qui n'arrivent pas à respecter les règles ». Il semble clair que les images sont des expressions de son esprit inconscient, et leurs sujets un reflet de la personnalité. Prié de produire une image de l'arc de triomphe, Serios en fournissait une d'une automobile Triumph, qui l'intéressait bien davantage. Voitures et édifices constituent des thèmes récurrents de ses images. Il a produit des photographies reconnaissables de l'abbaye de Westminster, de la Frauenkirch de Munich et de l'hôtel Hilton de Denver. Elles présentent un grand luxe de détails ; mais ce qu'elles ont de vraiment intéressant, c'est qu'elles comprennent aussi des détails qui n'ont jamais existé, et des ombres qui ne pourraient exister, prises de points de vue qui ne seraient possibles que pour un appareil photographique situé dans un ballon. La source de l'image semble être quelque chose que Serios a vu dans la vie réelle ou bien en photographie, mais qui a été emmagasiné dans son inconscient, modifié par la mémoire et l'imagination.

La psychanalyse de Serios indique sur bien des points son immaturité et une fois de plus nous constatons un lien entre psychokinésie et comportement infantile. Une enquête récente sur l'imagination enfantine a révélé qu'un nombre étonnamment élevé d'enfants ont ce que l'on connaît sous le nom d'imagerie éidétique : faculté de fermer les yeux après un rapide coup d'œil à une image, tout en retenant une image visuelle précise de ce que l'on a vu (130). Que l'image ainsi retenue soit réelle et détaillée a été nettement démontré de la façon la plus impressionnante. Un dessin figurant un visage d'homme a été décomposé en un grand nombre de traits dépourvus de signification, puis divisé en deux motifs distincts, lesquels, en eux-mêmes, n'avaient aucun sens. On montra brièvement aux enfants l'un des motifs, puis on leur permit de regarder plus longtemps l'autre. Ceux qui possédaient la faculté éidétique furent capables d'évoquer une image du premier motif, de le superposer mentalement au deuxième, et de voir le visage original. Chez la plupart des enfants testés, les images duraient environ dix minutes, mais d'autres les conservaient plusieurs semaines. A mesure que les images s'estompaient, elles se transformaient à la façon de dessins animés cinématographiques, au point de ne plus comporter qu'une relation ténue avec l'original. C'est exactement ce qu'il advient aux images produites par Ted Serios. A mesure que les enfants grandissent et que leur esprit se trouve occupé par tout le bric-à-brac de l'éducation, ils semblent perdre la faculté éidétique ; toutefois, chez quelques adultes comme Serios, qui n'ont reçu que peu d'instruction et dont la vision de la vie est simple, la faculté se trouve conservée.

Voilà qui témoigne d'un mécanisme de l'esprit capable de la précision du souvenir visuel nécessaire pour produire des images exactes ; mais cela ne résout pas le problème de la transmission des images à la pellicule. Bien que nous sachions que « devenir pareils à des petits enfants » facilite le phénomène, nous ne sommes pas plus près de comprendre le « comment » physique en cause. D'ailleurs, étant donné que c'est l'émulsion sur la pellicule qui se trouve affectée, il s'agit davantage d'un problème chimique. Peut-être la réponse se trouve-t-elle dans d'autres études sur l'influence de la PK sur des réactions chimiques.

Bernard Grad, de l'université McGill, a réalisé des travaux d'avant-garde en ce domaine. Il avait pour sujet un guérisseur par la foi qui se prétendait capable de guérir la maladie grâce à la méthode biblique de l' « imposition des mains ». Dans un test préliminaire comprenant trois cents souris présentant des lésions identiques, celles que le guérisseur tenait pendant quinze minutes par jour guérirent effectivement plus vite que celles que tenaient d'autres personnes (127). Grad essaya de soumettre cette faculté à une analyse plus critique en en réduisant les effets dans une expérience ingénieuse effectuée sur des grains d'orge. Les grains furent traités au sel et cuits au four assez longtemps pour les endommager sans toutefois les tuer. Puis on les planta dans vingt-quatre pots à fleurs à raison de vingt le pot, quotidiennement arrosés. L'eau à utiliser était prise directement à un robinet dans deux bouteilles de verre cachetées, et chaque jour le guérisseur tenait l'une d'elles entre ses mains, pendant trente minutes. L'expérience était organisée de façon que nul ne sût quelles plantes recevaient l'eau traitée ; or au bout de quinze jours on constata que celles qui recevaient les bienfaits de la main du guérisseur à travers leur approvisionnement d'eau n'étaient pas seulement plus nombreuses, mais aussi plus hautes et donnant une récolte supérieure (124).

Grad analysa l'eau traitée sans y trouver de transformation majeure ; toutefois, une analyse ultérieure montra qu'il y avait une légère diffusion entre les atomes d'hydrogène et d'oxygène (125). La modification survenue dans ce que nous savons être une molécule instable était apparemment déclenchée par l'action d'un champ humain particulier. Suivant cet indice, Grad essaya d'évaluer la part de personnalité impliquée dans cette réaction de guérison. Dans un second test sur des grains d'orge, il fit traiter l'eau par trois personnes différentes. L'une était un homme normal sur le plan psychiatrique, la seconde, une femme souffrant de violente névrose dépressive, et la troisième, un homme affligé de dépression psychotique hallucinatoire. L'eau traitée par l'homme normal produisit des graines qui ne manifestèrent aucune différence par rapport aux graines témoins ; mais la croissance de toutes les jeunes plantes qui recevaient de l'eau manipulée par les patients déprimés fut fortement retardée (126). La découverte d'une réaction négative aussi bien que positive est importante. On peut concevoir, même dans une expérience organisée avec autant de soin que celle-là, qu'un facteur quelconque ait pu être négligé et que le résultat positif n'avait rien à voir avec le guérisseur. Néanmoins, quand un sujet négatif — une personne malade — déclenche une réaction également négative, la prémisse d'origine est grandement renforcée, ce qui joue en faveur du guérisseur.

Dans cet exemple, l'homme qui exerçait une influence ne vit jamais les plantes en aucune occasion ; il « chargeait » l'eau, qui faisait le reste à sa place. Dans une expérience effectuée en France, on tenta d'affecter directement un organisme vivant (17). A l'Institut d'agronomie de Bordeaux, deux espèces de champignons parasitaires — *Stereum purpureum* et *Rhizoclonia solani* — furent semées dans un bouillon de culture contenu dans des récipients de verre et pendant quinze minutes par jour les expérimentateurs s'asseyaient devant les récipients pour les fixer du regard et tenter d'inhiber par concentration la croissance. On prit un soin particulier pour s'assurer que les champignons étaient génétiquement purs, la composition du milieu nutritif identique et tous les récipients maintenus en des conditions identiques de température et d'humidité. Dans trente-trois sur trente-neuf tests, les champignons furent inhibés, par comparaison avec des récipients témoins, dans une mesure qui donnait des chances de millions et de millions contre un par rapport au hasard. On ne saurait guère douter que, dans le cas de ces deux champignons du moins, l'homme ne soit capable d'influencer la croissance uniquement en se tenant à proximité durant un court laps de temps chaque jour.

Les jardiniers ont toujours prétendu que le moment précis de la plantation avait de l'importance et nos connaissances nouvelles des rythmes lunaires ont commencé de justifier leurs anciennes superstitions sur la plantation de graines uniquement à la pleine Lune. Il semble aujourd'hui qu'il pourrait y avoir quelque chose de vrai derrière la notion proverbiale de « main verte ». Il existe à coup sûr certaines gens qui possèdent une faculté presque magique de faire pousser, tandis que d'autres, utilisant exactement les mêmes méthodes et passant dans leur jardin tout autant de temps, se retrouvent avec uniquement des feuilles flétries et des pucerons. Il est bien possible que les bons jardiniers émettent un champ exerçant un effet bénéfique sur la croissance végétale. Et il n'y a rien d'impossible à ce qu'une variante de ce champ puisse être aussi bénéfique aux êtres humains. Il y a des gens qui jusqu'au sein d'une foule semblent rayonner puissamment de bienveillance, ou non moins puissamment de malveillance. Nous ne nous sommes pas beaucoup rapprochés de la compréhension de cet effet, mais les expériences de Grad et celles sur les champignons rendent impossible de nier qu'il existe.

L'inhibition du champignon comme le développement des grains d'orge pourraient avoir été causés par une modification moléculaire dans la structure de l'eau ; pourtant, il existe une expérience où le changement provoqué touche au comportement et doit être dû à des effets chimiques plus complexes. Nigel Richmond a tenté d'exercer sa force de volonté sur le *Paramecium caudatum,* ce petit protozoaire nageant librement qui s'avance en ramant à travers l'eau des mares stagnantes, comme une infime goutte de gelée transparente, équipée de mille cils qui battent. Il s'agit là probablement des plus affairés de tous les animaux unicellulaires, glissant avec intention çà et là, à des vitesses de près de deux millimètres par seconde. Richmond les a observés à travers un oculaire de microscope divisé par des cheveux croisés en quatre segments égaux. Il détecta une paramécie qui semblait sur le point de se déplacer, la fixa au centre de son viseur et tenta de la faire aller dans l'un des quatre segments, choisi au hasard. Dans trois mille tentatives de ce genre, il réussit avec une performance de dix millions contre un par rapport au hasard (227). Normalement, la paramécie trouve son chemin grâce à un système d'essais et d'erreurs consistant à nager jusqu'à ce qu'elle se heurte à un obstacle ou pénètre dans une zone trop chaude ou trop froide, trop acide ou trop alcaline ; alors, elle recule un peu et fait un nouvel essai. Cette réaction d'évitement se poursuit jusqu'à ce que la paramécie soit sortie de la région défavorable. Ainsi l'animal, qui ne connaît que ce qui lui déplaît, est-il normalement guidé par le hasard de ses rencontres et donc une surface idéale où la PK peut s'exercer par d'infimes ruptures d'équilibre. Or il semble bien que l'homme puisse le réaliser grâce à son esprit.

Tous ces effets de PK sont démontrés par des expérimentateurs qui ont choisi de travailler dans un domaine situé à la frange de la parapsychologie. Il est presque impossible d'obtenir un financement pour ce genre de recherche ; les expériences sont longues et souvent très fastidieuses, les résultats maigres et difficiles à publier ; quant au mépris, il abonde. Aussi est-il raisonnable de penser que quiconque travaille en ce domaine est dès le départ une personne « pas comme tout le monde », ce qui ne permet pas de prendre Richmond, par exemple, comme preuve que n'importe qui peut produire des résultats de PK. Toutefois, même lui n'avait pas de formation particulière quand il s'est intéressé au sujet. Il est donc vraisemblable qu'avec un mode d'approche adéquat la plupart des gens pourraient exercer les mêmes pouvoirs. S'il est vrai que chacun possède une aptitude latente à la PK, alors une question nouvelle se pose : pourquoi ? Qu'en tirons-nous ? Le jeu de hasard a beau être amusant, il ne constitue pas une nécessité biologique. Pousser de droite et de gauche une paramécie peut bien être agréable pour l'amour-propre ; pourtant, cela n'a pas de véritable valeur de survie. Aussi, pourquoi l'évolution nous aurait-elle donné ce talent ? La réponse pourrait bien être qu'il existe un choc en retour et que le champ de force qui porte à l'environnement notre influence en rapporte aussi de l'information.

L'Hydre avait neuf têtes et chaque fois qu'Hercule en coupait une, il en repoussait deux à la place. Dans les cours d'eau peu profonds, non pollués, il existe un petit polype nu qui possède la même faculté et le même nom. L'*Hydra pirardi* n'a guère plus d'un centimètre de long, et un corps mince comme un cheveu terminé par cinq tentacules effilés. Elle a une préférence marquée pour la lumièfe et la trouve selon le même mode négatif que la paramécie. Lorsqu'une ombre, fût-elle projetée par son propre corps, atteint l'un des tentacules, l'hydre retire brusquement le membre et se meut dans l'autre direction. Son corps entier est hypersensible à la lumière, et cependant il ne possède ni yeux, ni points oculaires, ni cellules d'aucune sorte qui y soient sensibles. La lumière, à la place, provoque au sein de son liquide corporel une réaction chimique : la viscosité du protoplasme se modifie, les graisses se saponifient et les enzymes sont rendus inactifs. Quand disparaît la lumière, tous ces processus s'inversent ; l'animal s'éloigne et rentre dans la lumière (38). Cette sensibilité ne se limite probablement pas aux polypes d'eau douce.

VISION EXTRA-RÉTINIENNE

Quand les premiers hommes blancs arrivèrent à Samoa, ils y trouvèrent des aveugles capables de voir assez bien pour décrire en détail des objets uniquement en tenant les mains au-dessus d'eux. En France, juste après la Première Guerre, Jules Romains examina des centaines d'aveugles et en trouva quelques-uns capables de faire la distinction entre la lumière et l'obscurité. Il réduisit leur photosensibilité à des régions de la surface nasale ou du bout des doigts. En Italie, le neurologue Cesare Lombroso découvrit une jeune aveugle capable de « voir » avec l'extrémité de son nez et le lobe de son oreille gauche. Quand on braquait sur son oreille gauche, à l'improviste, une lumière brillante, elle faisait la grimace. En 1956, en Ecosse, on enseigna à un écolier aveugle à discriminer entre des lumières colorées et il apprit à distinguer des objets brillants à plusieurs dizaines de centimètres de distance. En 1960, une commission médicale examina une fillette de Virginie et constata que même avec un bandeau épais sur les yeux, elle était capable de distinguer différentes couleurs et de lire de courts passages en gros caractères (95). Le phénomène, manifestement, n'est pas nouveau, mais il a atteint de nouveaux sommets de sensibilité chez une jeune femme d'un village montagnard de l'Oural.

Rosa Koulechova peut voir avec ses doigts. Elle n'est pas aveugle, mais, grandie au sein d'une famille d'aveugles, elle apprit pour les aider à lire le braille, puis s'enseigna toute seule à faire d'autres choses avec ses mains. En 1962, son médecin l'emmena à Moscou, où elle fut examinée par l'Académie des sciences soviétiques et en ressortit célèbre, avec un certificat d'authenticité (161). Le neurologue Schaefer l'a soumise à des examens exhaustifs et découvrit que, les yeux dûment bandés, les bras seuls passés à travers un écran, elle pouvait distinguer entre trois couleurs principales. Pour vérifier si les cartes ne reflétaient pas la chaleur de façon différente, Schaefer en chauffa certaines et en refroidit d'autres, sans modifier les réactions de la jeune femme. Il constata aussi qu'elle pouvait déchiffrer sous verre des caractères de journaux et des partitions musicales ; aussi la texture du papier ne lui fournissait-elle aucun indice. Examinée par le psychologue Novomeisky, elle fut en mesure d'identifier la couleur et la forme de surfaces lumineuses projetées sur sa paume ou figurées sur un écran d'oscilloscope. Dans des tests rigoureusement contrôlés, avec un bandeau, un écran et autour du cou un morceau de carton si large qu'elle ne pouvait pas voir tout autour, Rosa déchiffra les petits caractères d'un journal avec son coude. Et, dans la démonstration la plus convaincante de toutes, elle renouvela ces exploits avec quelqu'un debout derrière elle, appuyant fortement sur ses globes oculaires (281). Nul ne saurait tricher sous pareille pression ; il est même difficile d'y voir nettement durant plusieurs minutes après qu'on l'a relâchée.

Rosa fut véritablement le point de départ de quelque chose en Russie. A la suite de ses succès, on fit des examens multiples, et l'on s'aperçut qu'environ une personne sur trois pouvait apprendre à reconnaître la différence entre deux couleurs au bout d'un simple entraînement d'une heure. Novomeisky eut bientôt quatre-vingts étudiants à ses cours de vision extra-rétinienne. Tous sont d'accord sur le fait que les couleurs ont des textures propres plus ou moins lisses au toucher. Le jaune est très glissant, le rouge est poisseux, et le violet a sur les doigts un effet de freinage (231). Quand les papiers colorés se trouvaient placés dans des plateaux isolants, les étudiants pouvaient ressentir ces effets dans l'air au-dessus des cartes. Privés de leurs bandeaux, ces étudiants avaient tous une excellente vue, mais à l'Institut de Sverdlovsk on enseigne actuellement les mêmes talents aux aveugles. Beaucoup d'entre eux déclarent, au cours de ces leçons, qu'ils avaient toujours eu conscience de la différence tactile entre les couleurs, mais que personne ne leur avait jamais dit ce qu'elle signifiait. Quelques-uns des plus avancés parmi les enfants aveugles de l'Institut distinguent les couleurs à travers une plaque de cuivre : ils « voient » des choses invisibles même à leurs enseignants.

Si la lumière affecte assez la chimie de l'hydre pour la mouvoir jusque dans un environnement favorable, il ne paraît pas déraisonnable de supposer que les liquides corporels de l'homme pourraient avoir une sensibilité similaire. Le fait que les enfants aveugles « voient » avec leurs oreilles, leur langue et le bout de leurs orteils suggère qu'il n'y a pas à l'œuvre des cellules sensorielles spéciales, mais que la faculté se trouve disséminée à travers tout le corps et est commune à toutes les cellules. Si la chose est vraie, il se peut que des fréquences et des types différents de lumière affectent la chimie de façons différentes et que l'on puisse apprendre à apprécier cette différence et à distinguer entre les sources de lumière. Cela explique pourquoi les Russes ont découvert que la faculté atteint son apogée dans la lumière vive, et diminue, exactement comme la vision normale, à mesure que tombe l'obscurité. Mais cela n'explique pas pourquoi des plateaux isolants aident à diffuser l'effet à distance, ni pourquoi la chose échoue quand les objets, ou les mains de la personne, sont électriquement reliés au sol. Voilà peut-être où la psychokinésie entre en scène.

Là encore, la faculté se manifeste le plus fortement chez les enfants et atteint son apogée à l'âge de onze ans. On peut penser que le champ humain joue un rôle capital dans ce genre de sensation, en émettant d'une façon très voisine du système de sonar de la chauve-souris et recueillant des échos ensuite transformés en schémas significatifs. Quand l'un de nos principaux sens vient à manquer, cette branche de la Surnature prend la relève afin de remplacer la faculté manquante ; pourtant, même chez ceux qui jouissent d'une vision normale, elle pourrait « tâter » la zone de notre immédiat voisinage à la façon des moustaches d'un chat, nous donnant des renseignements qui pourraient bien être capitaux pour notre survie.

Si nous manifestons réellement une réaction physiologique à la lumière, et si celle-ci varie avec la fréquence de la lumière en cause, cela expliquerait alors certaines des valeurs mystiques attachées aux couleurs. La couleur apparente d'un objet dépend directement de la longueur d'onde de la lumière qu'il reflète ; il n'y a rien d'impossible à ce que cette différence physique puisse nous affecter d'autres manières. Les fabricants ont découvert par essai et erreur que le sucre se vend mal en emballage vert, que les aliments bleus sont considérés comme mauvais au goût et que les cosmétiques ne devraient jamais être empaquetés dans du marron. Ces découvertes, sous la poussée des intérêts commerciaux, ont donné naissance à une discipline complète de psychologie des couleurs, qui trouve aujourd'hui son application dans tout, de la mode à la décoration des intérieurs. Certaines de nos préférences sont nettement psychologiques. Le bleu sombre est la couleur du ciel nocturne, et donc associé avec la passivité et le repos, tandis que le jaune est une couleur diurne, avec associations d'énergie et d'initiative. Aux yeux de l'homme primitif, l'activité durant le jour signifiait la chasse et l'attaque, qu'il ne tarda pas à considérer comme rouges, la couleur du sang, de la rage et de la chaleur accompagnant l'effort. Il était donc naturel que le vert, la couleur complémentaire du rouge, fût associé à la défense passive et à la préservation de soi-même. Des expériences ont démontré que les couleurs, en partie à cause de leurs associations psychologiques, exercent également un effet physiologique direct. Les personnes exposées au rouge vif manifestent un accroissement du taux respiratoire, des battements de cœur et de la pression sanguine ; le rouge est un excitant. L'explosion similaire au bleu pur provoque exactement l'effet contraire ; il s'agit d'une couleur calmante. En raison de ces connotations excitantes, le rouge a été choisi pour signal du danger ; toutefois, l'analyse plus approfondie montre qu'un jaune vif peut produire un état plus fondamental d'alerte et d'alarme ; c'est pourquoi les voitures de pompiers et les ambulances, dans certaines communautés avancées, s'élancent aujourd'hui sous des teintes bilieuses qui pétrifient littéralement la circulation.

Une combinaison des réactions esthétiques, apprises, à la couleur, et des réactions plus primitives, instinctives, ont permis d'établir un test de personnalité très sensible. Le « test couleur Lüscher » a été mis au point à Bâle ; il comprend un choix de préférences personnelles à partir d'un jeu de vingt-cinq teintes différentes (301). Le bleu sombre est dit représenter la « profondeur de sentiment », le jaune clair la « spontanéité », le rouge orangé la « force de volonté », et ainsi de suite. En surface, cela semble un peu facile et d'une ressemblance suspecte avec la psychologie populaire des horoscopes de journaux ; néanmoins, le test tient surtout compte de l'ordre de préférence et de la signification détaillée de combinaisons de couleurs. Il rencontre un accueil large et enthousiaste en médecine, en psychiatrie, chez les conseillers conjugaux et les recruteurs de personnel.

Le choix des couleurs effectué par telle personne, dans ce test ou pour le papier mural de sa chambre à coucher, est apparemment guidé par l'effet que la couleur a sur ladite personne et peut servir d'indication quant à son état d'esprit. Un observateur exercé regarde en même temps la couleur et la personne, et, en vertu de ses connaissances particulières, peut décrire les rapports entre elles. Pourtant, nous avons tous des réactions du genre « Dieu, que cette couleur vous va bien ! » Cela pourrait provenir du fait que notre propre réaction psychologique à cette couleur s'harmonise avec notre évaluation subjective du caractère de la personne ; mais le fait qu'il existe en général un accord largement répandu quant à la combinaison donne à supposer qu'il y a en cause quelque chose de plus fondamental. Je suggère que le principe de résonance est à l'œuvre, et que la longueur d'onde de la couleur et la fréquence du champ de la personne sont en sympathie quand nous trouvons harmonieux leur effet combiné. Voilà une idée furieusement mystique, en plein accord avec toutes les vieilles superstitions concernant la couleur ; cela ne m'en donne pas moins une impression de justesse quand je considère le problème de la couleur et du camouflage.

Les œufs de vanneau sont marbrés comme le sol où ils reposent ; les ailes d'un certain papillon de nuit ont un dessin brisé comme l'écorce couverte de lichen de ses arbres favoris ; le corps de la vipère mocassin est une bigarrure de teintes exactement pareille à la litière de feuilles où elle vit. Tous ces merveilleux effets servent le dessein de dissimulation et se sont créés par des millions d'années de sélection naturelle ; néanmoins, ils n'ont pas été produits par les animaux eux-mêmes. Couleurs et motifs ne peuvent être vus par l'animal qui les porte ; leur effet n'est visible qu'à distance ; aussi faut-il qu'un agent extérieur sous forme de prédateur s'approche comme un critique d'art et choisisse les types les moins réussis de camouflage, laissant les meilleurs en vie afin d'en produire d'autres de leur espèce.

Ce procédé fonctionne bien sur de longues périodes de temps, où les adaptations se produisent sur des milliers de générations ; toutefois, certaines espèces réalisent des modifications instantanées de leur type de camouflage. Le caméléon adopte très vite le motif et la couleur les mieux adaptés à n'importe quel arrière-plan sur lequel il se trouve. Une partie de cette faculté dépend de ce qu'il est en mesure de voir autour de lui, mais un caméléon totalement aveugle continue d'adopter le camouflage approprié à ce qui l'entoure. Il produit un motif qui, à distance, s'harmonise avec l'environnement. Cela a posé de longue date un problème à la biologie et je ne vois aucun moyen de le résoudre aujourd'hui, à moins de postuler qu'il existe une interaction réciproque entre l'animal et son habitat. Il suffit d'observer un caméléon en activité pour s'apercevoir qu'il ne s'agit pas seulement d'une question d'assortiment par essai et erreur, ni de produire une bande noire sur la queue parce qu'il existe une bande noire correspondant à l'endroit même à l'arrière-plan. Ce que fait le reptile, c'est d'adopter un motif qui se marie avec la bande noire ; il peut même ne pas être de la même couleur, mais il est toujours tel qu'il va si bien avec l'arrière-plan qu'il s'y trouve naturellement à sa place. Le caméléon aveugle « va » avec son entourage ; il y parvient en un clin d'œil et, à distance, l'effet est la perfection même. Il me paraît que l'on ne saurait expliquer cette harmonie qu'en posant en principe l'existence de quelque chose comme le champ vital, qui capte la fréquence de l'environnement et la traduit en une fréquence propre, adéquate et résonnante.

S'il existe une telle faculté, elle pourrait expliquer un phénomène qui est une cause de dissension jusque chez les occultistes. Certains prétendent que par le simple fait de tenir un objet, ils peuvent être renseignés sur ses précédents propriétaires. Les marchands d'antiquités, dont les moyens d'existence dépendent de leur estimation correcte des objets, se contentent souvent de tenir entre leurs mains un chat de bronze égyptien ou un morceau de jade mexicain, en déclarant que « ça sent le vrai ». Ils réagissent peut-être à un certain nombre d'indices associés à l'objet, mais ils peuvent rarement désigner l'un d'eux avec précision comme preuve d'authenticité et ils préfèrent se fier à un sens du « vrai » acquis par la fréquentation d'autres objets dotés d'origines dûment établies.

Cette sensibilité subliminale n'est pas rare, et, bien que cela soit presque impossible à prouver, il semble raisonnable de croire que les gens laissent une sorte de marque sur les choses qui les entourent. On a dénommé psychométrie la prétendue faculté de déchiffrer ces traces.

PSYCHOMÉTRIE

Un limier peut détecter dans une pièce les traces d'une personne déterminée longtemps après son départ, peut-être même après qu'elle est morte ailleurs. Le psychométriste prétend faire la même chose, mais non grâce à l'odorat. Si un guérisseur transforme la structure de l'eau par le simple fait de la tenir en main durant une demi-heure, quel effet aura-t-il sur un bracelet-montre qu'il porte pendant la moitié d'une existence ? Si un grain d'orge peut distinguer la différence entre de l'eau ordinaire et de l'eau manipulée, est-il déraisonnable de prétendre qu'un homme puisse distinguer un objet flambant neuf, non touché par la main humaine, d'un autre, durant vingt ans manié avec amour ? Je crois qu'il y a des différences et qu'elles sont discernables, mais le prouver représente une autre paire de manches. On a fait occasionnellement des tests, en présentant à la psychométrie des objets dans des récipients cachetés, mais aucune enquête sérieuse sous contrôle n'a encore été effectuée. Je prédis que lorsqu'il y en aura une, elle apportera la preuve de notre faculté de déceler des traces de contact humain avec les choses, mais qu'il y aura une limite à la quantité d'information que nous pourrons obtenir de la sorte. Un renard peut déterminer d'après des traces sur un arbre non seulement qu'il y a un mâle sur le territoire, mais qui il est et ce qu'il a mangé pour son dernier repas. Les traces que nous laissons maintenant sur le terrain sont surtout visuelles : les initiales gravées sur l'arbre comprennent une date et peut-être même une adresse, mais il doit avoir existé une époque où l'homme primitif, doué d'un odorat relativement faible, a fait bon usage d'un talent tel que la psychométrie (194). Il y a aujourd'hui des gens qui se prétendent capables de déterminer le sexe de la personne qui utilisa pour la dernière fois telle hache à main de l'âge de pierre. Jadis, cela pouvait être un renseignement très utile.

Ce qui nous rapproche le plus d'une relative compréhension de la psychométrie est une extraordinaire série d'expériences encore en cours en Tchécoslovaquie. Elles ont commencé avec Robert Pavlita, directeur du service des dessins d'une usine de textiles près de Prague. Il inventa un nouveau procédé de tissage qui fut une telle réussite qu'il put se permettre de se retirer pour consacrer toute son attention à son violon d'Ingres : la métallurgie. Cela dura jusqu'à ce qu'il découvrît qu'un alliage d'une forme particulière avait d'étranges propriétés. Manié fréquemment, il semblait accumuler de l'énergie et attirer jusqu'à des objets non magnétiques. Cela évoque l'énergie électrostatique, qu'on peut produire par friction de l'ambre en quantité suffisante pour ramasser du papier ; toutefois, l'électricité statique n'agit pas sous l'eau — ce que fait le « générateur » de Pavlita.

Il le porta au département de physique de l'unviersité de Hradec Králové. Là, sur les instructions de Pavlita, on le scella dans une boîte en métal à côté d'un petit ventilateur mû par un moteur électrique. Pavlita, qui se tenait à près de deux mètres, ne fit rien d'autre que de regarder fixement son générateur. Au bout d'un moment, l'hélice du ventilateur se mit à ralentir, comme si l'on avait coupé le courant ; puis elle s'arrêta complètement, et commença de tourner dans la direction opposée (233). Durant deux ans le département travailla avec Pavlita pour essayer d'élucider le mystère, mais n'aboutit à rien. Cela n'a rien à voir avec l'électricité statique, les courants d'air, les changements de température ou le magnétisme, mais cela fonctionne, et ils ont maintenant toute une collection de générateurs d'une variété de formes évoquant des sculptures métalliques en miniature de Brancusi. Tous sont la même inexplicable faculté d'emmagasiner de l'énergie émanant d'une personne particulière, énergie pouvant être libérée ensuite afin d'effectuer un travail déterminé, comme de mouvoir un moteur électrique.

A ce moment, le gouvernement s'en mêla, et désigna le physiologiste Zdenek Rejdak pour vérifier l'exactitude des faits. Celui-ci ne put trouver trace de fraude, et continua de travailler avec Pavlita. Ensemble, ils créèrent un générateur en forme de beignet qui tuait des mouches placées à l'intérieur du cercle ; ensuite, ils en construisirent un carré, lequel accélérait la croissance de graines de haricots lorsqu'on le plaçait dans un pot de terre. Enfin, ils en produisirent un petit que l'on pouvait jeter dans de l'eau polluée par des effluents d'usine et qui la laissait en peu de temps claire comme du cristal. Une analyse chimique officielle de l'eau conclut qu'elle ne pouvait avoir été purifiée au moyen d'un agent chimique et ajouta que la structure moléculaire de l'eau était légèrement altérée, ce qui est particulièrement intéressant. Nous nous retrouvons devant le même fait : les réactions agissent en premier lieu sur l'instabilité de la substance déclenchante universelle : l'eau.

Jusqu'ici, la seule théorie avancée à propos des générateurs est que leur secret se trouve dans la forme, laquelle est capitale, et qu'un effet déterminé ne peut être produit que par une seule configuration. Ces travaux sont très difficiles à suivre à distance — pour le moment, aucun détail sur aucun des générateurs n'a été publié ; Pavlita, cependant, a dit avoir emprunté sa description et son inspiration d'origine à un manuscrit ancien ; or nous savons que les bibliothèques de Prague abondent en textes non traduits et inexplorés des alchimistes.

ALCHIMIE

L'alchimie a été florissante jusqu'en 1661, où Robert Boyle publia *le Chimiste sceptique* et démolit la vieille idée aristotélicienne des quatre « éléments » : feu, terre, air, eau. Quatre-vingts ans plus tard, Black introduisit la chimie quantitative, et peu de temps après, Priestley découvrit l'oxygène et Lavoisier analysa l'air et l'eau. Cette révolution chimique balaya le romanesque aventureux de la quête alchimique et introduisit une objectivité nouvelle. L'idée de convertir un élément en un autre fut chassée du laboratoire avec des éclats de rire jusqu'à ce qu'en 1919 Lord Rutherford utilisât des particules alpha provenant d'une source radio-active pour bombarder l'azote et le transformer en oxygène. Aujourd'hui, grâce à des instruments comme le synchroton à forte concentration, la transmutation des métaux est devenue un lieu commun, et les alchimistes commencent à faire meilleure figure.

L'alchimie avait deux branches, une extérieure, concernée par des tentatives pour découvrir la pierre philosophale, l'autre secrète et se préoccupant davantage de l'élaboration d'un système mystique. La profane transmutation des métaux n'était que le symbole de la transformation de l'homme en quelque chose de plus parfait grâce à une exploration des potentialités de la nature. Le psychologue Jung s'en rendit compte et considéra l'alchimie comme le prédécesseur de la psychologie moderne plus que de la chimie moderne. Dans son autobiographie, Jung montre clairement qu'il considère que sa psychologie de l'inconscient a manifestement pris racine dans les traités d'alchimie qu'il avait passé dix ans de sa vie à étudier. On attribuait à la mystérieuse pierre non seulement le pouvoir de transformer les métaux vils en or, mais aussi le pouvoir de prolonger indéfiniment la vie humaine. Colin Wilson décrit cet aspect de la recherche comme « la tentative par l'homme d'apprendre à établir le contact, à volonté, avec la source d'énergie, de signification et d'intention, située aux profondeurs de l'esprit, afin de surmonter les dualités et les ambiguïtés de la conscience ordinaire » (342).

Les origines de l'alchimie remontent aux communautés agricoles primitives, époque où la technologie n'avait pas encore été séparée des autres aspects de la vie quotidienne, et où les artisans qui fabriquaient les outils agricoles en métal et les teintures destinées au tissage accomplissaient leur métier sur un accompagnement de rites religieux et magiques. Les Egyptiens, les Grecs et les Arabes y contribuèrent de tous leurs talents et de leurs philosophies, ce qui conduisit à quelques grandes découvertes. Le musée de Bagdad possède des pierres trouvées dans une région éloignée de l'Iraq et classifiées comme « objets rituels », mais dont on a maintenant démontré que c'étaient les noyaux de piles électriques inventées deux mille ans avant Galvani (240). Certains morceaux de bronze, dragués des rivages de Grèce à Antikythera et datant du sixième siècle av. J.-C., se révèlent être des éléments d'un ordinateur primitif destiné au calcul des positions astronomiques (333). Tant des réalisations nouvelles dont nous sommes le plus fiers semblent avoir été devancées par les alchimistes et leurs contemporains que l'on se demande quels autres talents perdus il nous reste à redécouvrir encore.

Dans la cité maya de Chichén Itzá, au Yucatán, il y a des dizaines de mètres de bas-reliefs, dont beaucoup sont sculptés presque en ronde-bosse par un peuple sans outils de métal. Dans les murailles de la ville inca de Cuzco, au Pérou, il y a de vastes blocs de pierre de forme irrégulière qui ont été si parfaitement découpés qu'ils s'emboîtent les uns dans les autres sans laisser la place d'introduire entre eux une lame de couteau (290). Les ingénieurs et les architectes sont frappés de stupeur devant ces exploits qu'avec tous nos talents techniques nous trouvons malaisé de renouveler aujourd'hui. Il est possible qu'ils soient dus à un progrès scientifique depuis lors perdu et qui rappelle presque la psychokinésie. Les Incas pourraient avoir connu le moyen d'amollir la pierre. Le colonel Fawcett, l'explorateur britannique qui finit par disparaître dans les jungles de l'Amazone, rapporte dans son journal que lors d'une promenade au bord de la rivière Perené, au Pérou, une paire de gros éperons de type mexicain furent en un jour corrodés jusqu'au cœur par le jus d'un buisson de plantes basses aux feuilles rouges et charnues. Un propriétaire de ranch local les appelait « le truc employé par les Incas pour façonner les pierres ». On parle aussi d'un petit oiseau pareil à un martin-pêcheur, probablement le merle d'eau à coiffe blanche *Cinclus leucocephalus,* lequel niche en des trous sphériques des Andes boliviennes, trous qu'il fore dans la roche dure sur les berges des cours d'eau montagnards en frottant une feuille contre la pierre jusqu'à ce qu'elle devienne tendre et puisse être enlevée avec le bec. Il semble que les Incas avaient assez de connaissances en chimie pour extraire et distiller cette substance. La fouille d'un terrain funéraire au Pérou central a fait découvrir une cruche en terre contenant un liquide noir et visqueux, lequel, renversé par terre, transformait les rocs sur quoi il tombait en mastic tendre et malléable.

Tel est le genre de découverte qui ravissait le plus les alchimistes. Eux qui œuvraient pour un approfondissement de la conscience, ils auraient appris presque par hasard comment gouverner la matière et libérer l'énergie ; aussi n'est-il aucunement impossible que l'un de leurs textes contienne des instructions pour fabriquer des générateurs pareils à ceux de Robert Pavlita. Peut-être l'un d'eux était-il allongé, mince, et ressemblait-il à une baguette magique.

Une chose que la magie et la science ont en commun, c'est que l'une et l'autre opèrent en vertu du principe qu'il y a dans l'univers un schéma d'ordre et de régularité. L'une et l'autre essaient de découvrir ce schéma en établissant des rapports entre des choses qui diffèrent en surface, et en raisonnant par analogie. La recherche de l'ordre constitue le seul moyen pour la vie de survivre en un cosmos qui tend vers un désordre maximal. Chez l'homme, la recherche devient plus complexe étant donné qu'il est en quête non seulement d'ordre mais de signification, de manière à pouvoir être assuré d'être capable de redécouvrir ou même de recréer cet ordre. La superstition représente un des prix que nous payons pour notre habitude de scruter toute chose afin d'y trouver des schémas directeurs. Ainsi que le dit Konrad Lorenz, les rituels magiques ont « dans le mécanisme du comportement une racine commune dont la fonction préservatrice de l'espèce est évidente ; pour un être vivant dépourvu d'intuition quant aux rapports entre causes et effets, il doit être d'une extrême utilité de s'accrocher à un type de comportement qui s'est une ou de nombreuses fois révélé capable d'atteindre son but, et cela sans danger » (203). En d'autres termes, si la réussite suit une série complexe d'actions et que vous ignorez quels éléments de l'ensemble étaient les éléments déterminants, mieux vaut les répéter tous exactement et servilement chaque fois, car « on ne sait jamais ce qui risquerait d'arriver si l'on ne le faisait pas ».

Ainsi les Pedi, en Afrique du Sud, croient-ils que l'on peut guérir l'infection en mangeant du grain qui a été mastiqué par un enfant louchon et suspendu trois jours dans une gourde en forme de serpent, pendue elle-même à un arbre déterminé qui pousse à proximité de l'eau. Or ils ont raison, car en ces conditions le grain produit une moisissure du type *Penicillium,* à propriétés antibiotiques ; cependant les yeux de l'enfant, la forme de la gourde et l'espèce de l'arbre n'ont pas nécessairement de rapport avec la guérison. C'est de cette manière exacte que l'alchimie est tombée sur quelques grandes vérités mais a produit des structures théoriques où la ligne de raisonnement entre la cause et l'effet se trouvait engorgée par toutes sortes de balivernes mystiques et magiques surajoutées. Cela a découragé la science moderne d'enquêter sur les sources, ce qui est dommage étant donné que nous devons avoir encore beaucoup à apprendre d'une discipline qui prospéra durant plus de deux mille ans et comprit des adeptes comme Roger Bacon, Thomas d'Aquin, Ben Jonson et même Isaac Newton.

Dans les phénomènes psychokinésiques, la magie sympathique et la superstition jouent sans aucun doute un rôle important, mais je crois que, même sans ces accessoires, nous possédons maintenant assez de preuves pour garantir que la PK peut être sérieusement considérée comme une réalité biologique. Bien que nous soyons encore bien loin de comprendre comment elle fonctionne, nous pouvons déjà commencer de réfléchir à ses implications dans l'évolution. Chez l'homme, cette faculté paraît surtout manifeste dans l'enfant ou dans des personnalités manifestement infantiles, et le plus souvent comme un effet fortuit, presque accidentel. Il est apparemment important de croire que l'esprit peut influencer la matière, ou du moins de ne pas refuser de croire qu'il le puisse. Voilà qui donne à supposer que la PK trouve son origine en quelque état plus primitif, préservé dans l'inconscient et plus tard étouffé par des pressions culturelles et intellectuelles acquises. Mais apprendre à produire des effets de PK sur demande, par un procédé physique conscient, constitue sans doute une acquisition tout à fait nouvelle.

Nous ne possédons jusqu'ici nul indice pour nous donner à penser qu'aucune autre espèce soit capable de produire des effets psychokinésiques. Nous les définissons comme l'empire de l' « esprit sur la matière » ; et pourtant, la conscience n'est peut-être pas une condition préalable nécessaire à la PK. Il est possible que beaucoup d'organismes, à tous les niveaux de développement, soient capables d'engendrer les champs de force que nous présumons responsables de l'action à distance. Si la chose est vraie, alors cette faculté pourrait se révéler un jour un déterminant biologique majeur, forgeant entre la vie et son environnement des liens plus étroits encore que même les écologistes les plus visionnaires ne le rêvaient possible.

Je soupçonne la Surnature de garder en réserve beaucoup de surprises du même genre.

TROISIÈME PARTIE

L'ESPRIT

> *La réponse est* oui *ou* non, *sui-*
> *vant l'interprétation.*
>
> ALBERT EINSTEIN,
> dans le *Scientific*
> *American*, avril
> 1950.

LA MATIÈRE EST UNE FORME d'énergie. La matière vivante est de l'énergie organisée de telle façon qu'elle conserve son état instable. Le cerveau, c'est la partie de la matière vivante consacrée à la coordination d'une telle organisation. Jusque-là tout va bien ; néanmoins, le stade suivant de l'évolution se révèle impossible à décrire en ces simples termes mécanistes. Bien que la vie soit une affaire de chimie et de physique, l'esprit n'est pas justiciable de ce genre d'analyse ; l'esprit semble être indépendant de l'énergie.

L'esprit, c'est quelque chose dont nous avons l'expérience, plutôt que quelque chose que nous observons. Le physiologiste observe une marée électrique en train de balayer le cerveau vivant et l'interprète à bon droit comme un des signes de l'esprit ; pourtant, ses instruments ne peuvent se mesurer au monstre qui a produit ces rides à la surface. L'éthologiste étudie des types de comportement, et dans ces derniers aussi il peut voir des manifestations de l'esprit ; il peut même provoquer des changements de comportement qui semblent dépendre d'une modification de l'esprit ; cependant, rien de tout cela ne le rapproche beaucoup du problème. L'esprit est responsable de la conscience et sans doute la plus grande contribution faite jusqu'ici par l'éthologie comparée est la découverte qu'il existe chez d'autres espèces quelque chose qui ressemble à la conscience et qui doit avoir évolué nombre de fois au cours de l'évolution.

Durant les cinq derniers millions d'années, l'évolution paraît avoir concentré la majeure partie de son énergie créatrice à l'évolution de l'espèce humaine. Cette intensité a produit une espèce qui diffère grandement de ses plus proches parents vivants ; je crois cependant que, jusque dans les nébuleuses questions de l'esprit, cette différence est pour une large part une différence de degré. Je n'ai pas la moindre intention de minimiser l'importance des distinctions entre l'homme et les autres animaux ; toutefois, je ne saurais tomber d'accord avec ceux qui voudraient situer l'homme en dehors de l'ordre naturel. Les listes de caractéristiques humaines distinctives comprennent en général des choses comme sa faculté de pensée abstraite, son aptitude à créer et utiliser des symboles et son engagement dans des formes apparemment dépourvues de signification telles que le jeu. Mais nous savons maintenant que même les oiseaux peuvent former des concepts abstraits : on peut enseigner aux corbeaux à choisir un plat de nourriture sur la seule base du nombre de points dont il est marqué. Le langage dansé des abeilles représente une merveille de symbolisme, indiquant grâce à des mouvements des informations aussi complexes que ce qu'il faut chercher, dans quelle direction, à quelle distance, et quels obstacles se dressent sur le chemin. Quant au jeu, non seulement on le rencontre chez les animaux, mais il peut comporter des implications presque esthétiques — comme dans la concentration et le talent manifestés par un chimpanzé muni d'un pinceau.

A mes yeux, cette continuité donne à supposer qu'aucune des qualités de l'homme n'est nouvelle. Aucun élément constitutif de notre cerveau ni de notre comportement n'a été ajouté par des moyens surnaturels afin de faire de nous ce que nous sommes. Aucune de nos facultés ne peut être déniée à quelque autre animal qui soit au monde, mais ce que nous avons fait, c'est de tout disposer d'une manière entièrement neuve. L'homme constitue un modèle unique, une combinaison nouvelle et puissante d'anciens talents. Durant longtemps, une ou plusieurs de ces facultés ont été prédominantes et ont efficacement masqué les autres ; néanmoins, nous commençons maintenant à redécouvrir un plus grand nombre de nos dons extraordinaires.

Cette troisième partie sera consacrée à l'étude de quelques-uns des signes de l'esprit, et à tout ce que nous pouvons en faire d'étrange.

CHAPITRE SIX

Signes de l'esprit

En 1957, à la suite d'une série d'essais d'armes nucléaires dans le Pacifique, on commença de s'inquiéter des dangers des retombées radioactives. L'Organisation mondiale de la santé fit paraître une mise en garde, en mars de cette année-là, concernant les effets génétiques des radiations, et, très peu de temps après, des physiologistes médicaux de divers endroits signalèrent avec horreur que le compte des globules blancs, chez un très grand nombre de patients, subissait une modification rapide et peut-être dangereuse. Il se trouva que ces effets étaient produits par des radiations émanant de réactions nucléaires — mais non point dans le Pacifique. Les années 1957 et 1958 furent des années de formidable activité, mais d'un type échappant au contrôle de n'importe quel traité de proscription des essais, étant donné que les explosions qui irradiaient la Terre avaient lieu dans le Soleil (300).

Cette découverte est aujourd'hui comprise dans une masse croissante de connaissances démontrant la sensibilité de la vie à des stimuli infimes ; pourtant, nous ne cessons de commettre encore l'erreur de croire que seuls les phénomènes spectaculaires et manifestes qui nous entourent peuvent avoir de l'importance. Ce genre de myopie en est venue à être connue sous le nom d'erreur de « Hans le Malin », en l'honneur d'un fameux cheval qui, résolvant des problèmes, bafoua les savants de l'Europe du dix-neuvième siècle. Ils croyaient que l'animal résolvait des problèmes posés sur un tableau noir en face de lui, alors qu'en fait il se procurait les renseignements nécessaires à ses réponses correctes en observant les gestes involontaires effectués par les savants eux-mêmes dans l'attente de ces réponses. Une large part de la communication animale repose sur l'interprétation de très légères manifestations d'humeur chez d'autres membres de la même espèce et le cheval ne faisait que réagir à l'assemblée de très distingués savants comme s'ils avaient été des chevaux, eux aussi.

En termes physiologiques, le fossé qui nous sépare des autres animaux n'est pas large et, malgré le fait que nous possédions maintenant un langage vocal élaboré ainsi que d'autres systèmes complexes de communication, nos corps continuent de manifester des signes externes de nos sentiments internes. D'instinct nous continuons de répondre à de tels signaux. Nous pouvons écouter une conversation radiophonique et comprendre exactement ce que l'orateur essaie de communiquer ; toutefois, lorsqu'un matériel affectif plus spontané se trouve en cause, nous constatons que l'absence de vision constitue un sérieux handicap. Quiconque s'est jamais servi du téléphone sait comme il est malaisé de transmettre avec la voix seule des sentiments vraiment complexes, et comme il est relativement facile de dire des mensonges à quelqu'un qui ne peut vous observer tandis que vous le faites. Les sourds, à qui manque l'information fournie par la voix, rapprennent à communiquer par le geste seul, et maintenant ceux qui étudient le langage corporel, ou cinétique, ont fait de cet ancien talent un nouvel outil de la psychanalyse et de la recherche (100).

Les études de laboratoire et les études cliniques du langage corporel ont montré qu'il contredit souvent directement la communication verbale et que la personne qui déclare : « Je n'ai pas peur » émettra en même temps des signaux automatiques trahissant sa frayeur. Cette manifestation externe d'un sentiment interne ne se limite en aucune manière aux muscles longs ; elle apparaît jusque dans les yeux (147). A l'université de Chicago, Eckhard Hess a découvert qu'il y avait une relation directe entre la dimension pupillaire et l'activité mentale. Dans une série de tests où l'on photographiait les yeux des sujets tandis qu'ils regardaient des images changeantes, il constata que les pupilles s'élargissaient en regardant quelque chose d'intéressant ou de séduisant, et se contractaient lorsqu'elles étaient exposées à n'importe quoi de désagréable ou de peu attirant. Et le fait que nous répondions de manière automatique à ces modifications chez une autre personne fut démontré en présentant à un groupe de sujets masculins deux portraits d'une jolie fille, identiques sauf que ses pupilles, dans l'une des images, avaient été retouchées pour les agrandir. Interrogés sur ces photographies, les sujets déclarèrent qu'ils ne pouvaient distinguer aucune différence entre elles ; cependant, leurs yeux montraient qu'ils réagissaient beaucoup plus fortement à la fille aux larges pupilles. Il est à présumer qu'ils la trouvaient plus séduisante parce qu'ils déchiffraient inconsciemment son signal, qui disait : « Vous m'intéressez beaucoup. »

Il n'y a rien de surprenant à ce que la réaction pupillaire soit liée de façon directe à l'activité mentale. Embrylogiquement et anatomiquement l'œil est une extension du cerveau, et regarder en lui revient presque à épier par un judas une partie du cerveau lui-même. L'action réflexe de l'œil en réponse à la lumière se trouve déterminée par le système nerveux parasympathique et la réaction affective est provoquée par le système sympathique. Ainsi les deux branches de notre réseau nerveux autonome sont-elles en jeu et nous pouvons nous attendre à constater que d'autres parties du corps tributaires de ces systèmes vont aussi manifester des signes de l'esprit.

Dans les situations émotionnelles, les réactions pupillaires se trouvent liées à un accroissement du rythme cardiaque et de la pression sanguine, une respiration plus rapide et une transpiration plus grande. Un des premiers endroits où la sueur apparaisse est sur la paume des mains, ce que l'on connaît sous le nom de réaction psychogalvanique. Il s'agit là d'un orage électrique de la peau, qui éclate soudain quand le possesseur de la paume devient anxieux. On utilise largement ce phénomène dans les tests dits de détection du mensonge, qui mesurent la résistance électrique de la peau. Les résultats de ces tests ne sont généralement pas admis en cour de justice, étant donné qu'ils ne donnent aucune indication de vérité ou de fausseté, mais ne font que fournir une mensuration du trouble émotionnel. Un tel état, souvent, est visible à distance lorsqu'un homme nerveux frotte l'une contre l'autre ses paumes humides, ou les essuie contre ses cuisses. Il est bien sûr immédiatement visible dans la poignée de main, ce qui offre une explication pour l'origine de la coutume, explication qui a biologiquement plus de sens que l'explication traditionnelle : indication de l'absence d'armes.

La raison de la transpiration sur les paumes des mains plutôt que sur les coudes ou derrière les oreilles paraît liée à un autre genre de signalisation à distance : la communication par l'odorat. La plupart des mammifères marquent leur territoire grâce aux sécrétions de glandes odorantes spéciales. Certaines antilopes ont des glandes aux pieds et laissent partout où elles vont des traces distinctives ; d'autres doivent piétiner leurs déjections et transporter partout leur odeur avec leurs pieds. Les tupaïas préparent d'abord une petite flaque d'urine, y pataugent, puis détalent, en laissant partout d'odorantes empreintes de pas. Galagos et lémuriens urinent directement sur leurs mains avant le bond ; aussi, chaque prise devient-elle un avis d'occupation des lieux aussi distinctif que les plaques nominales que nous apposons à la porte de nos bureaux et sur le montant de nos grilles d'entrée.

Chez un primate, les régions les plus indiquées pour répandre l'odeur sont les paumes dépourvues de poil, et la plante des pieds. La plupart des primates supérieurs ont développé le sens de la vue aux dépens de celui de l'odorat ; ils semblent pourtant se servir encore beaucoup de leur nez. Aucun des grands singes n'urine sur ses mains, mais tous ont des glandes sudoripares bien développées sur les paumes et ces dernières paraissent porter une odeur distinctive pour chaque individu. Point n'est besoin d'être chimpanzé pour apprécier les différences. Une partie de l'odeur palmaire est produite par la nourriture : essayez seulement de sentir vos mains quelques heures après avoir mangé des asperges et vous constaterez que l'odeur caractéristique traverse directement les pores de votre peau. Mais une partie de toute senteur est aussi d'origine sexuelle. La physiologie interne se trouve réglée par les hormones et nous savons maintenant que des substances chimiques semblables sont sécrétées de manière externe en vue de la communication et de la régulation de la physiologie d'autrui. C'est ce qu'on appelle des phéromones ; les criquets pèlerins les sécrètent pour accélérer la croissance de leurs jeunes, les fourmis les emploient pour tracer des pistes allant vers le nid et partant de lui, les papillons de nuit femelles s'en servent pour attirer les mâles d'une grande distance. Chez l'homme, de frappantes différences sexuelles ont été décelées dans la faculté de sentir certaines substances (343). Un biologiste français a signalé que l'odeur d'une lactone synthétique ne pouvait être détectée que par des femmes adultes, et qu'elle était perçue le plus nettement à l'époque de l'ovulation. Hommes et jeunes filles ne peuvent du tout sentir cette substance — à moins d'avoir au préalable reçu une injection énorme d'hormone œstrogène féminine. Il semble qu'une substance chimique très semblable fasse partie du bouquet naturel de l'homme et soit sécrétée par ses glandes sudoripares, en grande partie à la paume des mains.

Ainsi la paume non seulement s'humidifie à des moments de trouble émotionnel, mais ce faisant communique aussi les intentions, le sexe et l'identité individuelle.

CHIROMANCIE

Outre son odeur caractérisitique, chaque personne porte également dans ses mains une disposition exclusive. Le derme possède au bout des doigts et sur la paume un assortiment distinctif de sinuosités, de volutes et de courbures. Cela diffère de tout dessin jamais présenté par aucune autre personne. Il n'existe pas de cas authentifié de motifs impossibles à distinguer, même chez les jumeaux prétendument identiques ; aussi ces formes ont-elles servi à des fins d'identification dès la mise au point par les Chinois d'un système de classification, en 700 ap. J.-C.

La dermatoglyphie est l'étude des motifs en relief et en creux sur les paumes et la plante des pieds. Il s'agit là des dessins qui ont toujours été employés par la police et comme tels ont été soumis de longue date, en plusieurs pays, à des études statistiques sérieuses. Plus récemment ces motifs ont suscité l'intérêt des généticiens car ils montrent des caractères héréditaires, et, formés durant le troisième ou quatrième mois du développement fœtal, persistent inchangés durant la vie entière. La répartition des saillies est déterminée par la disposition des glandes sudoripares et des terminaisons nerveuses et si fermement établie qu'il est impossible de détruire ou modifier de façon permanente les motifs. Ils reparaissent à mesure que la cicatrisation ramène en surface la peau naturelle après de graves brûlures et même après une greffe cutanée.

Il n'existe guère de controverse autour des saillies, étant donné qu'elles ne sont pas les marques utilisées par les bohémiennes diseuses de bonne aventure. Un médecin tchécoslovaque, Jan Purkinje, fut le premier à décrire les motifs ; sa classification et son interprétation sont toujours suivies. A Londres, une Société pour l'étude des motifs physiologiques de la main a commencé de recueillir des données pour essayer d'établir des rapports entre des motifs distincts et certains états pathologiques. Jusqu'ici, les résultats semblent prometteurs, mais il en faut bien davantage pour qu'ils aient une signification statistique.

Superposés au fond de style art nouveau des dessins finement gravés de la main sont les lignes et plis plus visibles. Il s'agit là du matériau de la chiromancienne de foire et, fait surprenant, c'est avec ces lignes que nous découvrons d'excitantes corrélations biologiques. Les anatomistes décrivent les plis de la paume comme des « lignes de flexion » ; toutefois, il n'existe pas de bonne raison fonctionnelle pour que ces lignes tombent dans telle position plutôt que telle autre. Chaque main semble avoir ses propres idiosyncrasies et les chiromanciens insistent sur le fait qu'elles ont une signification.

Sir Francis Galton, un cousin de Charles Darwin, fut l'un des premiers savants respectables à prendre au sérieux la notion de diagnostic palmaire. Galton constitua une collection d'empreintes palmaires et les présenta à l'université de Londres en même temps qu'il y fondait une chaire de professeur et la science de l'eugénisme. Le Laboratoire Galton a poursuivi ces études, et, en 1959, démontré que le mongolisme est dû à une anomalie des chromosomes qui produit en outre une ligne caractéristique, connue sous le nom de « pli simien », en travers du sommet de la paume (158). Depuis lors, une trentaine de troubles congénitaux différents ont été liés à des motifs particuliers de la paume, dont certains sont visibles avant même l'apparition de la maladie. En 1966, on fit pour la première fois le lien entre des empreintes palmaires anormales et une infection virale. Trois pédiatres new-yorkais prirent les empreintes palmaires de bébés nés de mères ayant eu la rubéole en début de grossesse et s'aperçurent que même si les bébés n'étaient affectés en aucune autre façon, tous avaient un pli caractéristique et inhabituel dans la main (306).

En 1967, une équipe de médecins japonais étendit son système d'identification de bébés à des malades de tous âges admis dans un hôpital d'Osaka. Après avoir réuni plus de deux cent mille empreintes et les dossiers médicaux s'y rapportant, ils découvrirent l'existence de nombreuses corrélations entre les motifs et les maladies traitées. Ils prétendent que non seulement la position de telle ligne particulière est importante, mais que sa longueur, sa largeur, la mesure où elle a été fragmentée en îles et en triangles, et même sa couleur ont une signification diagnostique. Ils sont maintenant capables de dire, uniquement en examinant une empreinte palmaire, si tel patient souffre ou a récemment souffert de maladies organiques telles qu'insuffisance thyroïdienne, déformation de la colonne vertébrale, mauvais fonctionnement du foie et des reins. Ils déclarent également possible de prédire avec un haut degré d'exactitude si tel patient particulier risque de contracter des maladies infectieuses comme la tuberculose et peut-être même le cancer.

Il existe une énorme quantité de terminaisons nerveuses dans la main pour sentir la chaleur et le froid, la pression et la douleur. Un si grand nombre d'entre elles sont en liaison directe avec le cerveau que si les proportions humaines étaient déterminées seulement par l'abondance en nerfs, nous aurions des mains grandes comme des parasols. Si les chiromanciens ont raison d'affirmer que ces nerfs assurent une circulation dans les deux sens, et que toutes les conditions physiques internes sont reflétées à l'extérieur dans nos paumes, cela n'a dès lors pour un praticien de médecine générale plus guère de sens de demander à voir la langue d'un patient. Ne serait-ce qu'en vertu des preuves déjà clairement établies, il pourrait en apprendre bien davantage en disant : « Bonjour. Comment allez-vous ? Tendez-moi votre main, je vous prie. »

Dire la bonne aventure au moyen des lignes de la main présente avec l'étude sérieuse de la chirologie le même rapport que les horoscopes de journaux avec la véritable astrologie. Les chirologistes s'occupent de l'ensemble du tableau présenté par la main. Ils étudient à la loupe le modèle fondamental de la peau afin de découvrir des modifications dans la texture et le rythme ; ils examinent toutes les lignes de flexion et les lignes plus petites qui les croisent, accordant une attention particulière aux façons dont elles s'interrompent ou se coupent ; ils tâtent les muscles et tendons sous-jacents, et notent les monts et saillies qu'ils produisent ; ils étudient l'épaisseur et la forme de la paume, les longueurs relatives des doigts et du pouce, la flexibilité et la forme des jointures, la couleur et la texture des ongles et de la peau. Ce n'est qu'après avoir effectué toutes ces observations qu'un chirologiste sérieux tentera de réunir les fils pour faire un bilan de l'état physique et psychologique du sujet.

La physiologie de base qui se trouve derrière leurs postulats semble valable. Le cerveau, le système nerveux et les organes des sens proviennent tous de l'ectoderme de l'embryon, en même temps que la peau. Leur commune origine signifie que durant la vie entière ils conservent des relations très étroites et il n'est pas du tout déraisonnable de supposer que beaucoup de phénomènes internes se manifesteront au-dehors à travers la peau. La jaunisse, une maladie du foie, se manifeste de façon typique, durant les premiers stades, sous l'aspect d'une pigmentation jaune de la peau. L'arthrite rhumatoïde, qui s'attaque aux jointures des petits os, peut également apparaître sous forme d'écailles sèches, argentées, sur la peau. Il s'agit là de modifications évidentes, externes, mais il est possible qu'un grand nombre d'autres désordres physiques internes provoquent des effets moins évidents, que l'on ne peut reconnaître que par une étude attentive de zones sensibles de la peau telles que celles de la main. Il existe certainement un lien très étroit entre la plupart des maladies de peau et les conditions mentales. Dermite, urticaire, acné, verrues et réactions d'allergie sont toutes des états cutanés provoqués presque entièrement par de l'angoisse et d'autres types de troubles affectifs. Ainsi, en théorie, il n'existe aucune raison pourquoi il serait impossible de formuler des jugements sur l'état mental prédominant de quelqu'un, et donc sur sa personnalité, d'après des signes apparaissant dans la peau.

La plupart de ces états n'affectent que la texture et le type généraux de la peau. Le rapport entre les états physiques et mentaux internes et les lignes de plis de la paume est plus difficile à établir. Les lignes ne suivent pas la disposition du squelette, des muscles, des tendons, des vaisseaux sanguins, des nerfs, ni des glandes lymphatiques ou sudoripares. Les anatomistes prétendent que les plis sont entièrement fortuits et ne sont là que pour permettre à la chair de la paume de se plier quand la main forme un poing. La division caractéristique et fondamentale de la paume par deux lignes en gros horizontales (celles que les chiromanciens nomment lignes de tête et de cœur) et de deux lignes en gros verticales (lignes de chance et de vie) est presque certainement produite par la résolution des diverses forces physiques établies dans la main par la flexion et la tension. Il semble bien pourtant qu'il existe un autre principe qui gouverne leur forme exacte et l'aspect continuellement changeant des plis plus petits. Si des forces physiques étaient seules responsables, on s'attendrait que les lignes demeurassent stables dans la main d'un homme dont la façon de vivre et de travailler serait d'une constance relative d'un jour à l'autre ; pourtant, des études à long terme montrent qu'il existe une fluctuation constante dans la disposition des paumes. Il y a le cas spectaculaire d'un peintre en bâtiment qui tomba d'une grande hauteur et subit un choc si grave qu'il resta inconscient pendant quinze jours où il fallut l'alimenter par voie intraveineuse. Au bout d'une semaine passée dans cet état, tous les plis de ses mains disparurent comme effacés par une éponge — puis, à mesure qu'il reprenait conscience, les lignes reparurent progressivement (158).

Les masques mortuaires ressemblent souvent fort peu à la personne vivante. Durant la vie entière, et jusque dans le profond sommeil, les nombreux petits muscles faciaux sont dans des états de tension variable, produits par une stimulation constante émanant du cerveau. Ces ondes d'activité ont pour effet total de produire un type d'expression qui donne à chaque visage ses traits personnels (344). Il est vraisemblable qu'un approvisionnement similaire émane du cerveau en direction de toutes les parties du corps et renforce constamment la forme et la fonction. Le type exact de l'empreinte palmaire, comme celui du battement cardiaque ou du champ vital, paraît dépendre du maintien de ces signaux, car en effet les lignes de la main commencent à se désintégrer quand les impulsions cessent, à l'instant de la mort.

Les signaux provenant du cerveau déterminent aussi comment la main sera utilisée. En cela, la science du langage corporel a pour parallèle une science plus ancienne où les gestes sont beaucoup plus subtils, chacun pourtant se trouvant enregistré au moment de son exécution en un code écrit que l'on peut examiner et analyser à loisir.

GRAPHOLOGIE

En 1622, Camillo Baldo publia le premier livre connu sur le sujet, qui portait le titre : *Traité de la façon dont un message écrit peut révéler la nature des qualités du scripteur.* Il fut suivi par Gœthe, les Browning, Poe, Van Gogh, Mendelssohn et Freud. Aujourd'hui, les graphologues, de même que les chirologues sérieux, ont circonscrit le domaine de leur science et fait sortir l'analyse de l'écriture manuscrite de son atmosphère de champ de foire pour en faire un instrument utile, maintenant largement employé en psychanalyse ainsi que pour l'orientation scolaire ou professionnelle.

Il n'y a rien d'instinctif dans l'écriture manuscrite. Personne n'est jamais né avec la faculté de se servir de la plume et du papier. Il s'agit là strictement d'un type de comportement appris, qu'il faut acquérir par des années d'efforts assidus sous la surveillance attentive d'un maître. Ainsi, toutes les traces écrites trahissent-elles des schémas de culture et d'environnement qui dépendent purement de l'endroit et de l'époque où telle personne apprit à transcrire les symboles traditionnels. Mais après des années de pratique, l'écriture devient machinale et tout acte automatique est davantage influencé par les facteurs personnels. Chez l'adulte, la plume trace une lettre après l'autre presque inconsciemment, cependant que l'esprit tourne autour de la sonorité du vocable. Entre la pensée et le résultat final, il se trouve amplement place pour l'expression du caractère et il n'est guère douteux que la forme de chaque ligne constituant chaque lettre porte la marque de l'auteur.

Nombreux sont les exemples d'animaux qui montrent des différences individuelles en des types de comportement appris. Les jeunes écureuils rencontrant pour la première fois une noix à coquille dure font dessus, avec leurs dents, des types de raclure fortuits jusqu'à ce qu'enfin la noix cède et s'ouvre. A mesure qu'ils acquièrent plus d'expérience, ils apprennent la façon d'appliquer au mieux le minimum d'effort pour le maximum de résultat en suivant les fibres de la coque et sans travailler à contre-grain. Les techniques diffèrent en ce que certains individus rongent un morceau du sommet de la noix, d'autres creusent des sillons qui montent pour se rejoindre au sommet, d'autres encore encerclent le sommet et enlèvent le couvercle, d'autres enfin tranchent proprement et complètement la noix en deux (337). Chaque écureuil laisse un modèle si distinct qu'un expert peut se rendre en forêt et dire, uniquement en regardant les coquilles, combien d'animaux étaient en cause. S'il se trouve être un bon spécialiste animalier, il peut classifier les « empreintes de dents » de tous les écureuils vivant dans le secteur et non seulement suivre à la trace leur développement et leur localisation, mais même se faire une idée de l'état de santé de chaque individu.

Il existe un lien précis entre l'écriture manuscrite et la santé. Certains analystes se prétendent capables de détecter des maladies spécifiques à partir du manuscrit. Il est certain que la perte de coordination due à la maladie de Parkinson provoque une déformation flagrante de l'écriture. L'Association médicale américaine rapporte : « Il y a des maladies organiques précises que le graphodiagnostic peut aider à diagnostiquer dès leurs tout premiers débuts (158). » Ils mettent au nombre l'anémie, l'empoisonnement du sang, les tumeurs et diverses maladies osseuses, mais ajoutent que l'âge peut provoquer des signes très voisins. Quelques gériatres expérimentés croient possible d'utiliser l'écriture manuscrite comme un genre de rayon X pour distinguer entre un véritable déséquilibre mental et la sénilité normale. La désintégration générale des types d'écriture manuscrite qui se produit dans les troubles tant émotionnels que physiques est nettement reconnaissable et presque impossible à déguiser.

Comme l'astrologue ou le chirologue sérieux, le bon graphologue a le souci du détail. Avant de faire une étude, il réunit plusieurs échantillons d'écriture tracés à des époques différentes, de préférence au moyen de plumes différentes, et ne travaille jamais sur des matériaux spécifiquement tracés en vue de l'analyse. Il examine l'inclinaison, le poids de l'écriture ; observe les marges, l'espacement, le rythme et la lisibilité ; scrute la ponctuation, la façon dont est barré le t, dont sont pointés l'i et le j ; étudie la forme des boucles et la manière dont les traits débutent et s'achèvent. Outre tous ces caractères, la répétition passe pour importante ; plus un trait se remarque souvent dans le manuscrit, plus il passe pour être puissant. On mesure aussi la fréquence relative ; ainsi peut-on réconcilier des motifs indiquant des traits contrastés. Si pour l'analyse on ne dispose que d'une quantité limitée d'écriture manuscrite, c'est de la signature du sujet que les graphologues pourront tirer le plus d'information. Il s'agit là de quelque chose qui est si fréquemment tracé et avec une telle référence spécifique à soi-même que cela devient une représentation stylisée du scripteur aussi personnalisée qu'une empreinte digitale. D'où son utilisation à des fins d'identification.

Dans l'évaluation de tous les types de comportement, il faut commencer par savoir quelle quantité est déterminée uniquement par les nécessités fonctionnelles, et une fois cette quantité soustraite le reste peut servir d'indication sur les préférences culturelles et personnelles. Un membre de tribu aborigène met sur soi ce qu'il faut de vêtements pour se protéger du Soleil ou du froid et tout ce qu'il porte en plus, et par-dessus, doit s'y trouver pour d'autres raisons ; il convient néanmoins d'être fort circonspect dans l'attribution de valeur aux articles supplémentaires. Ils peuvent être portés pour des raisons traditionnelles et culturelles, par convention et pudeur, à moins que les vêtements ne présentent une signification religieuse ou magique, ou peut-être des valeurs sociales, comme le rang ou la position. Ce n'est qu'une fois épuisées toutes ces possibilités que nous pouvons sélectionner, mettons, un collier de cauris et dire qu'il exprime la personnalité de l'individu, lequel doit être d'un caractère dépensier doté d'un goût raffiné de la nature. Sur quoi, nous découvrons que les cauris constituent la forme locale d'argent liquide, et que notre homme était simplement en train d'aller s'acheter un nouveau harpon. Ce genre de chausse-trape est commun aux sciences de la vie et s'applique directement à des études telles que celle de la graphologie.

Dans l'écriture, les lettres et les mots sont des symboles de langage et d'idées. Il s'agit de signaux fonctionnels, disposés en motifs ayant toute une variété de nuances traditionnelles et culturelles. A l'expérience, il est impossible de dépouiller les courbes bien rondes, les longs pleins et déliés penchés, les fioritures qui révèlent l'identité nationale et ne font qu'indiquer que le scripteur a appris à se servir de sa plume en France. Il faut aussi reconnaître que des tracés épais peuvent n'être provoqués que par la mauvaise qualité du papier dans un pays sous-développé ou, dans un pays prospère, par la mode actuelle du stylo feutre. Cet examen préliminaire n'est pas toujours effectué avec le soin nécessaire ; mais sous tous les détails superficiels qui peuvent tromper, il apparaît qu'il y a, en graphologie, un certain nombre de modèles fondamentaux pouvant servir de moyen scientifique valable dans l'évaluation du caractère individuel.

Je crois que nous répondons tous même sans apprentissage à de subtils signaux dans la graphie d'autrui et qu'une lettre d'un être aimé porte en chacune de ses lignes et dans chacune de ses fioritures un message inconsciemment codé, tout à fait distinct de la signification des mots en cause. Autrement, pourquoi serions-nous mécontents de recevoir une lettre dactylographiée d'un ami intime, si ce n'est que la machine s'interpose entre nous et nous enlève la possibilité de déchiffrer les lignes elles-mêmes.

Un psychologue américain déclare : « La longueur de vos traits, la largeur de vos boucles, l'endroit où vous placez le point sur l'i n'est pas une question de hasard. Tout cela est gouverné par les lois de la personnalité ; ... les mouvements que vous faites en écrivant sont pareils à des gestes : ils expriment ce que vous ressentez. Tout ce qui vous émeut, vous dérange ou vous excite — soit affectivement, soit physiquement — apparaît dans les marques que vous faites avec votre plume (158). » C'est pourquoi de nos jours la General Motors, la General Electric, l'US Acier, la Société de pneus et caoutchouc Firestone appointent tous à plein temps des spécialistes pour ne rien faire d'autre qu'examiner ces marques — et ils semblent mériter leur salaire.

Bien que la main et son comportement fournissent l'une des plus sensibles mesures externes des fonctionnements du cerveau, il y a d'autres signes extérieurs de l'esprit.

PHYSIOGNOMONIE

La plupart des amibes se multiplient de la manière immortelle — en se fendant par le milieu pour former deux cellules-filles, puis en recommençant fois après fois dans la mesure du nécessaire. Mais il existe d'autres espèces qui s'adonnent à la reproduction en commun, se réunissant par groupes allant jusqu'au demi-million qui forment un organisme sexuel spécial. Le *Dictyostelium discoideum* est normalement une cellule isolée, indépendante, qui flotte ici et là sur le mode irrégulier habituel aux amibes ; cependant, chaque fois que la nourriture se fait rare et qu'il se trouve un certain nombre d'autres amibes dans les parages, les cellules se rassemblent en des points centraux de réunion, et construisent des tours qui grandissent jusqu'à ce qu'elles s'écroulent en une petite masse scintillante. Cet amas revêt la forme d'une balle d'arme à feu, devient une limace ayant des extrémités avant et arrière distinctes, manifeste une sensibilité communautaire à la chaleur et à la lumière, et émigre en tant qu'être unique, doué d'intention, vers le milieu le plus favorable. Là, il se tient debout sur une extrémité, forme une longue tige mince et élève en l'air, à la façon d'un ballon au bout d'une corde, une masse sphérique de cellules. Les amibes séparées constituant la structure adoptent des fonctions différentes, certaines formant la tige de soutien, et d'autres devenant des spores qui seront emportées par les courants pour libérer quelque part ailleurs de nouvelles amibes indépendantes.

Chez un organisme unicellulaire, cet effort collectif est un progrès remarquable. John Bonner a découvert qu'il était rendu possible par le fait que toutes les amibes ne sont pas créées égales. Il y a des différences visibles entre celles qui sont destinées à devenir la tige et celles qui seront des spores : les constituantes de la tige sont légèrement plus grandes que les autres et se déplacent plus vite. Ainsi, jusque dans une société aussi ancienne que cette limace, il est possible de distinguer des individus en se fondant uniquement sur leur apparence et de l'utiliser pour décrire leurs types de comportement et pour prédire leurs destinées.

Chez des organismes plus complexes, on peut travailler sur des indices encore plus nombreux ; des branches entières de la science, comme la paléontologie, sont forcées de tirer des déductions sur le régime alimentaire, l'habitat et le comportement directement à partir de ce que l'on connaît de la structure d'espèces depuis longtemps éteintes. La collaboration entre l'ingénieur George Whitfield et la zoologiste Cherrie Bramwell, à l'université de Reading, a fourni par déduction de nouveaux renseignements de cet ordre au sujet du *Pteranodon ingens*, la plus grande créature volante qui ait jamais existé (340). Travaillant à la façon d'une équipe en train de reconstituer un avion de ligne accidenté, à partir de morceaux épars du squelette ils estiment la largeur de ses ailes à sept mètres et son poids total à dix-sept kilos seulement — et d'après ces renseignements déduisent qu'il était faible en vol moteur, mais était un planeur très efficace, avec un taux de chute extrêmement bas ainsi qu'une rapidité de vol et une perte de vitesse très faibles. Ces indices, joints à une étude des dents, suggèrent que ce reptile planeur du type vautour vivait en mer, prenant son essor dans l'air ascendant aux endroits où le vent souffle au-dessus des vagues, et plongeant pour attraper le poisson à la surface. Ils suggèrent aussi qu'il nichait sur des falaises situées face à la mer et au vent prédominant et regagnait sa demeure en s'élevant devant la paroi et se laissant doucement tomber au sommet. Introduisant une tête fossile dans un tunnel aérodynamique, nos deux chercheurs découvrirent que la longue et mince lame osseuse qui faisait saillie au dos de la tête du ptéranodon représentait un aileron aérodynamique, lequel équilibrait les charges pesant sur le bec lorsque la tête se balançait de droite et de gauche en quête de proie ; et que cet accessoire permettait à l'animal d'économiser sur le poids des muscles du cou et le rendait mieux adapté encore aux vents légers ainsi qu'aux mers chaudes, peu profondes, du crétacé.

Des exploits similaires de la détection scientifique jouent un grand rôle dans la recherche des ancêtres de l'homme. Dubois, qui découvrit en 1891 le fameux homme fossile de Java, n'avait rien que quelques dents pour point de départ ; mais, s'en servant en même temps que de la calotte crânienne et d'un fragment de fémur, il fut capable de deviner que l'Homme de Java était primitif, avec un cerveau de taille intermédiaire entre l'homme et le gorille, et qu'il marchait debout. Des trouvailles ultérieures, plus complètes, montrèrent que ce diagnostic était correct (346).

Si un raisonnement de ce genre est capable de fournir des résultats vérifiables pour les formes fossiles, il n'existe aucune raison l'empêchant de s'appliquer aussi bien aux vivantes. Nous savons que le physique de beaucoup d'hommes se trouve lié de façon directe au climat dans lequel ils vivent. Les Dinka d'Afrique sont grands et minces ; ils ont ainsi, par rapport à leur poids, une grande surface qui permet une facile déperdition de chaleur, tandis que les Esquimaux sont comparativement courts et matelassés de graisse afin de conserver celle-ci. La face des Mongols du Nord-Est asiatique est aplatie, ce qui réduit la morsure du gel ; ils ont des yeux aux paupières épaisses, ce qui les protège contre l'aveuglant éclat de la neige ; ils sont glabres, ce qui réduit le risque de condensation sur les poils entourant la bouche. Les peuples équatoriaux ont tendance à avoir la peau sombre, avec un pigment qui protège du Soleil les couches plus profondes, cependant que les peuples nordiques sont très blonds, ce qui leur permet de tirer le maximum de profit de chaque rayon de Soleil pour favoriser dans leur peau la formation de vitamine D (15). Ce genre de technologie climatique permet de tirer de l'aspect morphologique d'un homme des déductions sur son habitat et son mode de vie, ou ceux de ses ancêtres. Dans une certaine mesure, cette connaissance nous donnera quelques indications sur son caractère, mais il est possible d'en apprendre beaucoup sur les types de personnalités en considérant directement la seule apparence physique.

Aristote et Platon ont déjà pensé à la question ; mais c'est Johann Lavater, un mystique suisse du dix-neuvième siècle, qui fit les premiers travaux scientifiques sur la physiognomonie — « connaissance à partir du corps ». Charles Darwin exprima des idées similaires en son *Expression des émotions chez l'homme et les animaux,* et fit remarquer que des structures corporelles spéciales s'étaient développées par évolution pour indiquer certaines émotions, et qu'il serait raisonnable de déduire de la présence de ces structures que l'émotion correspondante jouait un grand rôle dans la vie de l'animal en question. Dans des travaux plus récents et moins érudits sur la physiognomonie, les auteurs ont eu tendance à faire des généralisations plutôt fantaisistes, du type « un menton à fossette constitue le signe assuré d'une disposition chaleureuse, aimante », lesquelles, si tant est qu'elles aient la moindre signification, ne sauraient s'appliquer qu'à de petits groupes localisés de personnes. Et pourtant, si l'on essaie de parcourir la littérature sur la physiognomonie, on y trouve un germe de vérité qui présente une signification biologique.

Si l'on pend l'homme dans son ensemble, on peut distinguer certains types fondamentaux de forme et de proportions. La hauteur de l'homme est généralement six fois la longueur de son pied ; la face, du sommet du front à la pointe du menton, mesure un dixième de la hauteur ; la main, du poignet à l'extrémité du médius, est généralement de même longueur que le visage de la naissance des cheveux au menton ; la distance entre les cheveux et les sourcils est la même que celle des sourcils aux narines et des narines au menton ; et la taille est normalement égale à la distance entre l'extrémité des doigts, les bras étendus latéralement. Il est intéressant que ces « normes » humaines mondiales soient exactement les proportions considérées les plus harmonieuses par les sculpteurs de la Grèce classique. Il existe naturellement des variations considérables à travers le monde ; néanmoins, on peut établir des moyennes nationales, raciales et culturelles, et si tel individu varie de manière sensible autour de ces critères, il doit y avoir une bonne raison biologique à la déviation. En 1940, William Sheldon élabora un système de somatotypologie reconnaissant trois extrêmes de la forme corporelle : l'endomorphe est essentiellement arrondi, avec une tête ronde, un gros ventre, une construction lourde, et beaucoup de graisse, bien qu'il ne soit pas nécessairement gros et ne passe pas dans une autre catégorie lorsqu'il perd du poids : il ne fait que devenir un endomorphe mince. Le mésomorphe est le modèle des sculpteurs classiques, avec une large tête, de larges épaules, beaucoup de muscle et d'os, pas beaucoup de graisse et des hanches relativement étroites. Quant à l'ectomorphe, il est tout en pointes et angles aigus, avec des membres maigres, des épaules et des hanches étroites, et peu de muscle, en sorte que même engraissé il ne devient pas un endomorphe (306). Chacun possède un peu des trois dans sa constitution et un groupe de gens pris au hasard, disons les membres d'un jury ou les voyageurs d'un même train, manifesteront toutes les combinaisons possibles ; cependant, une sélection en vue d'exploits physiques particuliers se fondera sur certaines formes : les athlètes olympiques sont rarement endomorphes. Il ne paraît toutefois pas qu'il y ait la moindre corrélation entre la forme et l'intelligence : un groupe de lauréats d'université présente un type de combinaisons tout à fait fortuit.

PHRÉNOLOGIE

Franz Gall, un anatomiste qui travaillait à Vienne à la fin du dix-huitième siècle, fit des études spéciales de neurologie, et décida que le cerveau était responsable de la production des phénomènes de l'esprit. Cette hérésie lui valut d'être expulsé de l'Autriche catholique. Il poursuivit ses travaux en exil, et décréta que non seulement les émotions étaient produites dans la tête, mais que différentes émotions naissaient dans différentes parties du cerveau (226). Il s'agissait là d'une idée astucieuse et révolutionnaire en un temps où l'opinion ortho-doxe était que le cerveau, quoi qu'il fît, fonctionnait comme un tout. Jusque-là, Gall avait absolument raison ; mais il prit la tangente et commença d'attribuer des fonctions à certaines régions du cerveau sur les indices les plus futiles. Il se rappela que deux de ses camarades de classe, doués d'une bonne mémoire, avaient aussi les yeux saillants et en conclut que la faculté de mémoire devait être située dans les lobes frontaux du cerveau, aussitôt derrière les yeux. Dans les hémi-sphères cérébraux, il choisit des emplacements pour les fonctions du langage et du calcul pour des raisons tout aussi vagues et publia toutes ses théories dans un livre qui, beaucoup plus tard, provoqua la grande vogue de la phrénologie. La société européenne la découvrit avec ravissement et « les bosses du crâne » devinrent un passe-temps de salon à la mode à Londres et à Paris. On fabriquait des crânes chauves grandeur nature, en porcelaine, servant de cartes et semés en tous sens, comme il convient, d'étiquettes portant les mots « sublimité », « idéalisme », « bienveillance », ainsi que ce merveilleux substitut victorien pour sexualité : « philoprogénitivité ». Le sujet tomba vite en discrédit et les anatomistes sérieux refusèrent totalement de s'y intéresser, ce qui fut dommage, car il renfermait une idée utile qui resta perdue pendant cent cinquante ans.

Les phrénologistes commirent deux erreurs fondamentales. Ils pré-sumèrent que si chez quelqu'un telle faculté se trouvait particulière-ment bien développée, la partie du cerveau où, pensait-on, elle était localisée devait, elle aussi, être vaste et bien développée ; et ils crurent que ces accroissements cérébraux produisaient à la surface du crâne des bosses et dépressions correspondantes. Aujourd'hui, nous savons que le volume du cerveau n'a pas grand-chose à voir avec son effica-cité (Byron avait un cerveau très petit), et que les bosses de la tête sont provoquée par un épaississement de l'extérieur du crâne. Il n'existe aucune similitude entre les ondulations de l'intérieur de la boîte crânienne et les saillies externes. Les phrénologistes, cependant, avaient raison quant à la localisation des fonctions dans certaines régions du cerveau : il existe un centre du langage, et un autre qui gouverne l'activité sexuelle. Ce ne fut pas avant 1939, quand on fit des expériences sur des singes à qui on avait enlevé certaines parties du cerveau, que la science saisit véritablement le fait que le caractère et la personnalité se trouvaient localisés dans des régions spécifiques. Dans une opération, on ne pratiqua des altérations qu'à un seul côté du cerveau, de sorte que, l'œil gauche ouvert, le singe était violent et agressif, et que, ne regardant qu'à travers son œil droit, il devenait indifférent et docile. Ce qui, soit dit en passant, fournit une base anatomique à la vieille croyance que les sorcières ont un « mauvais œil », dont les pouvoirs diffèrent de façon marquée de ceux de l'autre.

Bien qu'il n'existe pas de bosses d'agressivité sur la tête, les régions cérébrales responsables du déclenchement d'un comportement agressif provoquent bien un enchaînement de réactions musculaires de type presque constant. Le babouin possède un répertoire de trois expressions faciales de base pour accompagner le comportement d'attaque, de menace agressive et de menace apeurée. Dans toutes ces expressions les yeux sont largement ouverts, et, suivant le niveau d'agressivité, les sourcils passent du froncement bas à une position haussée. La constante répétition de ces types par un individu placé dans une position hiérarchique incertaine laisse sa marque sur sa face. Des lignes verticales et horizontales se creusent en permanence sur le front, ce qui donne une manifestation extérieure visible d'un état émotionnel prédominant. La physiognomonie fonctionne dans la mesure où il est possible, à la vue d'un tel animal ou d'un tel homme, de prédire qu'il est sans doute plus que normalement agressif.

Chez les grands singes et chez l'homme, un état de plaisir se trouve indiqué par un relâchement des yeux et, à haute intensité, par un gonflement automatique de petites poches à la paupière inférieure. Cette réaction ne saurait être simulée, elle n'apparaît que dans le bonheur authentique et, si elle se produit souvent, laisse la poche dans un état permanent de gonflement partiel. Ce caractère n'a été noté que récemment par les physiologistes et les éthologistes, mais on le trouve bien décrit dans tous les ouvrages de physiognomonie.

Le rapport entre d'autres états intérieurs et l'apparence extérieure est moins évident. Les physiognomonistes assimilent traditionnellement le type endomorphe, à face arrondie, à une personnalité impliquant la bonne humeur et l'adaptabilité ; le visage mésomorphe, à forte structure osseuse et musculaire, passe pour indiquer un caractère énergique et puissant ; quant au mince visage en forme de poire de l'ectomorphe, il est censé manifester de l'imagination et de la sensibilité. En gros, la plupart des psychologues sont d'accord avec ces caractéristiques tant qu'elles ne s'appliquent qu'aux exemples extrêmes des trois types, mais il s'agit là d'une généralisation de peu de valeur véritable. Un autre critère souvent utilisé est la position de l'oreille : plus elle est située en arrière contre la tête, plus important serait l'intellect. Embryonnairement, la position est déterminée par celle du nerf auditif, qui se trouve parfois déplacé si la région corticale du cerveau est bien développée — aussi peut-il y avoir quelque chose de vrai dans cette croyance. L'idée non prouvée qu'un nez fort et crochu constitue le signe d'un chef doit avoir pour origine l'époque romaine, où commandaient effectivement des gens dotés de nez pareils : pourtant, il serait vain de chercher un nez de cette forme parmi les très capables chefs asiatiques et africains des temps présents. Bien d'autres caractères physiognomoniques, tels que les cheveux roux, les yeux bruns et les lèvres épaisses, sont pareillement associés à des stéréotypes raciaux et ne signifient rien. Les oiseaux de proie tuent pour vivre ; aussi associons-nous les becs crochus à un comportement violent et agressif et l'opposons-nous au stéréotype de la douce colombe au tendre bec. Rien ne saurait être plus éloigné de la vérité. La vie sociale de la plupart des oiseaux de proie est tranquille et rangée, alors qu'il y a peu de choses plus sanglantes et destructrices que la bataille entre colombes mâles rivales. Dans notre estimation du caractère et du comportement humains, nous avons tendance à commettre le même genre d'erreur.

Les petits points forts de la physiognomonie résident en partie dans la physiologie, en partie dans le comportement. Il y a des états morbides, comme l'hyperthyroïdie, qui provoquent un excès d'hormone thyroïdienne et produisent de l'hyperactivité et de l'excitabilité — et l'un des symptômes classiques de ce trouble, ce sont les yeux saillants. Il y a des caractères externes qui peuvent s'acquérir par la constante répétition d'un acte musculaire en liaison directe avec un état mental particulier. Ces corrélations doivent être statistiquement significatives, en ce qu'un grand nombre de gens qui présentent une certaine apparence se comporteront aussi de façon prévisible ; toutefois, les comparaisons devraient être faites avec prudence.

La physiognomonie a eu plusieurs rejetons — l'un des plus fantaisistes étant l'interprétation des grains de beauté sur le corps, la théorie voulant que la forme et la couleur du grain de beauté, ainsi que sa position, constituent des indications du caractère. Ces marques sur la peau sont fréquemment congénitales et héréditaires, apparaissant souvent à la même place exactement sur un enfant que chez l'un de ses parents ; aussi leur position n'est-elle pas déterminée par le hasard ; pourtant, rien ne vient confirmer l'idée qu'un grain de beauté à la cheville indique « une nature craintive », ou qu'un autre à l'oreille apportera « des richesses tout à fait inespérées ».

Une si large part de notre caractère est déterminée par l'éducation et l'expérience que tout système d'interprétation qui s'appuie sur des traits physiques permanents a des chances d'être inexact. Les gens se transforment, et les modifications transitoires constituent des indices beaucoup plus sûrs de l'humeur puisque les meilleurs signaux sont ceux qui, comme la lumière clignotante, produisent un changement brusque et spectaculaire. Rougir en est un. En soi, il s'agit d'un rougissement de la peau provoqué par dilatation des vaisseaux sanguins ; c'est chez les femmes jeunes qu'il est le plus commun ; cependant, il peut se produire chez tous les humains quel que soit leur sexe ou leur couleur, et peut presque être considéré comme un caractère biologique de notre espèce. Les documents nous apprennent que les filles qui rougissaient facilement atteignaient les prix les plus élevés dans les anciens marchés d'esclaves, ce qui suggère que le signal implique des facteurs de sexualité et de soumission. Desmond Morris émet l'hypothèse qu'il s'agit d'une invitation puissante à l'intimité. En tant que tel, il a probablement la même fonction que le plumage nuptial chez nombre d'oiseaux mâles, qui n'apparaît qu'à certaines époques et, lorsqu'il se manifeste, indique le désir et l'intention de se reproduire.

Tout compte fait, il semble qu'il y ait des limites à ce que l'on peut apprendre sur l'état mental d'un individu d'après la seule observation des signes externes de l'esprit. Un appareillage sensible, tel que les électro-encéphalographes et les détecteurs de champ vital, fournit une vision plus précise des parties externes des processus internes ; toutefois, même ceux-là ne mesurent que les franges du phénomène. Pour véritablement mesurer les potentialités du cerveau, il est nécessaire d'apprendre de nouvelles techniques de maîtrise de soi-même et de contact avec autrui. Quelques-unes de ces clés de la Surnature ont déjà été découvertes.

CHAPITRE SEPT

Transcendance

PRENEZ UN CRAPAUD. Tenez-le à plat entre les paumes de vos mains ; retournez-le sur le dos et maintenez-le ainsi quelques instants. Maintenant, retirez avec circonspection votre main du dessus, et le crapaud restera couché là, tout à fait immobile, ses pattes palmées en l'air.

Cet « experimentum mirabile » fut démontré en 1656 par un prêtre jésuite à titre d'exemple de la domination de l'homme sur le monde animal, bien qu'il illustre en fait un principe beaucoup plus fondamental : la domination par le cerveau du reste du corps. Nombre d'espèces réagissent de la même façon. Une écrevisse que l'on fait se tenir sur la tête, les pinces à terre et la queue dressée en l'air, demeure en cette position de supplication jusqu'à ce qu'on la dérange. De même, un lièvre maintenu serré la tête en bas adopte une malléabilité de cire et ses membres peuvent être disposés dans n'importe quelle posture bizarre. Le charmeur de serpents, saisissant le cobra par la nuque, le réduit à une immobilité immédiate et parfois rigide, donnant à penser que Moïse fut peut-être un meilleur biologiste que nous ne le croyons. Beaucoup de zoos mettent à profit ce principe d'immobilisation pour faire tenir tranquilles de petits mammifères et des oiseaux durant leur pesée. Dans tous les cas, la constriction paraît jouer un rôle important dans le déclenchement de la réaction, ce qui peut expliquer l'immobilité relative des bébés étroitement enveloppés dans leurs langes.

L'immobilité soudaine peut être provoquée par un haut degré de frayeur. Le psychiatre suisse Greppin parle d'une campagne pour éliminer les moineaux des jardins de son hôpital, campagne qui au bout de dix semaines se termina en attaques de paralysie massives, les oiseaux tombant comme des pierres dans les buissons, puis se figeant en des postures rigides aussitôt qu'ils voyaient un homme avec un fusil (128). Voilà qui ressemble de façon remarquable à l'état catatonique que la frayeur est capable de produire chez l'homme. L'explorateur David Livingstone fut un jour attaqué par un lion à Mabotsa, en Afrique du Sud, et décrivit sa réaction au moment où il fut saisi par l'épaule et griffé : « Le choc me produisit une stupeur pareille à celle qui semble être éprouvée par une souris après le premier assaut du chat. Cela provoqua un genre d'état de rêve où n'entraient aucune sensation de douleur, aucun sentiment de terreur, malgré une parfaite conscience de tout ce qui se passait. Cela ressemblait à ce que décrivent les patients sous l'influence partielle du chloroforme, qui voient toute l'opération mais ne sentent pas le bistouri. Ce singulier état n'était le résultat d'aucun processus mental. La secousse annihilait la frayeur et n'autorisait aucun sentiment d'horreur à l'aspect de la bête (201). » Quand le lion lâcha prise un instant, Livingstone recouvra ses esprits et parvint à s'enfuir.

On ne saurait guère douter qu'en certaines circonstances l'immobilité ne possède une haute valeur de survie. Bien des animaux échappent justement de cette manière aux prédateurs. Certains, comme le butor *Botaurus stellaris,* accroissent l'effet de la disposition en feuillage de leurs plumes en adoptant une pose allongée et en se balançant à l'unisson avec les roseaux qui les entourent. Lorsqu'un prédateur s'approche trop, ils s'enfuient à tire-d'aile, mais d'autres, comme le phasme, se fient si complètement à leur immobilité qu'ils peuvent être démembrés avant de faire un mouvement. Certains vertébrés utilisent le même genre de catatonie autoprovoquée en cas d'urgence.

Le crapaud camerounais *Bufo superciliaris* et le serpent à groin de cochon *Heterodon platyrhinos* imitent l'un et l'autre la mort, se retournant et se couchant sur le dos, langue pendante, lorsqu'ils sont menacés. Mais chez eux le mécanisme n'est pas encore parfaitement développé car ils commettent la comique erreur quand on les redresse ou les déplace de se remettre aussitôt sens dessus dessous. Le simulateur de mort le plus accompli de tous est à coup sûr l'opossum d'Amérique *Didelphis virginiana,* lequel agit selon un merveilleux processus d'actes stéréotypés. Dans le sommeil normal, il garde la bouche et les yeux fermés, ses pieds cachés ; mais en cas d'attaque, il s'effondre les yeux ouverts, couché sur le flanc, pieds visibles, griffes étreignant le sol. Le fait que l'animal est toujours pleinement éveillé a été démontré par des tests prouvant qu'il réagit à des bruits violents en tressaillant des oreilles et en retroussant les babines quand on le stimule. Il n'existe aucune différence dans la température corporelle, la consommation d'oxygène ou la chimie sanguine et les enregistrements d'EEG montrent des ondes cérébrales identiques à celles d'un animal normal, très vigilant (107). « Jouer à l'opossum * » apparaît en tant que type de comportement complet, chez les jeunes animaux isolés, à l'âge de cent vingt jours, c'est-à-dire lorsqu'ils seraient normalement sevrés et commenceraient à aller rôder tout seuls (230). Ainsi, cette espèce a-t-elle développé une manière instinctive et stéréotypée de faire face à l'attaque, manière qui ne fait qu'imiter la paralysie automatique à quoi d'autres espèces doivent recourir afin d'éviter la mort. Chez toutes ces espèces, l'immobilité répond manifestement à son but en inhibant d'autres attaques de la part du prédateur, et leur donnant peut-être une chance de s'échapper ensuite relativement indemnes.

L'immobilisation peut aussi être provoquée par la désorientation (122). Au zoo de Fribourg, on a construit un appareil mécanique afin d'ajouter aux effets de la constriction. L'animal est étroitement attaché à l'intérieur d'un couvercle de boîte, les pieds touchant juste le sol ; on fait alors tourner le couvercle autour d'un pivot pour soulever rapidement le captif et le mettre sur le dos, où il demeure étendu sans se débattre. Le grand naturaliste français Fabre signala que l'on pouvait immobiliser la plupart des oiseaux simplement en les balançant d'arrière en avant, ou bien en leur fourrant la tête sous l'aile (305). Le degré de maîtrise varie avec celui de la désorientation. Les faucons ne sont point paralysés mais certainement rendus plus dociles par le capuchon, et les œillères ont la même fonction chez le cheval.

Certains oiseaux ne réagissent pas au seul fait d'être maintenus ou désorientés, mais requièrent un genre différent de stimulus. On peut les traiter comme des crapauds et les poser à plat sur le sol, le col étendu devant eux ; néanmoins, pour les faire efficacement se « congeler », il est nécessaire en général de dessiner un motif en sable, fait de longues lignes régulières, rayonnant à partir du bec. Une fois lâchés dans cette position, ils restent couchés là, les yeux fixés sur les lignes, jusqu'à ce qu'ils se remettent peu à peu, ou qu'un coup de vent les relève et les envoie prendre leur essor. Cette concentration sur un motif rythmique paraît constituer la base des techniques de « fascination » utilisées par certains reptiles. Beaucoup de zoologistes se gaussent de l'idée des serpents immobilisant leur proie par des manifestations visuelles ; cela se produit pourtant (145). Le serpent arboricole d'Afrique *Theletornis kirtlandii* possède une langue rouge vif

---

* *Playing possum* : expression américaine signifiant « se tenir coi », « éviter de se faire remarquer ».

à l'extrémité noire et fourchue qui fait saillie de plusieurs centimètres hors de la bouche de l'animal, effectuant d'extraordinaires mouvements rythmiques. Ces derniers non seulement attirent l'intérêt des petits oiseaux, mais paraissent les plonger dans un état de stupeur qui fait d'eux une proie facile. A Madagascar, deux espèces de serpents *Langaha* font de même avec une lamelle nasale et une crête au sommet de la tête, et à Ceylan la vipère à fossette *Ancistrodon hypnale* se sert de l'extrémité de sa queue afin de fasciner la proie qui passe. Ce qu'il y a de plus extraordinaire dans toutes ces manifestations, c'est que les organes utilisés par les serpents se meuvent tous de la même façon, au rythme régulier de trois battements par seconde. On sait peu de chose sur les ondes cérébrales des oiseaux et des petits mammifères, mais il pourrait s'agir de la fréquence équivalant pour eux aux ondes alpha qui se produisent dans nos cerveaux durant la méditation détendue. Les vibrations de six ou sept cycles par seconde nous rendent irritables, mais nous trouvons apaisantes celles de dix. Il s'agit là d'exemples d'immobilisation provoquée à travers la frontière entre espèces ; toutefois, il existe un exemple au moins de l'emploi mutuel de la technique par des membres de la même espèce. Chez certaines araignées, il y a une si énorme différence de taille entre les sexes que le mâle court le risque d'être pris à tort pour une proie, attaqué et dévoré par sa compagne ; aussi ne l'approche-t-il que sous la protection de rassurants signaux de sémaphore exercés par un mouvement rythmique soutenu de ses palpes.

L'immobilisation peut donc être provoquée par constriction, désorientation, frayeur, type fixe de comportement, ou stimulation rythmique. Chez l'homme, toutes ces techniques ont été employées ; mais en 1843, le médecin écossais James Braid a démontré qu'un état de transe pouvait aussi être provoqué par suggestion, et il appela le procédé hypnose, du mot grec signifiant sommeil (37).

HYPNOSE

Le processus d'hypnose animale a été nommé catatonie, catalepsie, thanatose, akinésie et inhibition de l'activité ; chez l'homme, on l'a connu sous le nom de mesmérisme, magnétisme animal, somnambulisme, rêverie et sommeil druidique. En aucun des deux cas on n'a la moindre preuve que l'hypnose ait rien à voir avec le sommeil normal ; il n'en existe pas moins un large désaccord quant à sa nature exacte.

7

Léon Chertok, directeur de l'Institut de psychiatrie de Paris, croit qu'il s'agit d'un quatrième état de l'organisme, que l'on peut ajouter à la veille, au sommeil et au rêve (72). Il est certain que l'hypnose diffère à plusieurs égards de chacun de ces trois états d'existence, mais la difficulté, c'est que, bien que l'hypnose soit tenue pour un état authentique, nul encore n'est parvenu à en donner une définition satisfaisante. Ivan Pavlov, le célèbre psychologue soviétique, estimait qu'il s'agissait d'un mécanisme de défense, similaire à maints égards au sommeil (241). Il le provoquait chez des chiens en retardant longtemps la présentation de nourriture après qu'eut résonné le signal que ces animaux en étaient venus à associer avec la nourriture. L'attente tendue des chiens menait souvent à des états catatoniques si profonds qu'ils ne pouvaient bouger même quand on finissait par leur apporter leur nourriture. Un médecin uruguayen, Anatol Milechnin, utilise cet indice, entre autres, pour appuyer sa théorie que l'hypnose représente une réaction affective qu'il est possible de provoquer soit par des techniques de choc, comme un brusque coup de feu, soit par des stimuli tranquillisants comme la caresse ou le chant doux (211). Le psychiatre britannique Stephen Black combine ces deux idées en la notion que l'hypnose pourrait constituer un réflexe conditionné tout au début de la vie (26). Il émet l'hypothèse que durant le développement dans l'œuf ou l'utérus, l'animal étant physiquement à l'étroit, il doit rester relativement immobile, et que dans la vie ultérieure l'immobilité forcée provoque un retour à cet état d'inaction. Il est certes vrai que la plupart des animaux, plongés dans un état de transe ou feignant la mort, adoptent effectivement une posture fœtale. Cette théorie pourrait expliquer aussi pourquoi les stimuli rythmiques provoquent l'hypnose. Le bruit et la sensation qui dominent d'un bout à l'autre la vie embryonnaire, c'est le battement rythmique continu du cœur maternel, et après la naissance, ce qui calme le plus facilement l'enfant, c'est ou bien d'être serré contre le sein gauche de sa mère, où il peut entendre le cœur, ou bien un métronome ou un berceau qui se balance à soixante-douze cycles par minute : le même rythme que le pouls (218). L'effet hypnotique de la musique à cadence marquée et l'état de transe de certains danseurs peut s'expliquer de la même façon.

Dans ce climat d'incertitude, le meilleur moyen d'examiner l'hypnose est de considérer le peu que l'on connaît sur la physiologie de cet état. Des états de type hypnoïde apparaissent chez des gens qui sont manifestement éveillés. Une personne perdue dans ses pensées peut lire page après page d'un livre sans y rien comprendre, écouter toute une conversation sans en rien entendre ; un boxeur blessé peut terminer son round sans la moindre conscience de l'avoir fait. Ce rétrécissement de l'attention est très caractéristique de l'état hypnotique. Le sommeil et le rêve peuvent tous deux être différenciés de la veille par les différences des graphiques apparaissant sur un EEG ; mais les ondes cérébrales d'une personne hypnotisée sont identiques à celles de l'état de veille (81). Un sujet relié à un électro-encéphalographe montre, au repos les yeux fermés, exactement le même type d'ondes que lorsqu'un instant plus tard on l'hypnotise au moyen d'un mot convenu (93). Il semble qu'il n'y ait aucun changement non plus dans le potentiel cortical, le rythme du pouls, la résistance cutanée ou les potentiels électriques palmaires (187). Il existe une légère élévation de la température corporelle, provoquée par vaso-dilatation durant l'état de transe, et il semble qu'il y ait de légères modifications dans le voltage du champ vital (265). Toutefois, ces deux mensurations sont très délicates, et des modifications de ce genre peuvent aussi être enregistrées en tant que réponse à des réactions purement affectives, ce qui nous laisse donc sans aucune manifestation physiologique connue permettant de conclure à l'hypnose.

La seule façon de pouvoir déterminer si quelqu'un est hypnotisé, c'est ou bien s'il réagit à des suggestions expérimentales, ou bien s'il déclare ensuite qu'il est effectivement entré dans un état hypnotique. C'est évidemment fort peu satisfaisant, et cela laisse supposer qu'une large part du phénomène hypnotique est autodéterminé, comme le comportement adopté par un opposum effrayé. Seymour Fisher, dans une expérience ingénieuse, suggéra à des sujets profondément hypnotisés que chaque fois qu'ils entendraient le mot « psychologie » ils se grattent l'oreille droite (101). Après les avoir éveillés, il mit la suggestion à l'épreuve en utilisant le mot, et tous se grattèrent l'oreille avec obéissance. A ce moment, l'un des collègues de Fisher entra dans la salle et ils eurent une conversation convenue d'avance sur des sujets quotidiens où en apparence tout à fait par hasard le mot « psychologie » revenait plusieurs fois ; pourtant, les sujets n'y réagirent pas. Au bout de quelques minutes de conversation, le collègue ressortit ; Fisher revint à son cours et la prochaine fois qu'il employa le mot clé, tous eurent de nouveau la réaction suggérée. On dirait que certaines suggestions hypnotiques ne fonctionnent que parce que les sujets font ce qu'ils croient que l'on attend d'eux. Quand l'expérience eut l'air abandonnée au cours de la conversation fortuite, la suggestion cessa de la même façon.

Des résultats similaires ont été obtenus au cours d'une expérience sur la douleur où tous les sujets reçurent exactement le même stimulus, mais manifestèrent dans leur réponse une différence marquée (195). Ceux qui étaient le plus payés pour prendre part à l'expérience souffraient aussi la plus grande intensité de douleur, apparemment parce qu'ils avaient le sentiment qu'il était de leur devoir de souffrir davantage. On a quelque raison de croire que l'hypnose est gouvernée ainsi par des impératifs psychologiques ; néanmoins, quelle que soit la cause de l'état hypnotique, il n'existe pas le moindre doute quant à ses effets.

L'une des caractéristiques de la douleur est qu'elle provoque un accroissement de la pression sanguine. A l'université de Stanford, on compara les réactions de sujets hypnotisés, auxquels on avait déclaré qu'ils ne ressentiraient pas de douleur, avec celles de sujets non hypnotisés, à qui on avait demandé de faire semblant de ne ressentir aucune douleur (149). Les observateurs ne pouvaient distinguer la différence entre les deux groupes par leurs réactions ; par contre, la pression sanguine de tous ceux qui ressentaient de la douleur s'éleva, tandis que celle des sujets hypnotisés demeurait fixe. L'hypnotisme semble être un véritable analgésique : on l'utilise aujourd'hui comme seul anesthésique dans l'accouchement, les travaux dentaires et certains cas de grande chirurgie. Un anesthésique chimique opère en bloquant les impulsions nerveuses douloureuses avant qu'elles n'atteignent le cerveau, mais apparemment l'hypnose agit en obtenant du cerveau qu'il ne tienne pas compte de celles-ci (314). Dans plusieurs rapports chirurgicaux sur l'hypno-anesthésie, les patients ne manifestèrent ouvertement aucun signe de douleur ; toutefois, leur pouls et leur pression sanguine fluctuèrent de façon considérable au cours des opérations. Ils ressentaient quelque chose. On dirait que l'esprit, sous l'influence de la suggestion, exerce un considérable pouvoir sur le corps. Une part de l'explication pourrait être que bien des réactions à la douleur sont provoquées par l'anxiété et que s'il n'existe aucune inquiétude quant à la source de la douleur, nous pouvons tolérer des quantités surprenantes de malaise. Des blessures qui seraient ordinairement douloureuses échappent souvent tout à fait à la conscience dans des circonstances importantes où notre attention est fixée ailleurs. Après coup, nous remarquons la meurtrissure et nous demandons d'où elle provient.

Il semble qu'il n'existe presque aucune limite à ce que nous pouvons faire faire à notre corps si nous y appliquons notre esprit. A des sujets sous hypnose, Stephen Black donna la suggestion précise qu'ils seraient dans l'incapacité d'entendre un son d'une fréquence de 575 cycles par seconde ; or, dans le test qui suivit, ils ne manifestèrent aucune réaction physiologique de tressaillement lorsque le son fut soudain

émis très fort. Ils ne purent pas non plus sentir la vibration d'un diapason de la même fréquence placé contre l'os de leur cheville (28).
On a fait plusieurs tentatives pour provoquer par suggestion la cécité
aux couleurs ou même la cécité complète, et chez un sujet on constata
que le cerveau ne réagissait plus normalement à une lumière vive (202).
Il s'agit là d'un genre d'hallucination négative — ne pas voir quelque
chose qui se trouve présent —, mais l'hallucination positive de couleurs brillantes s'est aussi produite, y compris les images résiduelles
dans les couleurs complémentaires habituelles (97).

De toutes les maladies de pau, ce sont les verrues que paraissent
le plus étroitement associées à des facteurs psychologiques. Les « char-
meurs » de verrues exercent leur métier, avec succès semble-t-il, dans
la plupart des pays du monde ; il n'est donc pas surprenant de constater que l'hypnose fonctionne aussi bien. Au cours d'une expérience
bien contrôlée, quatorze sujets affligés sur tout le corps de verrues
tenaces reçurent la suggestion que celles d'un seul côté du corps allaient
disparaître (305). Elles le firent en cinq semaines. Les allergies ont
l'air pareillement sensibles à la suggestion. Une expérience élégante
a été faite au Japon sur des sujets aux yeux bandés qu'on savait
tous allergiques à un certain arbre (159). Quand on leur posa sur
le bras gauche des feuilles de châtaignier en leur disant qu'elles pro-
venaient de l'arbre à l'allergie, ils eurent tous la dermite habituelle ;
mais quand les feuilles véritables furent posées sur leur bras droit,
et déclarées inoffensives, aucune réaction n'eut lieu. Toute réaction
d'allergie est provoquée par une substance étrangère, telle que du pollen, qui pénètre dans le corps et se combine avec une protéine afin
de former un anticorps spécifique, lequel produit parfois des effets
secondaires fâcheux, ou réactions d'allergie. Il s'agit d'une réaction
biochimique assez directe, qui n'a rien à voir en apparence avec le
cerveau ; cependant, on dispose actuellement d'une quantité d'indices
montrant de façon certaine que tout le processus est gouverné par des
facteurs mentaux. Le test classique pour déceler la tuberculose, une
infection bactérienne, est la cuti-réaction de Mantoux, qui produit sur
la peau des marques rouges d'allergie si le patient a dans le sang des
anticorps de tuberculose ; on a démontré cependant qu'une suggestion
hypnotique de non-réaction pouvait produire une réaction négative
au test, même chez une personne atteinte de tuberculose (27). Voilà
qui prouve bien l'influence des états émotifs sur la maladie de langueur
de longue date associée à la dépression et aux amoureux non payés
de retour, « errant pâles et solitaires ».

D'autres mécanismes physiologiques sont également accessibles à la suggestion (26). En profonde hypnose, même le réflexe tendineux qui fait sauter la jambe frappée au genou peut être éliminé (13). Le cœur peut être accéléré ou ralenti et la quantité de sang circulant dans n'importe quel membre accrue (298). Les myopes peuvent être amenés à modifier la forme de leurs globes oculaires, afin d'améliorer leur vision à distance sur de courtes périodes (173). Et peut-être le plus impressionnant de tout : les contractions de l'estomac dues à la grande faim peuvent être entièrement éliminées sans rien de plus que la suggestion qu'on fait un abondant repas (196).

Beaucoup de ces travaux ont été violemment critiqués, leur adversaire le plus convaincant étant Théodore Barber, qui abomine tout ce qui touche à l'hypnose (14). En certains cas, la critique est justifiée — les effets répertoriés pourraient parfaitement n'avoir pas été provoqués par l'hypnose ; mais la discussion est assez vaine et finit par dissimuler quelque chose de fort important : qu'il soit provoqué par ce que l'on nomme « hypnose » ou par ce que d'autres préfèrent considérer comme de la simple « suggestion », le fait subsiste que toutes ces fonctions corporelles, normalement gouvernées par le système nerveux autonome et sur quoi nous n'avons point de prise consciente, sont accessibles à des influences extérieures. Quel que puisse être le processus, il présente une énorme signification biologique et nous fournit notre premier contact direct avec l'insaisissable inconscient.

AUTOSUGGESTION

> « Je pouvais distinguer nettement sa face impassible et ses yeux largement ouverts qui semblaient contempler fixement un point situé quelque part, haut, dans l'espace vide. Le lama ne courait point. Il paraissait s'enlever de terre à chacun de ses pas et avancer par bonds, comme s'il avait été doué de l'élasticité d'une balle. »
>
> Alexandre David-Neel : *Mystiques et magiciens du Tibet*, Plon, 1929.

Le problème entier de la conscience est plein de chausse-trapes, dont beaucoup sont purement sémantiques et fort éloignées d'une solution satisfaisante ; mais pour nos objectifs, il suffit de déclarer que l'homme a quelque chose que n'a pas l'amibe. Nous possédons une individualité qui paraît fondée sur notre expérience. Le cerveau d'un nouveau-né constitue en effet une page blanche, qui rapidement se couvre des enregistrements des expériences qui ont été utiles à l'enfant.

Au début, l'enfant dépend complètement des autres et son plus urgent besoin consiste donc à obtenir de ceux-ci qu'ils fassent ce qu'il veut. Dès le tout début, il se met à construire un système de communication basé sur l'information qu'il recueille lentement. Elle est emmagasinée en ce qui équivaut à un modèle théorique du monde tel que l'enfant le voit. Notre cerveau continue à bâtir cette structure durant notre vie entière, la modifiant et y ajoutant suivant la nécessité, mais comparant toujours l'apport des événements quotidiens avec l'enregistrement de l'expérience passée d'événements du même ordre. Au plus haut niveau, le cerveau fait appel à l'information emmagasinée afin de prononcer des jugements sur les choses, même en l'absence des stimuli normaux : il est capable de « penser » par lui-même.

Cette faculté constitue en gros ce que l'on entend par conscience. Nous savons que nous la possédons et nous pouvons la reconnaître chez beaucoup d'autres mammifères et oiseaux qui semblent nous répondre ou se répondre entre eux de la même façon. Nous avons des raisons de douter de son existence chez les reptiles, les amphibies et les poissons, et les discussions se succèdent sans arrêt quant à la possibilité de la conscience, peut-être un genre de version collective, chez les insectes sociaux. Peu de gens croient que les vers et les méduses possèdent une conscience et l'on aurait peine à trouver quelqu'un pour croire à celle des éponges ou des algues marines conscientes. Il est très malaisé de savoir où tirer la ligne de démarcation et tout à fait inutile même d'essayer ; la seule chose dont nous ayons besoin, c'est de reconnaître que plus on remonte par la pensée la lignée de l'évolution, plus la possibilité qu'existe une conscience devient improbable. La conscience est un phénomène relativement nouveau et qui trouve son apogée dans les organismes les plus avancés.

Les processus que nous reconnaissons comme conscients sont gouvernés presque entièrement par le système nerveux central — cerveau et moelle épinière — lesquels, eux aussi, constituent des acquisiations relativement neuves. Aussi le reste du réseau nerveux, le système autonome innervant l'intestin, les vaisseaux sanguins et les glandes, doit-il être plus primitif. Ce dernier système gouverne les processus que nous appelons inconscients ; son origine semble remonter fort loin dans l'histoire organique. Remontant jusqu'à un temps qui précédait le développement de toute espèce de système nerveux, le protoplasme primitif doit avoir été confronté à un problème majeur : celui de se maintenir intact dans sa lutte contre la désintégration provenant de l'extérieur. A cet effet, il fallait du moins qu'il fût apte à distinguer le « moi » du « non-moi » ; il fallait qu'il fût apte à reconnaître la matière extérieure et à la rejeter si nécessaire. Les réactions d'immunisation et d'allergie ne font rien d'autre en reconnaissant la forme des substances insalubres et le fait que ces réactions répondent à la suggestion inconsciente pourrait signifier que l'inconscient constitue un processus commun à toute vie, quelque simple qu'elle puisse être.

Voilà qui pourrait mener loin pour expliquer des types de comportement et de réaction qui nous semblent aujourd'hui surnaturels.

La découverte de la forme en double hélice de la molécule d'ADN a mis en vedette l'importance de la forme à un niveau moléculaire. Nous savons maintenant qu'un enzyme dépend presque entièrement de sa forme et que la faculté que possède un organisme de reconnaître un antigène repose uniquement sur la forme du corps étranger (5). Même le sens de l'odorat dépend de la forme : les molécules rondes ont une odeur de camphre, les disques, un parfum de fleurs, et les triangles sentent la menthe poivrée. Ainsi, la faculté de distinguer entre des odeurs en apparence similaires peut-elle probablement s'expliquer de façon très simple par le fait qu'elles possèdent des formes très distinctes, et que les distinguer est quelque chose que même un globule sanguin est à même de faire. Voilà qui fait paraître beaucoup moins bizarres les réactions d'animaux comme les guêpes parasites.

La grande espèce américaine *Megarhyssa lunator* court de haut en bas des troncs d'arbres jusqu'à ce qu'elle ait localisé la larve de sirex cachée à près de huit centimètres au-dessous de l'écorce. Elle y parvient en partie au moyen de cellules « auditives » situées dans chacune de ses pattes et capables de percevoir le bruit de mastication de la larve ; mais la larve observe un silence de mort dès qu'elle entend un mouvement sur l'écorce (143). Ce qui n'empêche pas les guêpes non seulement de localiser la larve avec précision, mais de distinguer à l'odeur, à travers huit centimètres de bois, s'il s'agit bien de la bonne espèce de larve et si quelque autre guêpe a déjà pondu ses œufs sur elle. Cette réaction très complexe à un stimulus infime est rendue possible grâce aux recours à une ancienne et essentiellement simple aptitude à reconnaître la forme.

La faculté qu'ont les saumons de retourner, à travers des milliers de kilomètres d'océan, aux mêmes fleuves et rivières où ils sont éclos, on l'a maintenant démontré, est due à la sensibilité à l'odeur de cette masse d'eau, en tant que distincte de toutes les autres (139). Les anguilles sont capables de reconnaître un dé à coudre d'essence de rose dilué dans un lac d'une superficie de plus de vingt mille kilomètres carrés (317). Les papillons de nuit mâles peuvent détecter la présence d'une femelle de leur espèce jusqu'à près de cinquante kilomètres de distance, grâce à la présence d'une seule molécule de son odeur spécifique dans l'air (186). Ce genre de sensibilité nous est complètement étranger, à nous qui ne possédons qu'un si pauvre odorat ; nous pouvons cependant nous faire une idée des conséquences à partir d'un nouveau nez mécanique inventé par Andrew Dravniek, de Chicago. Ce nez est capable de détecter les traces d'odeur laissées quelques heures auparavant dans une pièce par un cambrioleur et de les comparer à des échantillons provenant de suspects. Les gens liés par le sang ayant des odeurs similaires, ce nez peut également servir à aider l'analyse du groupe sanguin pour prouver la paternité, et comme l'invasion d'organismes pathologiques produit des modifications dans l'équilibre chimique du corps, il peut détecter la maladie longtemps avant que les symptômes ne deviennent apparents (90). La machine accomplit ces fonctions grâce au procédé purement mécanique de comparaison de propriétés chimiques qui dépendent de formes physiques. L'homme qui se sert de la machine doit prendre des décisions fondées sur l'information qu'elle lui donne ; il est l'esprit conscient dirigeant le mécanisme inconscient. Dans ce cas, l'être humain se trouve complété par une machine ; mais il s'agit d'un modèle valable du genre de relation dont nous jouissons avec notre propre inconscient. Nous commençons maintenant seulement à peine à comprendre l'importance de l'influence directe que l'un a sur l'autre.

A l'école de médecine de Harvard, David Shapiro vient d'achever une expérience où il entraîna un certain nombre d'élèves mâles à modifier leur propre pression sanguine (304). Ils étaient reliés à un manomètre sensible et chaque fois que la pression manifestait une chute momentanée, les sujets en étaient récompensés en se voyant montrer un agrandissement de pin-up nue, provenant des pages centrales du magazine *Playboy*. Ils n'avaient aucune idée du sujet de l'expérience ; pourtant, le fait que leur attention consciente se trouvât sollicitée en même temps que se déroulait un processus inconscient forgeait un lien entre les deux et rendait possible aux sujets de gouverner à volonté les fluctuations ordinairement fortuites de la pression sanguine. Dans une autre expérience similaire, on enseigna ce même talent bien utile à des hommes d'affaires dont la pression sanguine était dangereusement élevée (71).

On sait depuis longtemps que les individus doués d'une vive imagination visuelle ont peu de rythmes alpha dans leurs ondes cérébrales, tandis que les non-visualistes, qui préfèrent verbaliser les choses, ont une activité alpha persistante. Ces rythmes caractéristiques sont en partie héréditaires, semble-t-il, mais dépendent aussi de facteurs et d'expériences dus à l'environnement. Les jumeaux identiques débutent dans la vie avec des enregistrements d'EEG identiques ; néanmoins, ces derniers diffèrent plus tard, manifestant des variations caractérielles même légères, qui ne seraient normalement perceptibles qu'à des amis intimes. Chez la plupart des gens, les rythmes alpha apparaissent le mieux quand les yeux sont fermés, que la personne se trouve détendue et ne pense à rien de particulier. S'ils persistent fortement lorsque les yeux sont ouverts, c'est en général un signe de maladie mentale, du genre qui produit l'isolation de la réalité. Une aussi complète dissociation peut se révéler nuisible, mais l'alpha est si détendant qu'il exerce une précieuse fonction biologique et serait utile si nous étions capables de le provoquer à volonté. On est en train de mettre sur le marché, justement à cet effet, une machine peu coûteuse. Cet « alpha-phone » est un instrument simple qui contrôle les ondes cérébrales et, en allumant une ampoule ou déclenchant une sonnerie, fait connaître à l'utilisateur le moment exact où il émet les rythmes alpha. Ce simple renfort agit de la même façon que les nus sur la pression sanguine et au bout de quelques heures d'utilisation, n'importe qui peut apprendre à exercer un contrôle conscient sur l'alpha et à le produire sur demande — un genre de version instantanée des techniques de méditation dont l'apprentissage requiert normalement des années de pratique et d'abnégation.

Au Boston City Hospital, on est en train d'enquêter sur la physiologie de la méditation véritable auprès d'un certain nombre d'adeptes expérimentés des techniques transcendantes du Maharishi Mahesh Yogi. Tous manifestent un accroissement aigu du rythme alpha, une diminution du taux respiratoire, de la consommation d'oxygène, du rythme cardiaque et de la pression sanguine, ainsi qu'une augmentation de la résistance électrique de la peau (22). Il se produit en outre une chute spectaculaire du taux de lactate dans le sang, laquelle persiste quelque temps après la fin de la méditation. Les taux élevés de lactate sont associés au stress ; aussi, l'effet global des modifications autoprovoquées est-il un brusque et significatif relâchement de la tension. Ceux qui pratiquent ces techniques rapportent qu'ils découvrent en elles un substitut efficace et souvent préférable aux expériences provoquées par la drogue.

Au Japon, des travaux d'un grand intérêt ont été faits sur les phénomènes qui se produisent pendant la contemplation Zen (172). Les moines provoquent une cessation des activités sensorielles en demeurant durant de longues périodes assis dans la « position du lotus », les yeux larges ouverts et fixés sur un objet quelconque. Au début, il n'y a pas d'activité alpha ; mais bientôt, les rythmes alpha font leur apparition et deviennent très puissants, se diffusant sur tout le cuir chevelu. Chez les maîtres du Zen, les ondes peuvent persister une demi-heure ou davantage sans modification. Chez les gens ordinaires, il est rare que l'alpha dure plus d'une ou deux minutes (6). Un travail similaire, effectué sur la méditation yogique, montre qu'il existe une activité alpha prolongée ; toutefois, dans l'observation pratiquée d'une secte bengalie, l'alpha s'interrompait quand les adeptes entraient dans l'état d'extase qu'ils appellent « samadhi » (83).

La maîtrise consciente de fonctions involontaires est courante dans le yoga, le Zen et certains cultes d'Afrique. Le rythme du pouls, la respiration, la digestion, la fonction sexuelle, le métabolisme et l'activité rénale, tout cela peut être influencé par la volonté, à volonté. Au bout d'années passées à perfectionner ce qui équivaut à un système de réflexes conditionnés, les praticiens expérimentés peuvent ralentir presque au point zéro les battements du cœur, abaisser la température corporelle à ce qui normalement serait mortel, et réduire la respiration à un simple souffle toutes les quelques minutes. En cet état, l'organisme entier se trouve réduit à une condition similaire à celle d'un animal en hibernation et peut être enterré vivant pendant des jours, sans effets nuisibles (335). Les réflexes qui normalement nous font reculer devant la douleur intense peuvent être écartés de façon que l'on puisse enfoncer des clous à travers les membres et des pointes à travers les joues ou la langue. En même temps, le système nerveux sympathique peut être localement inhibé ou stimulé de façon que l'hémorragie soit empêchée ou favorisée. Les pupilles, qui normalement réagissent à la lumière et à l'émotion, peuvent de même être maîtrisées. Aucun de ces talents n'a quoi que ce soit de surnaturel ; beaucoup d'entre eux ont été objectivement étudiés et imités en laboratoire. Pour parvenir à la maîtrise de ces pratiques il faut du temps et de la pratique ; néanmoins, des physiologistes sont parvenus à réaliser des choses aussi peu vraisemblables que de faire dresser leurs cheveux sur leur tête ou d'obtenir de leur pancréas qu'il sécrète plus que la quantité normale d'insuline.

Certains de ces talents sont cultivés comme un simple moyen de vivre, mais dans nombre de cas ils ne constituent que des sous-produits du processus d'autoréalisation. En des régions du monde où la vie est difficile, ils peuvent aussi remplir des fonctions tout à fait pratiques. L'art du *lung-gom*, au Tibet, donne la faculté de se déplacer à toute vitesse à travers certains des hauts plateaux inhospitaliers, désertiques, de ce pays. L'entraînement consiste à vivre dans l'obscurité et la retraite complètes durant trente-neuf mois d'exercices de respiration profonde. Alexandra David-Neel dit avoir vu en plein vol un moine du monastère de Tsang renommé pour son entraînement à la rapidité : « Je pouvais distinguer nettement son visage impassible, parfaitement calme, et ses yeux larges ouverts au regard fixé sur quelque invisible objet fort éloigné, situé quelque part très haut dans l'espace. L'homme ne courait pas. Il semblait se soulever du sol en procédant par bonds. Il paraissait doté de l'élasticité d'une balle et rebondissait chaque fois que ses pieds touchaient la terre (84). » On dit que l'un de ces marcheurs accomplis couvrit près de cinq cents kilomètres en une trentaine d'heures : entre le lever du Soleil d'un certain jour et le lendemain midi. Cela représente une moyenne d'environ seize kilomètres à l'heure, à travers toutes sortes de terrains, de jour et de nuit. A titre de comparaison, les coureurs de marathon se déplacent à une moyenne d'environ dix-neuf kilomètres à l'heure, mais seulement durant un peu plus de deux heures à la fois, sur de bonnes routes.

Une autre coutume utile tibétaine, c'est le *tumo*. Ce talent vise à combattre le froid et, dans un pays situé presque entièrement à plus de trois mille mètres d'altitude, c'est là un talent très respecté. Les initiés apprennent une série complexe d'exercices de respiration et de méditation et se retirent dans une région éloignée afin de s'entraîner. Chaque jour, ils se baignent dans des cours d'eau glacés et s'asseyent nus dans la neige en pensant à des feux internes. Une fois l'entraînement terminé, une épreuve est organisée par une venteuse nuit d'hiver en enveloppant le disciple dans un drap que l'on a plongé dans la rivière, par un trou dans la glace, et qu'il faut sécher complètement grâce à la seule chaleur corporelle au moins trois fois durant la nuit. Après qualification, l'adepte ne reporte plus jamais rien d'autre qu'un unique vêtement de coton, en toute saison et à n'importe quelle altitude. Plusieurs expéditions à l'Everest ont même rapporté avoir vu des ermites complètement nus qui vivaient très haut dans les neiges éternelles.

L'accent mis par les cultes spirituels et corporels, aussi bien tibétains qu'indiens, sur l'importance de la respiration ne manque pas d'intérêt. Les anciens textes sur le yoga proclament que « la vie est dans le souffle », et que le corps absorbe « la force vitale » ou « prana » à partir de l'air (152). La respiration profonde, bien sûr, provoque l'hyperventilation et peut produire l'hallucination et jusqu'à l'inconscience ; mais ce n'est pas tout. Les biologistes qui travaillent à l'université de la république du Kazakhstan sur le procédé Kirlian ont découvert que les flamboiements de la peau brillent d'un plus vif éclat quand les poumons du sujet sont remplis d'oxygène pur — et l'effet est plus impressionnant encore avec de l'air ionisé (233). Il semble donc qu'un surplus d'électrons provenant de l'oxygène fournisse effectivement un combustible à l'énergie du champ vital.

S'il est possible d'exercer un pouvoir conscient sur des processus inconscients, l'inverse est aussi forcé de se produire et, en fait, il se manifeste dans tous les troubles psychosomatiques qui nous entourent. Au moins la moitié de toutes les maladies du genre humain peuvent être diagnostiquées comme ayant dans l'esprit leur origine. Les guérisseurs traitent toujours toutes les maladies par des cures de magie aussi bien que d'herbes et leur taux de réussite pour les affections de la peau, les désordres de la pression sanguine, l'ulcère gastrique, la naissance des thromboses coronaires et la cécité hystérique est aussi élevé sinon plus que celui des médecins de Harley Street, spécialement formés et magnifiquement équipés. Même les blessures « accidentelles », comme fractures des membres, peuvent être souvent attribuées à des causes psychologiques. Des recherches récentes montrent que les déclarations « c'est arrivé par accident » et « c'est arrivé par hasard » ne sont pas synonymes et que certaines personnes, à certains moments, sont véritablement enclines aux accidents (212). On peut même déceler chez certains individus des traits de caractère, des états psychologiques et même des dispositions physiologiques spéciaux indiquant que le sujet « est à la recherche d'un lieu propice pour l'accident ».

Portée à ses limites, l'autosuggestion peut aller jusqu'à tuer. Chaque année, des milliers de gens meurent uniquement parce qu'ils croient la chose inévitable. Il se peut que la sorcellerie ait des pouvoirs véritablement surnaturels ; pourtant, elle n'en a pas besoin alors que les gens sont capables de s'adresser à eux-mêmes des souhaits de mort efficaces. Il n'est pas même nécessaire de croire de façon consciente aux forces du mal ; l'inconscient peut très bien se débrouiller tout seul. Il y a des descriptions vivantes et pittoresques de personnes par ailleurs raisonnables, à New York et à Londres, qui s'étiolent quand on leur a dit que quelqu'un malmenait une poupée construite à leur image — et de ces mêmes personnes effectuant des guérisons rapides et complètes lorsqu'elles savaient, ou même croyaient, que la poupée avait été détruite (302).

Sorciers et guérisseurs comptent souvent sur des réactions de masse pour faire agir leur magie, du fait que, si un grand nombre de gens sont en cause, le contact social facilite le processus par suggestion mutuelle. Tous les fermiers savent qu'un cochon solitaire ne devient jamais gras et que plusieurs cochons réunis mangent chacun beaucoup plus qu'il ne le ferait seul. Il en va de même pour de nombreux aspects du comportement. La tension affective d'une séance de magie, d'une réunion politique ou d'une assemblée de prédication religieuse ne tarde pas à se communiquer à toutes les personnes présentes et permet à un meneur d'avancer des idées qu'individuellement et dans des conditions normales peu de membres de l'auditoire admettraient. On a beaucoup écrit sur l' « hypnotisme de masse » et la faculté de certaines personnes de provoquer des épidémies de crises nerveuses ou des hallucinations collectives. Bien qu'il soit tout à fait possible d'hypnotiser simultanément un petit groupe de sujets suggestibles sélectionnés avec soin, seule environ une personne sur vingt tombe dans cette catégorie et il n'y a que des chances infimes qu'une foule soit composée entièrement de telles gens. Aussi n'y a-t-il jamais eu de démonstration authentifiée du tour de la corde indienne en public (69). Le fait n'en subsiste pas moins que, dans la frénésie contagieuse qui peut être facilement provoquée dans une foule nombreuse, les barrières de la raison et du libre arbitre conscient sont levées et des idées simples se répandent rapidement et prennent racine où qu'elles tombent. Une activité contagieuse de ce genre est non moins commune chez d'autres espèces. L'adoption d'une posture rituelle par un oiseau dans une colonie dense de mouettes se propage souvent en ondes à travers la région tout entière. Si un seul pingouin sur une plage élève le bec, se roidit en un « comportement d'extase » et lance le cri de ralliement de son espèce, toute la masse fourmillante d'un bout à l'autre de la baie reprend le cri.

Dans un banc, l'espacement de chaque poisson se trouve déterminé par les tourbillons que chaque poisson crée autour de soi dans l'eau et qui sont perçus par les organes sensoriels de la ligne latérale de ses voisins immédiats (39). Que ces organes jouent un rôle dans la communication des intentions est certain, mais la cohésion au sein d'un banc se révèle trop bonne pour qu'il s'agisse là de la seule explication. Cela peut être que tous les groupes dynamiques de ce genre, y compris les vols tournoyants d'étourneaux et les vastes déplacements des lemmings, sont dans un état d'hystérie bénigne qui leur permet de se comporter presque à la façon d'un seul organisme. En un sens, toute communication sociale instinctive est similaire à l'hypnose en ce qu'elle dépend d'une réaction inconsciente à un stimulus particulier. Quand ce procédé de communication s'est établi, le stimulus a dû être répété avec insistance, à la façon des clignotements lumineux ou des instructions renouvelées de l'hypnotiseur, avant que la réaction conforme devînt presque automatique. L'habitude de ce genre de conditionnement pourrait expliquer la prédisposition de tous les animaux aux techniques d'immobilisation, ainsi que la sensibilité de l'homme à l'hypnose et à la suggestion.

Chez l'homme, l'inconscient est devenu beaucoup plus que la région du cerveau qui s'occupe de la vulgaire physiologie domestique. La majeure partie de toute la psychiatrie occidentale repose sur l'existence de l' « inconscient » des freudiens ou de l' « inconscient collectif » de Jung. Après avoir été un simple mécanisme de contrôle occupé à reconnaître les formes, il est devenu un véritable substitut aux processus conscients de pensée, doué de ses propres facultés particulières. Il est prouvé qu'une bonne part de la créativité véritable est fondée sur l'inconscient et que beaucoup d'écrivains, d'artistes et de compositeurs en obtiennent l'accès grâce à une hypnose autoprovoquée. Gœthe dit qu'un grand nombre de ses meilleurs poèmes furent écrits dans un état frisant le somnambulisme. Coleridge est censé avoir composé *Kubla Khan* en dormant et Mozart déclarait que ses inspirations musicales naissaient à la façon de rêves, tout à fait indépendamment de sa volonté. Newton a même recouru, afin de résoudre ses plus épineux problèmes de mathématiques, au sommeil.

RÊVES

Etant donné que toute vie dépend d'une manière ou d'une autre de l'énergie du Soleil, la cadence la plus influente, dans le métabolisme de chaque espèce, est le rythme circadien : l'alternance de lumière et d'obscurité. Au début, quand les formes de vie primitives étaient directement dépendantes non seulement de l'énergie mais aussi de la chaleur du Soleil, l'activité doit avoir été limitée aux heures de lumière. Ce fut certainement vrai pour tous les animaux terrestres, et encore de nos jours la plupart des espèces à sang froid deviennent inactives durant la fraîcheur nocturne, où leur température tombe presque aussi vite que celle de l'air. Oiseaux et mammifères ont acquis par rapport à ce système une indépendance vitale en commandant leur température interne en sorte que beaucoup d'entre eux puissent être actifs dans l'obscurité ; pourtant, même ces espèces émancipées continuent d'observer une pause durant une partie de chaque période de vingt-quatre heures.

Les animaux invertébrés, à la possible exception de la pieuvre et du calmar, semblent simplement devenir inactifs : ils se bornent à cesser de bouger ; mais pour la plupart des animaux à sang chaud le sommeil constitue un processus actif. Niko Tinbergen signale que le sommeil est un véritable type instinctif de comportement car il est précédé par un comportement appétitif ou préliminaire, comme la recherche d'un lieu particulier ou le fait de s'y rendre, et sous-entend l'adoption d'une posture spéciale (321). Certains poissons, tels que la carpe *Cyprinus carpio,* reposent à plat au fond de leur étang après la tombée du jour, et le poisson-lune doré géant *Mola mola* flotte sur le flanc comme un disque énorme à la surface de la mer. Ils semblent dormir et peuvent même être capturés si on les approche avec précaution. Les oiseaux dorment véritablement, la plupart les yeux fermés, la tête fourrée sous une aile. Ceux qui dorment sur des perchoirs ne peuvent se permettre une détente complète et ceux qui dorment sur l'eau font souvent des mouvements continus de pagaie avec une patte, de manière à ne pas dériver à terre à portée des prédateurs. Les mammifères aquatiques ont dû se doter du même genre de réflexe, se laissant flotter de temps en temps à la surface afin de respirer. Il semble que les dauphins dorment avec d'abord un œil ouvert, puis l'autre, en changeant toutes les quelques heures. Les vaches et beaucoup d'autres ruminants dorment les deux yeux larges ouverts et continuent de ruminer inconsciemment. La disposition particulière de leur appareil digestif repose sur la gravité ; aussi doivent-ils garder en outre la tête dressée. Même des animaux tels que les éléphants et les girafes, qui passent traditionnellement pour ne jamais dormir, le font en réalité, souvent même étendus à plat sur le sol pour ce faire.

Le sommeil est donc largement répandu chez les animaux supérieurs, dont beaucoup y passent le tiers de leur existence ; toutefois, malgré sa prédominance, nous connaissons encore très peu de chose du processus. Chez l'homme, nous pouvons le décrire assez exactement comme un état où les paupières se ferment, où les pupilles deviennent très petites, où les sécrétions de suc digestif, d'urine et de salive tombent toutes de manière aiguë, où le flux d'air au sein des poumons diminue, où le cœur se ralentit, où les ondes cérébrales se modifient avec perte de conscience. Tandis que nous nous endormons, les ondes alpha disparaissent par degrés à mesure que le rythme se ralentit jusqu'aux longues et calmes ondes delta, d'un à trois cycles par seconde, caractéristiques du profond sommeil. De brefs jaillissements d'ondes plus rapides, ou « fuseaux », se mêlent en général aux ondes plus lentes.

Toutes ces dispositions peuvent être provoquées artificiellement par stimulation électrique de certaines régions du cerveau ; dans une expérience, un choc à la partie supérieure du tronc cérébral amena un chat à faire sa toilette, à se mettre en boule et à s'installer pour dormir (148). Cependant, la plupart des indices montrent le fait qu'il y a dans le cerveau des régions d' « éveil », et que c'est quand ces dernières cessent d'être stimulées que nous avons sommeil. La région principalement responsable de notre maintien en état de veille est la formation réticulée, un genre de chef de gouvernement situé à la base du cerveau pour activer tout le système nerveux central. Certains anesthésiques chimiques inhibent cette zone et provoquent le sommeil aussi longtemps que dure l'effet de la drogue ; mais toute interférence mécanique avec le système réticulé d'activation abolit complètement l'état de veille, entraînant le coma prolongé puis la mort. La conscience est perdue au cours du sommeil, mais ne revient pas toujours avec le réveil (108). Des animaux dont le cortex entier du cerveau a été enlevé continuent à dormir, à se réveiller, à se mouvoir ici et là, mangeant et excrétant ; néanmoins, sans la vitale matière grise ils ne peuvent jamais apprendre ni manifester aucune des perceptions de la véritable conscience. Les somnambules sont moins endormis qu'inconscients. Ils vont et viennent les yeux ouverts, exécutant des actions très complexes avant de finir par se recoucher, mais le lendemain matin ne se rappellent rien de tout cela. Il est fort possible que les redoutés « zombis » des Caraïbes, qui passent pour être sortis du tombeau, soient des gens aux régions corticales congénitalement ou bien accidentellement endommagées, ou des gens dont le cerveau a été affecté par des drogues de telle sorte qu'ils ont l'air de morts qui marchent : éveillés mais toujours inconscients.

Il est très malaisé de maintenir une personne normale éveillée au cours de périodes prolongées ; beaucoup d'expériences n'en ont pas moins été faites pour étudier l'effet de la privation de sommeil. Après plusieurs jours sans dormir, la saisie manuelle demeure aussi forte que jamais, aussi l'action musculaire n'a-t-elle pas été lésée ? Les sujets peuvent résoudre encore de complexes problèmes d'arithmétique, aussi les activités conscientes du cerveau n'ont-elles pas été affectées ; les sujets peuvent réagir encore immédiatement à un jet de lumière en appuyant sur un bouton de sonnerie, aussi le temps de réaction n'est-il apparemment pas prolongé. Pourtant, les personnes privées de sommeil ne peuvent soutenir de longues périodes de concentration ; elles commettent nombre d'erreurs et doivent revenir sans cesse en arrière afin de les corriger (341). Après de plus longues périodes sans sommeil, ces peites chutes dans une inconscience momentanée se développent jusqu'à ce que les sujets commencent à voir des choses qui n'existent pas : ils se mettent à rêver les yeux grands ouverts.

Le rêve proprement dit se produit durant le sommeil, bien qu'il ne soit pas une simple partie du sommeil ordinaire. Plusieurs fois pendant la nuit, le sommeil orthodoxe alterne avec des périodes d'un genre de sommeil fort différent, presque paradoxal. C'est au cours de ces moments-là qu'ont lieu les rêves. Dans le sommeil orthodoxe, le cerveau émet de grandes ondes lentes de rythme delta, les yeux sont immobiles et le cœur bat de façon régulière ; toutefois, certains des muscles, en particulier ceux de la gorge, restent contractés. Dans le sommeil paradoxal, le cerveau émet des ondes plus rapides, presque pareilles à celles de l'état de veille, les yeux se meuvent rapidement d'arrière en avant, et les battements du cœur se font irréguliers ; pourtant, malgré tout ce déploiement d'activité mentale, les muscles du corps, y compris ceux de la gorge, sont plus détendus et le dormeur est beaucoup plus difficile à réveiller (235). Le relâchement des muscles atteint presque à la paralysie, au point d'éliminer les tressaillements réflexes ; aussi les cauchemars où nous luttons pour nous échapper mais sommes dans l'incapacité de bouger sont-ils un reflet exact de notre condition physique.

Quand nous nous endormons le soir, la plupart d'entre nous commençons par la variété orthodoxe et ne passons au sommeil paradoxal qu'au bout d'environ deux heures. Si un expérimentateur contrôle un sujet de façon constante et le réveille à chaque fois qu'il commence à exécuter de rapides mouvements oculaires, il se constitue un état de privation et le sujet tend à commencer d'emblée par le sommeil paradoxal, comme s'il était résolu à compenser le déficit. Il semble que les deux genres de sommeil soient d'importance égale, mais pour des raisons différentes.

Nous avons tendance à considérer les corps comme des structures d'une permanence relative ; pourtant, les cellules individuelles ont une existence très courte et sont continuellement remplacées, non seulement sur la peau et à la paroi interne des intestins, où elles sont emportées par friction, mais jusque dans les os. Des amis ont beau vous paraître inchangés après de longues absences, s'il s'est écoulé plusieurs années il n'y aura pas une seule cellule présente qui se trouvait là lors de votre dernière rencontre. La régénération, le remplacement dépendent de la synthèse de nouvelles protéines, synthèse dont la majeure partie semble avoir lieu durant le sommeil. Dans le sommeil orthodoxe, il semble que ce soient les tissus corporels les plus affectés ; après d'épuisantes journées d'athlétisme, les sujets passent plus que le temps habituel en sommeil orthodoxe. Les hormones de croissance humaines sont fabriquées durant ce temps-là et le taux de la division cellulaire augmente peu après que l'on s'est endormi. Les tissus du cerveau diffèrent de ceux du reste du corps en ce qu'ils cessent de se développer à partir d'un certain âge et se concentrent principalement sur la réparation et la conservation. La majeure partie du développement cérébral se produit pendant les deux mois qui précèdent immédiatement la naissance et le mois qui la suit. Durant ce temps, le cortex de matière grise est créé et non seulement le bébé dort deux fois plus longtemps par jour que l'adulte normal, mais passe en outre proportionnellement deux fois plus de temps en sommeil paradoxal. Il semble qu'alors que le corps se trouve réparé dans le sommeil orthodoxe, ce soit pendant les autres périodes, où plus de sang afflue à la tête et où plus de chaleur s'y trouve produite, que le cerveau reçoive ces soins.

Dès qu'on eut découvert que les rapides mouvements oculaires du sommeil paradoxal étaient signe de rêve, l'idée naquit qu'il pouvait exister une correspondance entre eux et les mouvements corporels, d'une part, et le contenu du rêve, d'autre part (234). Les rêves actifs semblent provoquer plus de mouvement ; toutefois, il est peu vraisemblable que les yeux remuent en réalité pour contempler les images du rêve, étant donné que des aveugles de naissance manifestent exactement le même comportement dans leurs songes. Les enregistrements du rythme cardiaque et respiratoire, de la température corporelle, du pouls et du potentiel cutané montrent qu'ils varient en raison directe du contenu affectif du rêve ; il s'agit donc néanmoins d'une expérience très réelle.

L'analyse du contenu des rêves montre qu'ils ne forment pas nécessairement une histoire continue, s'écoulant en épisodes à travers toute la nuit ; ils n'en ont pas moins tendance à partir d'un sujet lié aux expériences de la veille avant de passer à des périodes antérieures de la vie. Ce phénomène a donné naissance à la théorie d'après quoi les rêves aident le sujet à assimiler les événements de la journée en en passant en revue quelques-uns et en les comparant avec l'expérience antérieure avant de classer le tout dans les banques de la mémoire. Cela concorde avec l'accumulation de la dette onirique, vraisemblablement à cause de la pression de l'expérience non triée qui s'amoncelle au sein du cortex. Il se produit de fait une forte activité électrique, pendant le sommeil paradoxal, dans la région même, juste au-dessous du cortex, que l'on croit être le siège de la mémoire.

Les symboles que l'on rencontre dans les rêves semblent représenter l'action directe de l'inconscient, censurant et façonnant des images conformément à ses propres desseins. Freud a fondé son système de psychanalyse en grande partie sur les rêves. Ses interprétations étaient parfois un peu simplistes et ne sont pas suivies de façon rigide aujour-

d'hui ; cependant, il semble avoir eu raison de présumer que l'inconscient n'était pas susceptible d'investigation directe et ne pouvait être
étudié que de seconde main par inférence. On a parfois reproché à
Freud d'avoir exagéré l'importance des pulsions sexuelles parce que
son observation portait principalement sur l'état mental de jeunes femmes frustrées de la Vienne du dix-neuvième siècle ; pourtant, cette
insistance a été quelque peu justifiée par Calvin Hall dans une étude
récente (234). Hall a dressé des listes de tous les objets oniriques pris
par les psychanalystes pour symboles de l'organe sexuel mâle, et s'est
trouvé à la tête de 102 symboles pour le pénis, comprenant le bâton,
le fusil, la plume, la baguette, le poignard, etc. Puis Hall a parcouru le
Dictionnaire d'argot de Partridge et constaté que tous ces symboles,
plus quatre-vingt-dix-huit autres à quoi n'avaient jamais songé les
analystes, étaient en usage depuis des centaines d'années pour décrire,
en anglais grossier, le phallus.

On discute éternellement pour savoir si les animaux rêvent. Nombre
d'entre eux passent en dormant par des mouvements évoquant ceux de
la chasse et de l'alimentation ; mais ils ont lieu généralement durant
le sommeil orthodoxe, même chez les animaux qui présentent aussi des
périodes paradoxales. Bien que les chats, les chiens, les chimpanzés et
les chevaux aient tous des périodes alternées des deux genres de sommeil, il ne sera sans doute jamais possible de déterminer à coup sûr
s'ils rêvent en réalité dans l'un ou dans l'autre. Il paraît vraisemblable,
néanmoins, que les deux types de sommeil exercent les mêmes fonctions
reconstituantes pour ces espèces que chez l'homme.

Chez les chats, le sommeil paradoxal se produit durant la vie entière ;
mais chez beaucoup d'animaux apparemment moins intelligents, on ne
le rencontre que chez les individus très jeunes. Moutons et vaches manifestent les signes des deux états de sommeil avant le sevrage, quand
leur cerveau se développe encore ; mais plus tard, les types paradoxaux
disparaissent tout à fait. Chez des espèces comme les ratons laveurs et
les singes, bien plus inventives et conscientes, on trouve de fortes indications de sommeil paradoxal, accompagné de rapide mouvement oculaire, à tous les âges. Il semble exister une corrélation directe entre ce
genre de sommeil, étroitement associé au rêve, et un haut niveau de
conscience. Une revue générale du règne animal montre donc une
gradation dans la conscience. Aux niveaux les plus bas, les organismes
sont soit actifs, soit inactifs, mais chez des espèces plus avancées, en
particulier chez les oiseaux et les mammifères, la période d'inactivité
assume des fonctions actives spéciales qui lui sont propres. Chez les
animaux les plus complexes, elle est même divisée en deux genres dif-

férents de sommeil, associés à des processus physiologiques et psychologiques distincts. Et enfin, chez l'homme, il semble qu'il existe une étape supplémentaire, laquelle a suscité un nouveau genre de conscience.

Cette nouvelle faculté est mise en vedette par les substances chimiques provoquant des modiifcations dans le comportement. On peut diviser les drogues en plusieurs larges catégories fondées sur le genre de modification qu'elles produisent. Le premier groupe comprend celles qui, comme les amphétamines, la cocaïne et la caféine, stimulent le métabolisme ; en termes biologiques, on considère qu'elles ont une action semblable à celle du système réticulé du cerveau, qui produit l'état de veille. Le deuxième groupe a l'effet contraire ; il s'agit des barbituriques et des tranquillisants, qui jouent le rôle de sédatifs et sont biologiquement équivalents au processus produisant l'envie de dormir ; mais l'intéressant, c'est qu'il n'en résulte qu'un sommeil orthodoxe. Au bout d'une période prolongée de prise de somnifère, les sujets manifestent des symptômes rappelant ceux qui se produisent chez des sujets privés du sommeil paradoxal et de la possibilité de rêver. Une fois supprimées ces drogues, tous éprouvent un formidable retour en force du sommeil paradoxal qui semble essayer de rattraper le temps perdu. Du sommeil à rêves a lieu sous l'influence des opiacés, héroïne et morphine, qui bien entendu provoquent aussi le délire et l'euphorie, et jouent le rôle d'anesthésiques. Biologiquement leur action ressemble fort à l'autosuggestion ou à l'hypnose puissantes, qui produisent le même genre de dissociation et d'anesthésie. Mais au-delà de ces trois catégories, qui stimulent les états vitaux fondamentaux de la veille, du sommeil et du rêve, il existe encore un groupe de substances chimiques : les hallucinogènes.

HALLUCINATION

Les drogues et pratiques hallucinogènes révèlent quelque chose qui semble être particulier à l'homme. Elles illuminent les franges d'une expansion de l'esprit et de l'expérience tellement vaste qu'il est malaisé d'en faire le tour. Sidney Cohen, directeur de l'Institut psychiatrique du Maryland, décrit le cerveau comme « une fabrique de symboles à régime insuffisant qui s'auto-analyse et dont la principale tâche est la direction du corps. Son activité secondaire consiste à réfléchir sur ce qu'elle est, où elle va et tout ce que cela veut dire. Ses facultés inégalées d'étonnement et de conscience de soi ne sont d'aucune nécessité pour la survivance physique » (76). Les aperçus que nous commençons d'avoir sur la portée du cerveau soulèvent en effet des problèmes d'évolution sans précédent. Aucun biologiste ne dirait que les activités hors programme du cerveau sont dépourvues de nécessité pour la survivance : le cerveau fait partie de nous et nous faisons autant partie de l'écologie que toutes les autres espèces. Ce que nous avons fait à notre environnement est aussi naturel que le tonnerre ou l'éclair. Nos cerveaux ont fait de nous une force prépondérante dans l'évolution et il va leur falloir une forte dose d'imagination et de créativité pour nous faire sortir de nos présents dilemmes. Je dois pourtant reconnaître avec Cohen que l'étendue du potentiel humain inspire une admiration qui ne va pas sans inquiétude ; nous paraissons avoir acquis des facultés qui dépassent de si loin nos dramatiques besoins actuels eux-mêmes que nous avons l'air trop chargés du haut. La nature fait rarement une chose sans de bonnes raisons ; elle s'est néanmoins donné la peine, durant les dix derniers millions d'années — temps fort bref, selon ses critères habituels —, de nous équiper d'un énorme cortex cérébral d'une capacité en apparence sans limite. Nous avons acquis cet organe incroyable aux dépens de plusieurs autres et nous n'en utilisons pourtant qu'une infime partie. Qu'est-ce qui pressait ? Pourquoi donc avons-nous couru si vite au long de cette ligne de développement ? Nous aurions sûrement pu nous en tirer à bien moindres frais. Pour le moment, nous ressemblons à une petite famille de squatters qui ont pris possession d'un vaste palais, mais n'éprouvent pas le besoin d'aller au-delà de leur appartement confortable et bien entretenu dans un coin du sous-sol.

Une conscience presque subliminale du reste de l'édifice nous a toujours infligé le supplice de Tantale. De brefs coups d'œil sur d'autres pièces ont mené quelques individus aventureux à faire des efforts d'exploration plus résolus ; néanmoins, les méthodes traditionnelles n'ont été qu'en partie couronnées de succès. Certains ont essayé des techniques rythmiques, telles que les psalmodies chrétiennes, les mouvements balancés de la prière hindoue ou les danses tournoyantes des derviches, afin de provoquer un état de transe qui leur permettrait de franchir la barrière. D'autres ont tenté d'altérer leur chimie corporelle par la respiration profonde, le jeûne ou le manque de sommeil. D'autres encore ont cherché la dissociation dans la douleur physique par auto-flagellation, mutilation ou pendaison au plafond. Les Indiens Sioux ont, dans leur rituel solaire, employé la chaleur et la soif pour produire un genre de grossier délire ; dans les rites de leurs temples, les Egyptiens ont essayé de l'isolement social. La seule chose qu'aient en commun toutes ces méthodes, c'est de supprimer l'habituel afflux d'information dont menace de nous inonder l'environnement ; ou bien elles éliminent l'apport sensoriel, ou bien elles le rendent monotone et privé de signification. Cela fait, quelques-unes des portes de l'esprit s'entrebâillent.

Dans plusieurs expériences récentes, on a raffiné sur la technique des privations sensorielles. A l'université McGill, des sujets étaient enfermés dans une petite pièce insonorisée, portant des lunettes qui ne laissaient passer qu'une lumière diffuse. A Princeton, ils étaient confinés dans une minuscule cabine imperméable à la lumière ainsi qu'au bruit, à température constante. A Oklahoma et dans l'Utah, on les a immergés dans un obscur réservoir d'eau maintenue à la température du sang de manière à ne recevoir de leur environnement ni clarté, ni son, ni sensations tactiles. La réaction immédiate, dans toutes les études, fut de se retirer de cette monotonie dans le sommeil ; mais une fois que fut supprimée cette possibilité de fuite et qu'ils ne purent plus dormir davantage, les volontaires commencèrent à ressentir d'autres difficultés. Tous les sujets perdirent la notion du temps et sous-estimèrent son écoulement : certains dormirent plus de vingt-quatre heures et crurent que ce n'était qu'une heure ou deux. La désorientation, le manque de réaction de la part de l'environnement leur rendait malaisé de réfléchir sérieusement et de former des jugements normaux. Des rêves commencèrent d'apparaître plus souvent, parfois avec une effrayante intensité, et tôt ou tard la complète irréalité de la situation mena la plupart des sujets à éprouver des hallucinations. Elles n'étaient pas que de simples « fantômes » sensoriels, tels qu'éclairs lumineux ou sons de cloches, mais des événements entiers, complexes et tout à fait convaincants (329). Ce qui paraît se produire, c'est qu'en des conditions normales la vaste quantité d'information que nous recevons est contrôlée par la formation réticulée qui la trie et ne transmet que ce dont nous avons besoin, et que nous pouvons manier à un moment déterminé. En état de privation sensorielle, il pénètre fort peu de chose ; aussi chaque petit fragment d'information reçoit-il beaucoup plus que l'habituelle quantité d'attention, et s'amplifie-t-il en des proportions énormes. Notre vision se trouve réduite ; aussi gonflons-nous ce que nous pouvons percevoir afin d'emplir la totalité de l'écran, comme un film pris au microscope. Ainsi, une partie de l'hallucination n'est-elle qu'une vue en gros plan perfectionnée de la réalité ; mais ce n'est pas tout. Laissé sans son barrage normal de stimuli, le cerveau embellit et enrichit la réalité, empruntant à son magasin d'accessoires inconscients de quoi emplir le temps et l'espace disponibles. Et pourtant, cela même ne va pas assez loin, l'hallucination présentant certaines qualités qui semblent se trouver en dehors des capacités à la fois conscientes et inconscientes du cerveau.

Presque toutes les subcultures ont une fois ou l'autre cherché à prolonger le processus de dissociation avec une racine, une herbe ou une baie. Les Perses avaient une potion nommée soma qui, d'après la chronique sanskrite, « rendait pareil à un dieu ». Hélène de Troie avait le népenthès. En Inde et en Egypte, on a toujours eu le hachisch ou marihuana. En Europe et en Asie, il y avait le beau champignon points écarlates, une amanite qui tuait les mouches, mais qui se contentait de rendre fous furieux les Norvégiens. Le Mexique jouit de la gloire du matin, le cactus peyotl, et de plusieurs « champignons divins ». Toutes ces plantes contiennent des substances chimiques produisant des états transcendants et la plupart ont servi de compléments à des cérémonies religieuses et magiques ; mais celle de toutes les substances psychédéliques qui ont le plus de puissance de dissociation ne se présente pas naturellement à l'état sauvage et doit être extraite de l'ergot, champignon qui croît sur les grains de céréales. C'est l'acide lysergique diéthylamide, ou LSD.

On a essayé le LSD sur un large éventail d'animaux, mais il semble avoir peu d'effet sur aucun d'eux, à la possible exception de l'araignée qui tisse une toile un peu fantaisiste. Le LSD semble avoir une action spécifique sur les plus hauts niveaux de pensée, et même une infime quantité, environ un trente-millième de gramme, produit des effets profonds chez l'homme. Suivant le mode de prise, ces derniers débutent dans la demi-heure environ, atteignent leur apogée au bout d'une heure et demie, et prennent fin six ou même douze heures après. La majeure partie de l'action sur le cerveau paraît limitée au système réticulé et au système limbaire, qui module les expériences affectives. Ainsi le LSD agit-il directement sur les zones responsables du filtrage et de la comparaison de l'information sensorielle et sur celles qui déterminent les sentiments de l'individu sur ce matériel. Le langage, la faculté de marcher et la plupart des activités physiques ne sont pas le moins du monde affectés. La pression sanguine et le pouls restent normaux, les réflexes sont aigus, et nul effet secondaire désagréable n'a lieu. Il semble que le LSD n'agit dans le cerveau humain que sur la zone de conscience supérieure : la zone dont nous croyons qu'elle commande notre personnalité.

Le plus remarquable effet psychologique est, ainsi que dans la privation sensorielle, un effet de ralentissement du temps : les trotteuses de montres semblent bouger à peine. Ce genre d' « éternel présent » ressemble fort à une version prolongée de la façon dont le temps peut s'immobiliser à des moments de grand danger personnel. Nous avons dans notre propre physiologie la faculté de provoquer cet effet en cas d'urgence, et le LSD paraît le mener un stade plus avant ; pourtant, cela cesse de concerner la survie personnelle. La séparation entre moi et non-moi, le vieux repaire primitif de l'inconscient, ne tarde pas à disparaître, et les frontières de l'ego se dissolvent. Cohen dit : « La mince couche superficielle de la raison cède la place à la rêverie, l'identité se trouve submergée par d'océaniques sentiments d'unité et la vision perd les significations conventionnelles imposées à l'objet vu (76). »

A cet égard, il est important de nous rendre compte que nous ne percevons normalement que ce que nous pouvons concevoir. Nous faisons entrer nos sensations dans notre propre idée de la façon dont les choses devraient être. La classique expérience consistant à équiper les gens de lunettes inversant toute chose le prouve de manière concluante. Avant un jour ou deux, le cerveau apporte les corrections nécessaires au champ visuel et ces personnes voient de nouveau tout redressé de façon « juste », mais une fois retirées les lunettes, le monde entier se trouve encore une fois inversé. Ainsi le monde est-il vu non comme il est, mais comme il devrait être. Une partie du problème, c'est que nous recevons tant de sensations que nous sommes forcés de sélectionner, de choisir, et ne tardons pas à nous retrouver avec une vision soigneusement sélective et très étroite de la réalité. Le LSD possède la faculté d'ôter les œillères et de nous permettre de voir les choses à neuf, comme si c'était pour la première fois. Dans cet état, nous pouvons commencer de réapprécier les sons des couleurs, l'odeur de la musique et la texture de l'humeur. Les abeilles, les chauves-souris et le calmar des profondeurs marines, sans notre éventail de sensibilités et d'intérêts rivaux, font cela sans arrêt.

Les enfants voient communément les choses avec une énorme clarté. Il est possible que ce que nous appelons hallucinations soit une part normale de l'expérience psychique de tout enfant (leurs peintures paraissent l'indiquer) ; mais à mesure que nous prenons de l'âge, nos visions s'obscurcissent et finissent par être entièrement supprimées, car elles en arrivent à comporter une valeur sociale négative. Chaque société instaure certaines lignes de conduite pour ce qui constitue la santé mentale et, par une combinaison de ces pressions culturelles et de nos propres besoins de soumission et de conformisme, la plupart d'entre nous finissons à l'intérieur de ces limites prescrites. Quelques-uns s'échappent, sont classés comme fous et privés de liberté sous prétexte qu'ils ont besoin que l'on s'occupe d'eux ; mais en réalité leur incarcération est bien plus destinée à protéger la société qu'à sauver d'eux-mêmes ces individus. L'Union soviétique ne se gêne pas là-dessus, et de façon régulière déclare aliénés les dissidents gênants sous prétexte qu'ils doivent être fous pour n'être pas d'accord avec l'Etat. Quelques individus parviennent à franchir les bornes de la santé mentale et à s'en tirer en le faisant dans le cadre d'une religion où de telles activités révolutionnaires sont admissibles parce qu'elles ont été étiquetées comme étant « d'inspiration divine ». Loin d'être emprisonnés, un grand nombre des gens qui ont connu ce genre d'expérience transcendante retournent à la société avec une vision nouvelle des choses et entreprennent de transformer leur façon de vivre et la nôtre — pas toujours pour le mieux.

Certains saints et prophètes ont sans aucun doute été vraiment fous, mais il est absurde de les classer tous au nombre des insensés. Leurs expériences ne sont pas uniques. Presque tout le monde, à un moment quelconque de sa vie, connaît un instant de ravissement, de béatitude ou d'extase provoqué par un éclair de beauté, d'amour, d'expérience sexuelle ou d'intuition. Ces visions momentanées de perfection et de ravissement esthétique sont les aperçus d'un état que les chrétiens connaissent sous le nom d' « amour divin », les bouddhistes Zen sous le nom de « satori », les hindous sous le nom de « moksha » et le Védanta sous le nom de « samadhi ». Les expériences de cet ordre sont si mal comprises qu'elles en sont venues à être ensevelies sous le mysticisme et considérées comme surnaturelles. Dans le sens où ils n'entrent pas dans la définition de la « santé d'esprit » de leur culture, ces états sont « insensés » ; pourtant, cela aide un peu à les comprendre d'éviter de leur coller une étiquette aussi lourde et les qualifier à la place d'états de non-santé d'esprit.

Ils n'ont rien de surnaturel et l'importance de substances chimiques telles que le LSD, c'est qu'elles le démontrent de façon très claire, tout simplement en dépouillant les couches artificielles de « santé mentale » et en nous permettant d'être de nouveau naturels. Un des effets les plus communs des substances psychédéliques, c'est qu'elles augmentent la suggestibilité et nous permettent de saisir avec une exquise sensibilité les perches tendues par l'environnement. Dans les situations de tests en laboratoire, les sujets LSD semblent souvent lire dans la pensée de l'expérimentateur ; toutefois, il est clair d'après l'analyse qu'ils ne font que réagir, à la façon de la plupart des animaux, aux plus infimes changements du ton, de l'expression faciale et de la posture.

Nous sommes capables, à tout moment, de ce genre de perception subliminale, laquelle est certes surnaturelle quand on la compare à nos niveaux normaux de réaction ; mais dans le règne biologique le plus large, ces talents sont des lieux communs tout à fait naturels.

Notre habituel état « sain » de veille est un état d'inhibition. Une part de cette dernière est nécessaire afin d'empêcher la surcharge des sensations qui nous pénètrent ; néanmoins les barrières élevées par le système réticulé nous privent en même temps de mille sources de magie et d'inspiration ! C'est absurde alors que nous nous sommes maintenant dotés d'un cerveau capable pour la première fois d'apprécier ces merveilles. Je ne suis pas en train de plaider pour la dissociation de masse et une fuite mondiale en ces régions de la non-santé d'esprit. Blake, Van Gogh, Verlaine, Coleridge et Baudelaire ont tous vécu et travaillé une grande partie du temps dans un état de conscience transcendante et ont terriblement souffert dans leurs efforts pour percer en sens inverse les barrières de la raison et de la réalité. Maintenant, plus peut-être qu'à aucun autre moment de notre évolution, nous avons besoin d'être clairs et conscients des problèmes qui nous assaillent, mais nos entreprises sont sans objet tant que nous ne nous apercevons pas que nous sommes devenus maîtres de notre propre destin. Nous avons besoin de savoir où nous allons et comment nous allons y parvenir. Déjà nous avons commencé de faire usage de nos talents conscients, mais nous avons totalement négligé ceux dont nous disposons de l'autre côté de l'esprit. La nature a logé tout l'équipement nécessaire à notre tâche dans l'espace situé entre nos deux oreilles, et les techniques de l'hypnose, de l'autosuggestion, du rêve et de l'hallucination nous apportent quelque notion des pouvoirs que nous possédons. Il ne nous reste qu'à nous en servir avec sagesse.

CHAPITRE HUIT

L'Esprit cosmique

UNE PART DE LA PUISSANCE de la vie se trouve dans sa précarité. Dans chaque cellule, le protoplasme se trouve suspendu dans un équilibre instable qui peut être incliné dans l'une ou l'autre direction même par le plus intime stimulus. Chaque partie de chaque organisme ressemble à un paquet d'explosifs, amorcé pour l'action et lié à un mécanisme de déclic — même une amibe isolée est équilibrée de la sorte, prête à flotter dans n'importe quelle direction. Il fut un temps où l'on croyait complètement fortuit le mouvement amiboïde ; aussi des espèces reçurent-elles des noms merveilleusement anarchiques, comme *Chaos chaos* ; mais nos idées concernant la base physique de la vie ont changé.

Les amibes continuent de faire les délices des apprentis naturalistes ; quiconque peut dessiner au crayon une ligne onduleuse qui, en un certain point de ses méandres, se rejoint elle-même, peut nommer cela une exacte représentation d'une amibe. Et pourtant nous savons maintenant que les pseudopodes amibiens sont lancés vers l'extérieur avec intention, parfois si précise qu'ils peuvent encercler jusqu'à des proies en mouvement rapide, en une étreinte qui les engloutit sans les toucher sur aucun point. La chose est possible parce que l'amibe répond à des modifications légères de son environnement par de rapides modifications réciproques de sa structure. Les amibes sociales réagissent entre elles de la même façon, se réunissant pour se reproduire en réponse à un signal chimique courant entre elles. Lorsqu'elles agissent de concert, elles émettent probablement des messages chimiques et nous devons présumer que les congrégations d'autres protozoaires indépendants, comme ceux qui se réunissent pour former une éponge, communiquent de la même façon. Il est cependant malaisé de comprendre comment jusqu'à un demi-million d'unités peuvent coordonner leurs activités sans même le plus rudimentaire système nerveux.

Chez les plus tardifs et plus complexes organismes multicellulaires, un miracle d'organisation se produit. Certaines des composantes changent de forme, et s'étirent jusqu'à ce que leur longueur atteigne cent mille fois leur largeur — proportions uniques dans la vie — et ces cellules en câbles allongés deviennent des liens sensoriels entre les différentes régions de l'animal. Les nerfs fournissent une base mécanique à la communication électrochimique et favorisent les activités conjuguées qui donnent à la plupart des animaux directive et but ; les éponges, toutefois, n'ont aucun de ces avantages et n'en réussissent pas moins à fonctionner d'une façon contrôlée et manifestement non fortuite qui semble presque extrasensorielle. Même déchiquetées et passées au tamis, leurs cellules se rassemblent de nouveau comme un organisme ressuscitant de chez les morts. Les plantes aussi manquent de système nerveux et ne manifestent aucune transmission d'impulsion de cellule à cellule — et pourtant, elles aussi font preuve d'une action concertée. Un contact au bout d'une des feuilles composées du *Mimosa pudica* la fait se replier et si le stimulus est assez puissant, la réaction ne tarde pas à s'étendre aux feuilles avoisinantes, jusqu'à ce que la plante entière semble ramper de soumission. L'action de la dionée gobe-mouches se révèle encore plus impressionnante, les cellules effectuant un genre de feu de batterie, se répondant entre elles en une action explosive assez rapide pour attraper la mouche intruse. Bien que la biochimie des contractions soit clairement comprise, la coordination des cellules séparées demeure encore un mystère. Il se peut que la réponse à cette question se trouve en dehors des frontières de la perception sensorielle normale.

Un matin de février 1966, Cleve Backster fit une découverte qui transforma sa vie et pourrait bien avoir sur la nôtre des effets à longue portée. A l'époque, Backster était un spécialiste des interrogatoires qui avait quitté le CIA * pour diriger une école new-yorkaise destinée à l'entraînement des policiers dans les techniques d'utilisation du polygraphe, ou « détecteur de mensonge ». Normalement, cet instrument mesure la résistance électrique de la peau humaine, mais ce matin-là Backster en étendit les possibilités. Venant d'arroser une plante de son bureau il se demanda s'il serait possible de mesurer le rythme auquel s'élevait l'eau dans la plante, de la racine à la feuille, en enre-

---

* Aux Etats-Unis, *Central Intelligence Agency* = Deuxième Bureau. (Note du traducteur.)

gistrant l'accroissement du contenu aqueux des feuilles sur une bande du polygraphe. Backster plaça les deux électrodes à réflexe psychogalvanique (RPG) de part et d'autre d'une feuille de *Dracaena massageana,* un caoutchouc en pot, et équilibra la feuille dans le circuit avant d'arroser de nouveau la plante. Il n'y eut pas de réaction marquée à ce stimulus ; aussi Backster décida-t-il d'essayer ce qu'il nomme « le principe de menace-au-bien-être, une méthode bien connue pour déclencher les réactions affectives chez les humains ». En d'autres termes, il résolut de torturer la plante. D'abord, il plongea l'une des feuilles dans une tasse de café chaud, mais il n'y eut aucune réaction, aussi décida-t-il de prendre une allumette et de brûler consciencieusement la feuille. « A l'instant de cette décision, à treize minutes, cinquante-cinq secondes du temps d'enregistrement, il se produisit une modification spectaculaire dans la courbe de tracé du RPG sous forme d'un tournant vers le haut, abrupt et prolongé, de la plume enregistreuse. Je n'avais ni bougé ni touché la plante ; aussi le moment précis de l'entrée en action du traceur RPG me donna-t-il à penser que le tracé pouvait avoir été déclenché par la seule pensée du mal que j'avais l'intention d'infliger à la plante. »

Puis Backster explora la possibilité d'une telle perception chez la plante en apportant dans son bureau des crevettes vivantes et en les laissant tomber une à une dans de l'eau bouillante. Chaque fois qu'il tuait une crevette, le traceur du polygraphe attaché à la plante sautait violemment. Pour éliminer la possibilité que ses propres émotions ne produisent cette réaction, Backster automatisa complètement l'expérience entière, en sorte qu'un appareil électronique créateur de hasard choisit des moments fortuits pour plonger les crevettes dans l'eau chaude alors qu'il n'y avait dans le laboratoire aucun être humain. La plante continua d'avoir des réactions de sympathie à la mort de chaque crevette, mais n'enregistra aucune altération quand la machine laissa tomber dans l'eau des crevettes déjà mortes.

Impressionné par l'apparente sensibilité de la plante à la souffrance, Backster rassembla des spécimens d'autres espèces et découvrit qu'un philodendron lui semblait particulièrement attaché. Il ne manie plus cette plante qu'avec le plus grand soin et chaque fois qu'il est nécessaire de la stimuler afin de produire une réaction, c'est son assistant, Bob Henson, qui « joue les durs ». Aujourd'hui, la plante manifeste au polygraphe une réaction d'agitation chaque fois que Henson entre dans la pièce et paraît « se détendre » quand Backster s'approche ou même parle dans une pièce adjacente (10). Enclore la plante dans un écran de Faraday ou dans un récipient de plomb n'a aucun effet et il semble que les signaux auxquels elle réagit n'entrent pas dans les limites du spectre électromagnétique normal. Au cours d'expériences plus récentes, Backster a découvert que les fruits et légumes frais, les cultures de moisissures, les amibes, les paramécies, la levure, le sang et même des raclures de palais humain témoignent tous d'une sensibilité similaire à la détresse d'une autre vie.

Ce phénomène, que Backster appelle « perception primaire », a été établi par la reproduction de ses travaux en d'autres laboratoires (86). Cela soulève d'inquiétantes questions biologiques et morales ; pour ma part, depuis que j'y réfléchis, j'ai dû renoncer complètement à tondre mes pelouses ; mais s'il fallait pousser la chose à ses limites logiques, nous finirions, pareils à la communauté décrite par Samuel Butler dans *Erewhon*, par ne manger que des choux certifiés morts de mort naturelle. La réponse au problème moral consiste à traiter avec respect toute vie, et à ne tuer, avec une véritable répugnance, que ce qui nous est nécessaire afin de survivre — cependant, les problèmes biologiques ne sont pas si faciles à résoudre.

Si les cellules en train de mourir lancent un signal auquel répond une autre vie, pourquoi le font-elles ? Et pourquoi de pareils signaux seraient-ils plus importants pour une plante en pot que pour nous ? Les signaux d'alarme sont communs au moins à tous les vertébrés sociaux. Les mouettes ont des appels spécifiques, avertissant leurs colonies reproductrices de l'approche des prédateurs ; les écureuils du sol et les marmottes de prairies ont un système d'avertissement précoce alertant leurs colonies au danger de raids aériens de la part des oiseaux de proie. La fonction des signaux est si claire que ceux des corbeaux et des mouettes ont été enregistrés et diffusés à travers les terrains d'aviation pour faire fuir ces oiseaux loin des pistes aussitôt avant l'atterrissage prévu d'un avion. Très souvent, l'alarme est interspécifique : sternes, étourneaux et pigeons se nourrissant avec des mouettes prennent tous leur envol au son du cri d'alarme de la mouette ; et les phoques plongent dans l'eau quand des colonies voisines de cormorans signalent l'approche d'un péril (69).

Les cris d'alarme ont de toute évidence une haute valeur de survie et fonctionnent bien par-dessus la ligne de démarcation des espèces ; néanmoins, toutes les espèces n'opèrent pas sur les mêmes fréquences, ni même avec d'identiques organes sensoriels ; aussi existerait-il une forte pression naturelle vers l'évolution d'un signal commun : un genre d'SOS pour toutes les espèces. Les pressions de ce genre passent rarement inaperçues, et il n'est pas impossible que la découverte de Backster ne constitue la réponse de la nature à ce besoin précis. Il est à présumer que cela commencerait par le développement d'un signal de compromis parmi des groupes d'espèces étroitement apparentées, en réponse à un commun prédateur. Ensuite, il serait avantageux pour le prédateur d'être en mesure de détecter le signal et de prévenir son effet sur sa proie ; en fin de compte, aussi bien les prédateurs que les proies trouveraient le signal utile en ce qu'il avertirait d'une avalanche, d'une inondation ou de quelque catastrophe naturelle capable de les affecter tous.

La recherche d'un signal d'alarme accessible à toute vie se réduirait bien sûr au plus bas commun dénominateur. Tous les organismes sont formés de cellules et l'existence d'un système de communication entre cellules fournirait la réponse définitive. Nous avons encore à trouver de façon concluante qu'un tel système existe, mais les chances en sa faveur augmentent constamment.

Que l'homme soit exclu du bénéfice de ce système pourrait bien n'être qu'apparent. Je commence à soupçonner que, de manière inconsciente, nous sommes tout aussi conscients de l'alarme que n'importe quel pigeon ou plante en pot. C'est un fait bien établi que même en dormant nous réagissons à certains bruits significatifs : une mère ne se réveillera pas au rugissement d'un train qui passe, mais s'éveillera dès que son enfant pleurera doucement dans une autre chambre.

Beaucoup de mères prétendent savoir quand quelque chose ne va pas avant même que le bébé ne fasse résonner son signal d'alarme. Il se peut qu'elles aient raison et s'accordent à l'alarme universelle ; toutefois, on sait que de nombreux sens bénéficient d'une acuité particulière aussitôt après l'accouchement ; elles pourraient donc réagir à des stimuli ordinaires, véritablement très subtils.

L'autruche mâle *Struthio camelus* a plusieurs femelles et chacune d'elles, en ordre hiérarchique rigoureux commençant par la femelle principale, pond cinq ou six œufs dans le creux gratté en terre par le mâle. Le dernier d'une vaste couvée de vingt œufs peut donc être pondu trois semaines après le premier, mais tous éclosent à quelques heures d'intervalle environ six semaines plus tard (330). Cette synchronisation merveilleuse est vitale pour que le mâle s'occupe avec efficacité de sa progéniture et il assure ce résultat en écoutant ce qui se passe à l'intérieur des œufs à mesure qu'ils se développent. Grâce aux sons qu'ils émettent, le mâle peut évaluer leur stade de développement et si l'un se trouve trop avancé, il le roule hors du nid et l'enfouit quelque temps jusqu'à ce que les autres le rattrapent. D'autres œufs ont des parents moins astucieux et se synchronisent eux-mêmes en s'auscultant mutuellement. Plusieurs jours avant d'éclore, les poussins de la plupart des oiseaux vivant au sol, lesquels ont besoin d'éclore et de s'enfuir ensemble presque aussitôt, percent la petite membrane interne de la coquille afin d'accéder à la poche d'air de l'extrémité ronde. Ils respirent cet air, et le bruit de cette respiration peut être entendu par les poussins des autres œufs qui savent à son rythme à quel point leurs frères de couvée sont proches de l'éclosion (91). Chez la caille japonaise *Coturnix coturnix,* le rythme s'établit à trois bruits par seconde, et l'on a démontré qu'un cliquetis artificiel à cette fréquence accélère le rythme d'éclosion de tous les œufs d'un nid. Les embryons de la plupart des œufs poussent de petits cris de « plaisir » en réponse à un changement de position quand l'œuf est tenu en main. Ces cris peuvent être perçus au stéthoscope sensible, mais il semble certain que les oiseaux couveurs les entendent distinctement et réagissent en conséquence.

Dans les années 1880, deux savants français découvrirent un jeune garçon qui semblait capable de deviner correctement les numéros de page de livres choisis au hasard par une autre personne. Les meilleures conditions pour que l'enfant réussisse étaient que l'expérimentateur se tienne debout, la lumière derrière lui et le livre ouvert entre lui-même et l'enfant. Il se révéla que le garçon était capable de déchiffrer les numéros à partir des minuscules reflets répercutés sur la cornée de l'œil de l'expérimentateur (221). Ces reflets n'avaient qu'un dixième de millimètre de haut ; pourtant, le sens de la vue était si aigu chez l'enfant que cela suffisait à lui donner le renseignement dont il avait besoin. Très rare est ce genre de sensibilité ; il est inhabituel que quiconque soit en mesure de voir aussi bien, mais supranormal n'est pas synonyme de surnaturel. Certes, l'enfant avait la vue extraordinairement bonne, mais un sens de la vision très développé reste un phénomène fort naturel, et un vautour pourrait sans doute faire aussi bien si l'on pouvait le convaincre d'essayer.

Nous n'avons pas encore été capables de tracer des limites rigoureuses à l'acuité de nos sens de la vue, de l'ouïe, de l'odorat, du goût et du toucher. Chaque nouveau sondage de leurs possibilités semble repousser de plus en plus loin les limites de la réceptivité et l'on découvre sans cesse de nouvelles sphères de perception. Beaucoup de facultés, surnaturelles en apparence, se révèlent tôt ou tard être dues à l'hyperacuité d'un système sensoriel existant, en aucune manière extra-sensoriel ; cependant, il existe un phénomène qui ne cesse de se manifester et qui reste encore à expliquer de manière satisfaisante en termes des sens traditionnels. C'est la « transmission de pensée », ou télépathie.

TÉLÉPATHIE

Une définition récente de la télépathie la décrit en ces termes :
« Si un individu a accès à une information non disponible pour un
autre, [il y a télépathie] si, certaines conditions étant remplies et les
canaux sensoriels connus rigoureusement contrôlés, le second individu
peut démontrer qu'il a de cette information une connaissance suffisamment étendue pour être incompatible avec son acquisition par l'autre
moyen possible : la divination par hasard (222). »

On a des milliers de comptes rendus sur ce qui semble être une
communication de ce genre entre deux personnes ayant déjà de puissants liens affectifs. Le témoignage est pour une large part anecdotique et traite en général de la connaissance de crises affectant l'un
des membres d'un couple — mari/femme, parent/enfant, frère/
sœur — qui se trouve communiquée au moment où les crises se produisent à l'autre membre, alors ailleurs. C'est entre jumeaux identiques,
qui souffrent des mêmes maladies aux mêmes époques et paraissent
mener des vies très similaires, même séparés à la naissance, que ce
rapport est, dit-on, le plus efficace. Ces comptes rendus sont intéressants mais presque impossible à vérifier rétrospectivement et n'offrent aucun indice réel quant à la nature et à l'origine de la télépathie.

La tentative la plus scrupuleuse pour cacher volontairement à un
individu la connaissance d'un fait donné pour voir s'il pourrait deviner
correctement l'énigme est le travail effectué par Rhine et ses collègues à Duke University. Ils partirent de l'idée répandue qu'il existe
une zone de l'expérience humaine où les gens paraissent connaître,
par « flair » ou « intuition », des choses situées hors de la portée
directe de l'œil ou de l'oreille, et la soumirent à des expériences de
laboratoire dans des conditions telles qu'on puisse calculer les chances
que la connaissance soit acquise par pure coïncidence. Ces travaux
débutèrent au début des années 1930, où Rhine utilisa pour la première
fois le terme de perception extrasensorielle, ou PES, pour décrire le
processus, et inaugura une interminable série de tests consistant à
deviner des cartes.

Rhine employa le jeu de Zener, formé de vingt-cinq cartes comportant cinq symboles : carré, cercle, croix, étoile et lignes ondulées.
Dans n'importe quel test, le résultat fortuit est de cinq sur vingt-
cinq, mais dans toute une variété de situations expérimentales avec

un certain nombre de sujets, Rhine constata que, nombre de fois, les résultats étaient si élevés qu'ils avaient des chances de plus d'un million contre un par rapport au hasard. Une fois une fillette de neuf ans provenant d'un foyer malheureux marqua vingt-trois points lors d'un test à son école et, amenée au laboratoire de Duke par un expérimentateur auquel elle s'était attachée affectivement, réussit à deviner correctement toutes les vingt-cinq cartes. Un étudiant de Duke, Hubert Pearce, s'intéressa beaucoup à la recherche et, mis spécialement au défi par Rhine de bien faire en un test important, identifia toutes les cartes du jeu sans exception. C'étaient là des résultats exceptionnels, manifestement influencés par les personnalités en cause et, dans des séries plus longues de ces tests affreusement monotones, si les deux sujets continuèrent de faire mieux que le hasard, ce ne fut plus qu'au niveau de sept ou huit réponses exactes seulement sur vingt-cinq. Ainsi la majeure partie des recherches de Rhine, qui se poursuivent maintenant depuis bientôt quarante ans, ne fournit-elle que des preuves de télépathie décelable seulement par la méthode statistique. Toutefois, même si la marge de succès est réduite, elle se révèle si persistante, sur des dizaines de millions de tests, qu'elle montre bien qu'il se produit quelque chose pour provoquer cette tendance.

Les méthodes statistiques employées à Duke ont fait l'objet de critiques ; et pourtant, le président de l'Institut américain de statistique mathématique déclare : « Si l'on tient à attaquer l'enquête Rhine en toute équité, ce doit être pour d'autres motifs que des motifs mathématiques (133). » Spencer-Brown, de Cambridge, avance l'hypothèse que cette inflexion du hasard est bien réelle, mais qu'elle provient non tant de la télépathie que d'un facteur encore ignoré qui affecte le hasard lui-même. Pour beaucoup d'autres chercheurs, le fait surprenant quant à ces statistiques, c'est que des expériences de ce genre aient pu remporter le moindre succès. Gaither Pratt décrit les tests de cartes comme « un instrument grossièrement inefficace », lequel « étouffe la fonction même qu'il était destiné à mesurer (257) ». Quant à la spécialiste soviétique Loutsia Pavlova, elle considère les tests de Rhine, consistant à transmettre un grand nombre de bribes d'information en peu de temps, comme le moyen le plus difficile que l'on puisse imaginer pour essayer de provoquer la télépathie. Elle dit : « Nous trouvons qu'il vaut mieux ne pas émettre les signaux trop vite. Si des bribes différentes arrivent trop rapidement, les modifications cérébrales associées à la télépathie commencent à se brouiller et finissent par disparaître (233). »

Une série de textes de cartes aux résultats moins équivoques a été réalisée à Londres par Samuel Soal et son sujet Basil Shackleton entre 1936 et 1943. Soal se lassa des dessins standard et fabriqua ses propres cartes, représentant cinq animaux brillamment coloriés. Dans une série effectuée au moyen de ces images, sur quoi l'inconscient pouvait avoir une certaine prise, Shackleton marqua 1,101 sur 3,789, ce qui fournit des chances contre le hasard si élevées qu'elles en deviennent presque dénuées de sens. On ne pourrait obtenir par hasard un résultat pareil, même si la population entière du globe avait tenté quotidiennement l'expérience depuis le début de la période tertiaire, voilà soixante millions d'années (307). Une des choses les plus intéressantes, dans ces conditions expérimentales, c'est la motivation du sujet. Soal raconte comment les tests débutèrent, un jour où la porte de son bureau s'ouvrit soudain, laissant paraître un homme de haute taille, soigné, d'une trentaine d'années. « Je suis venu, annonça-t-il, non pour subir des tests, mais pour démontrer l'existence de la télépathie. » C'était Shackleton, et une foi solide en ses propres talents joua sans aucun doute un rôle majeur dans l'obtention de résultats exceptionnels.

Le soutien officiel peut aussi aider, car en Russie les recherches sur la télépathie ont fait un grand pas, ces cinq dernières années, au cours d'expériences subventionnées par l'Etat. Cette ère nouvelle fut inaugurée le 19 avril 1966, au moment où Karl Nikolaïev — un acteur de Novossibirsk — parvint à établir un contact télépathique avec son ami Youri Kamensky — biophysicien à Moscou, distant de près de 3 000 kilomètres. Les deux hommes étaient sous le contrôle d'équipes scientifiques, et à un moment convenu d'avance on tendit à Kamensky un paquet cacheté, choisi au hasard dans un certain nombre de boîtes similaires ; l'ayant ouvert, Kamensky se mit à manier l'objet, l'examinant avec soin et s'efforçant de le voir par les yeux de son ami. Il s'agissait d'un ressort en métal formé de sept spirales serrées et, à Novossibirsk, Nikolaïev nota ses impressions de la manière suivante : « Rond, métallique, luisant, dentelé, ressemble à une boucle. » Dix minutes plus tard, lorsque Kamensky se concentra sur un tournevis à manche en plastique noir, Nikolaïev nota : « Long et mince, métal, plastique, plastique noir (345). » La probabilité mathématique qu'on puisse deviner ne fût-ce qu'un seul objet parmi tous ceux qui existent au monde est trop vaste pour être même envisagée comme une explication possible de la réussite de Nikolaïev ; aussi les autorités furent-elles dûment impressionnées et des subventions furent-elles bien volontiers accordées pour de plus amples recherches.

Bientôt se constitua le « groupe Popov ». C'est une commission de savants connue sous la dénomination collective et officielle de « Section de bio-information de la Société inter-union scientifique et technique de radiotechnologie et d'électro-communication A.S. Popov ». Leur première tâche fut d'essayer de détecter l'action de la télépathie dans le cerveau ; aussi, en mars 1967, le groupe installa-t-il de nouveau Kamensky à Moscou et emmena-t-il Nikolaïev à un laboratoire de Leningrad, où il fut installé dans une chambre isolée, insonorisée, et relié à tout un système de contrôles physiologiques. Il passa un certain temps à se mettre en état de réceptivité, état qu'il décrit comme « entièrement détendu mais attentif », et lorsqu'il indiqua qu'il était prêt, son cerveau produisait un rythme alpha régulier. Nikolaïev n'avait aucune idée du moment où serait transmis le message télépathique émanant de Kamensky ; pourtant, exactement trois secondes après que les expérimentateurs de Moscou eurent donné le signal de commencer l'émission, les ondes cérébrales de Nikolaïev se transformèrent de façon radicale et l'alpha se trouva soudain bloqué. Pour la première fois dans l'histoire, on avait obtenu la preuve manifeste de la transmission d'une impulsion d'un esprit à un autre, à plus de six cents kilomètres de distance.

En des tests ultérieurs, les enregistrements d'EEG montrèrent des modifications spectaculaires semblables dans les courbes cérébrales de l'émetteur aussi bien que du receveur et le groupe de Popov relata : « Nous avons détecté cette inhabituelle activation du cerveau entre une et cinq secondes après le début de la transmission télépathique. Nous la détections toujours quelques secondes avant que Nicolaïev eût la perception consciente de recevoir un message télépathique. Au début, il se produit une activation générale, non spécifique, des sections antérieure et moyenne du cerveau. Si Nikolaïev est sur le point de capter consciemment le message télépathique, l'activation cérébrale ne tarde pas à devenir spécifique et passe aux régions postérieures, afférentes, du cerveau (233). » A la réception de l'image de quelque chose comme un paquet de cigarettes, l'activité cérébrale de Nikolaïev était localisée dans la région occipitale, associée à la vue, et quand le message consistait en une série de bruits entendus par l'envoyeur, l'activité se produisait dans la région temporale du receveur, normalement associée au son.

La connexion entre la télépathie et le rythme alpha est capitale. Il semble certain que la télépathie comme la psychokinésie n'ont lieu que dans certaines conditions psychologiques, celles qui sont caractérisées par la production d'ondes cérébrales d'une fréquence particulière. Dans la PK, cela semble être le rythme thêta, mais dans la télépathie, c'est le type alpha, entre huit et douze cycles par seconde. Les sujets qui obtiennent de bons résultats dans les tests de laboratoire disent tous qu'ils adoptent un certain état d'esprit, que l'un décrivit comme « concentrer mon attention sur un seul point d'inexistence. Je ne pense à rien du tout, me contentant de regarder un point fixe et de me vider complètement l'esprit si la chose est possible (224) ». Un autre qualifie l'état télépathique de « passivité concentrée », et un troisième le considère comme « une attention détendue ». Le psychologue William James a résolu ce paradoxe en reconnaissant deux types d'attention. L'un, c'est le type actif, qui demande un effort analogue à celui manifesté « par quelqu'un qui assisterait à un dîner en écoutant résolument un voisin lui donner à voix basse des conseils ennuyeux et non sollicités, tandis que tout autour les invités rient et parlent à voix haute de choses passionnément intéressantes (163) ». Ce genre d'attention implique un conflit et elle est tout à fait distincte du type passif, où l'on réagit de façon presque instinctive à une excitante impression sensorielle. Un exemple de ce dernier pourrait être l'état d'une personne qui se réveille soudain au milieu de la nuit en pensant qu'elle a été dérangée par quelque chose, et qui s'assied pour guetter, pour écouter, pour attendre que la même chose se reproduise.

La production de phénomènes télépathiques ou psychokinésiques est encore assez rare pour être considérée comme anormale et il semble que chez de nombreux sujets la peur d'être capables de faire ce genre de chose provoque un état de conflit qui les empêche activement de le refaire. Beaucoup de gens qui y parviennent, dont le gagne-pain ou le prestige dépend de la production de ces phénomènes, résolvent le conflit grâce à la dissociation. Ils entrent dans un état de transe où leur esprit conscient peut refuser toute responsabilité dans les événements, ou même ils deviennent « possédés par l'esprit » de quelqu'un d'autre, à qui il est possible de les attribuer. Le succès de ces trucs psychologiques pour éviter le conflit est démontré par le fait que maints sujets semblent ne rien se rappeler du tout de ce qui s'est passé pendant la séance. Pour certains la dissociation est facile, mais d'autres semblent passer à cet effet par des combats formidables. Hereward Carrington, un des anciens « dépanneurs » de la recherche psychique, décrivit l'état d'un sujet psychokinésique à la fin de sa séance comme « faible, épuisé, nauséeux, hystérique, le visage profondément ridé, malade physiquement et mentalement : une vieille femme brisée, ratatinée (65) ». Il nota aussi que sa dépense d'énergie nerveuse était à son apogée en présence d'inconnus, quand sa crainte d'un échec, et par conséquent son degré de conflit, était également élevé.

L'attention sans effort qui semble accompagner les séances couronnées de succès est très caractéristique de l'état psychologique accompagnant les rythmes alpha. Pour produire le rythme qui allume la lumière d'un « alphaphone » commercial, on doit réaliser justement cet état d'esprit. Autrefois, on croyait que l'alpha était continu tant que les yeux étaient fermés et qu'il cesserait de manière automatique en les ouvrant ; mais avec de la pratique, on peut garder le rythme en activité les yeux larges ouverts en évitant toute espèce de pensée analytique ou calculatrice. Cela veut dire éviter l'activité sensorielle et devenir aussi abstrait que possible ; en outre, cela doit expliquer pourquoi beaucoup de médiums préfèrent opérer dans l'obscurité, ou du moins dans un clair-obscur, et pourquoi tous insistent sur le silence. Une analyse EEG d'Einstein montra qu'il maintenait un rythme alpha assez continu même en effectuant des calculs mathématiques relativement complexes ; mais pour lui ces derniers faisaient partie de la vie quotidienne et ne demandaient pas grande dépense d'efforts (243). Il semble donc que l'alpha n'est pas nécessairement bloqué par les activités mentales, tant que celles-ci ne requièrent aucune attention active et n'impliquent aucun conflit.

Les techniques de méditation de l'Orient sont destinées de manière spécifique à provoquer l'attention détendue. Les textes Zen comportent l'instruction de « penser à ne penser à rien du tout (78) », et les maîtres du yoga déclarent : « Quand l'esprit devient dépourvu de toutes les activités et reste sans changement, alors, le yogi atteint à l'état désiré (23). » L'accent est mis sur l'absence de conflit et, bien qu'un acte de volonté soit initialement requis pour atteindre à cet état, « une fois développée l'habitude, l'effort se trouve remplacé par la spontanéité et, au lieu que ce soit l'attention qui retienne l'objet, c'est l'objet qui retient l'attention (19) ». Une étude effectuée sur des adeptes du *kriya-yoga,* à Calcutta, montra que le taux normal d'activité alpha se trouvait au niveau habituel de neuf à onze cycles par seconde ; toutefois, dans la méditation la plus profonde, ils produisaient un rythme alpha prolongé qui atteignait jusqu'à trois cycles d'accélération (83). Gray Walter parle d'une étude où il observa un docteur hindou entrer en méditation : « ... le rythme alpha devint de plus en plus régulier et monotone, jusqu'à ce que vers la fin de l'exercice, qui dura une vingtaine de minutes, le rythme alpha devînt absolument continu, de sorte qu'il avait l'air d'une oscillation artificielle (336). » De telles mensurations montrent que ces états de méditation sont tout à fait différents de la somnolence, du sommeil léger, du rêve, du coma ou de l'hibernation, mais ont beaucoup plus en commun avec les courbes observées durant la télépathie couronnée de succès. Il est fort possible que les deux états naissent de la même façon et constituent des aspects différents d'une seule condition biologique.

Le groupe Popov a construit un appareil de mise en accord automatique, lequel n'est rien de plus qu'un « alphaphone », afin d'informer Karl Nikolaïev quand il est dans l'état d'esprit convenable pour recevoir des messages télépathiques. La présence de rythmes similaires à la fois chez l'émetteur et chez le receveur paraît constituer une condition préalable pour une communication réussie entre eux et la recherche russe a démontré qu'il ne s'agit pas là seulement d'une ressemblance passive et accidentelle des courbes cérébrales. Dans l'une de leurs expériences, Kamensky fut exposé à une lumière stroboscopique, clignotant à une fréquence fixe à l'intérieur du niveau alpha et, bien entendu, ce stimulus établit dans son cerveau un rythme correspondant. Nikolaïev, dans un autre bâtiment, se prépara et se mit en état de recevoir la communication en produisant ses propres rythmes alpha ; quand tous deux estimèrent qu'ils étaient en contact, on découvrit que leurs courbes se trouvaient parfaitement synchronisées (286). Ce n'était pas tout : chaque fois que l'on modifiait la fréquence de la lumière clignotant devant Kamensky, le rythme de Nikolaïev changeait instantanément pour s'y conformer. Des résultats similaires ont été obtenus au Jefferson Medical College, à Philadelphie, où deux ophtalmologistes ont démontré qu'un changement survenu dans le rythme cérébral, tel que l'émission d'ondes alpha, chez un jumeau pouvait provoquer un changement équivalent dans le cerveau de l'autre jumeau identique à une certaine distance (153). Ce genre de contact est apparemment plus efficace encore si les sujets se trouvent en même temps dans un état physique ou affectif accentué (233). Le groupe Popov attacha Kamensky à un appareil binoculaire qui produisait des éclats lumineux à fréquence différente pour chaque œil. Le double stimulus établit des courbes conflictuelles des deux côtés du cerveau et le résultat fut une immédiate nausée. Les mêmes courbes apparurent simultanément dans le cerveau de Nikolaïev, chacune du côté correspondant, et produisirent chez lui une crise de « mal de mer » si violente que l'expérience s'interrompit dans la confusion. A ce jour, c'est la démonstration la plus convaincante de la télépathie, incluant comme elle le fait des courbes cérébrales qui ne pouvaient être provoquées par aucun agent naturel.

De nouveau, la preuve est faite que les messages télépathiques les plus efficaces impliquent le traumatisme et la crise et qu'aucune nouvelle ne voyage aussi bien ni aussi vite qu'une mauvaise nouvelle. Biologiquement cela s'explique. Aucune urgence ne s'attache au plaisir et au bien-être ; il s'agit là d'états pouvant se communiquer de la façon posée habituelle, par des voies normales comme les cartes de félicitations ; mais si les signaux d'alarme sont destinés à exercer une fonction utile, ils doivent voyager par la route télégraphique ou télépathique la plus rapide possible.

En 1960, un magazine français lança la nouvelle fracassante que la marine des Etats-Unis recourait à la télépathie afin de résoudre le vieux problème de communication entre un sous-marin en plongée et sa base sur le rivage. Ces journalistes rapportaient que le sous-marin atomique *Nautilus* était en contact télépathique avec des receveurs entraînés sur le rivage et que la PES était devenue une nouvelle arme secrète. Les autorités américaines furent promptes à démentir le reportage, mais les Russes furent non moins prompts à signaler qu'*eux* utilisaient depuis des années ce système. La méthode soviétique utilisait des lapins en guise de radio. On descendait dans un sous-marin des lapins nouveau-nés et l'on gardait la mère à terre, en laboratoire, des électrodes implantées profond dans son cerveau. A intervalles déterminés, les lapereaux immergés étaient tués l'un après l'autre et, au moment précis où chacun de ses rejetons mourait, des réactions électriques aiguës se produisaient dans les ondes cérébrales de la mère. On ne connaît aucun moyen physique de faire communiquer un sous-marin en plongée avec quiconque se trouve à terre, et pourtant, même des lapins semblent capables d'établir une manière de contact en un moment de crise.

La possibilité d'utiliser réellement la télépathie en tant que moyen de communiquer avec les sous-marins et les vaisseaux spatiaux a été envisagée aussi bien par les Etats-Unis que par l'URSS, et dans les deux pays les savants se sont servis de l'idée comme d'un instrument pour soutirer à leurs gouvernements plus d'argent destiné à la recherche. Pour autant que nous le sachions, il n'en est rien sorti de véritablement pratique. La difficulté, c'est que dans l'exploration des profondeurs marines ou des lointains espaces, la fiabilité est essentielle et nul n'a réussi encore à produire un contact télépathique fonctionnant chaque fois et sur demande. Peut-être ce qui s'en rapproche le plus jusqu'ici est-il la combinaison Kamensky/Nikolaïev, où les enregistrements d'EEG montrent quand le contact a lieu et combien de temps il dure. Employant un signal morse où un contact de quarante-cinq secondes se lit comme un trait et un contact de moins de dix secondes comme un point, ils sont parvenus à faire traverser l'espace à sept signaux consécutifs pour épeler le mot russe MIG, qui veut dire « instant » (110). L'expérience prit vingt minutes, ce qui n'est pas exactement instantané ; toutefois, même cela représenterait une économie de temps pour s'adresser à un cosmonaute au voisinage de Jupiter, où les communications radio prendront plus d'une heure de retard. Le message, bien sûr, devrait être fort simple, et l'on a peine à imaginer n'importe quelle entreprise spatiale se fiant à un système aussi imprévisible que l'est encore celui-ci ; il pourrait néanmoins être utile en cas d'urgence.

En dehors de leur influence sur les ondes cérébrales, les contacts télépathiques semblent en avoir une également sur la pression sanguine. Douglas Dean, électrochimiste au Collège technique de Newark, a découvert qu'il n'est pas impossible que même ceux qui n'ont pas conscience de recevoir des messages télépathiques ne le fassent (85). Quand une personne se concentre sur le nom d'une autre avec laquelle elle est affectivement liée, le sujet éloigné enregistre une modification mesurable de la pression et du volume sanguins. Dean employa un pléthysmographe pour démontrer qu'une personne sur quatre environ possède ce genre de sensibilité. Utilisant des noms ainsi chargés d'émotion et un système où une réaction représente un point et une longue période sans stimulus un trait, il a réussi à envoyer des messages simples d'une pièce à une autre, d'un bâtiment à un autre et même dans un cas, sur près de deux mille kilomètres, de New York en Floride (178). Cette découverte concorde avec les résultats russes, d'après quoi des individus en contact apparemment télépathique ont un battement de cœur plus rapide, de plus grands bruits cardiaques, et dans certains cas une parfaite synchronisation du pouls entre émetteur et receveur (227).

On a émis l'hypothèse que ce rapport physique pourrait être accentué par des champs électromagnétiques. Un ingénieur électronicien de Washington rapporte qu' « en travaillant sur des machines à fréquence élevée, mes collègues et moi nous sommes brusquement aperçus que nous avions parfois des communications télépathiques (233) ». Il se peut que le corps entier soit en cause. Une étude montre qu'un accroissement de l'activité électrique et donc une diminution de la résistance cutanée ont lieu au moment du contact (236), mais la plupart des indications signalent le fait que la détente physique, donc une diminution du tonus musculaire et de la réaction cutanée, est essentielle. Les électromyographes attachés aux bras de yogis en méditation ne montrent pas la moindre réaction, même quand la séance dure plus de deux heures (83). La détente produit une diminution du taux respiratoire, ainsi qu'une augmentation correspondante de la pression d'acide carbonique dans les poumons. A son tour, cela provoque une élévation de la tension en acide carbonique du sang artériel et quand ce sang comparativement peu oxygéné atteint le cerveau, il déclenche une réaction en chaîne où les vaisseaux sanguins se dilatent pour augmenter le taux d'afflux et où le rythme du cerveau s'accélère tandis qu'il lutte afin d'obtenir l'oxygène dont il a besoin. En général, cette réaction produit de rapides rythmes alpha, de la fréquence exacte qui paraît favorable à la télépathie. La perte accidentelle de sang produit la même déficience avec les mêmes résultats et, phénomène intéressant, les gens qui perdent du sang déclarent souvent être détendus et détachés, se bornant à regarder le monde comme il va, et voyant très clairement les choses et les gens. Une autre cause, plus commune, de privation d'oxygène est l'altitude élevée. Serait-ce pure coïncidence qu'un si grand nombre des techniques transcendantes aient été mises au point par des gens vivant à de grandes altitudes dans l'Himalaya ? Un membre de la première expédition réussie à l'Everest décrit ses réactions à plus de sept mille mètres, lorsqu'il sentit « la présence d'une moitié de moi-même prenant son essor au-dessus de moi, sublimement résolue, consciente de la beauté d'alentour. Elle gronde, encourage et réconforte l'autre moitié, peinant lugubrement dessous (232) ».

Si étroite est la correspondance entre les conditions qui paraissent le mieux convenir à la télépathie et celles qui se présentent dans la méditation qu'il est tentant de mener plus avant encore les parallèles (224). Tous les groupes qui pratiquent la méditation ont aussi des régimes alimentaires très stricts. Ils sont presque complètement végétariens pour des raisons ostensiblement morales ; cependant, leurs préférences alimentaires pourraient bien reposer également sur une base physiologique. La viande a l'effet direct d'accroître l'acidité du sang et notre corps y réagit en abaissant à titre de compensation la quantité de gaz carbonique acide. Un régime végétal a l'effet contraire : il réduit l'acidité et la compensation de ce phénomène provoque une élévation de la pression d'acide carbonique dans les poumons, ainsi qu'une réduction de la quantité d'oxygène atteignant le cerveau. Ainsi, un repas végétarien a-t-il en gros le même effet qu'une élévation de l'altitude — et les yogis dînant de riz et de fruits au niveau de la mer en Inde font-ils physiologiquement chaque jour des ascensions dans les montagnes.

Beaucoup des conditions physiques qui semblent faire partie d'un état favorisant la télépathie se présentent aussi dans le sommeil. Le tonus musculaire est réduit, la respiration et la pression d'acide carbonique sont diminuées, et le cerveau ne s'occupe en général ni d'analyse ni de calcul. Au Maimonides Hospital, à New York, un « laboratoire du rêve » a été créé, en premier lieu pour des recherches concernant le sommeil et le rêve, mais aussi pour enquêter sur la possibilité de télépathie entre un émetteur et un receveur endormi. L'un des membres de l'équipe qui y travaille déclare : « Beaucoup de personnes incapables de communication normale sur les modes normaux peuvent communiquer à un niveau télépathique et surprendre le thérapeute par des rêves pleins de conscience, y compris celle des problèmes du médecin (309). » L'information incluse en ces rêves aurait pu avoir été acquise de façon normale au cours d'une séance psychanalytique ; aussi mit-on au point une série d'expériences où les émetteurs essayaient de communiquer lorsque les courbes d'EEG montraient que le receveur se trouvait en train de rêver. L'un des objets d'expérience était le tableau de Dali, le *Sacrement de l'Eucharistie*, et, à son réveil, le sujet raconta un rêve où il s'agissait d'un groupe de gens, d'un bateau de pêche, d'un verre de vin et de nourrir les foules. Une autre fois, les émetteurs étaient deux mille personnes à un concert pop donné dans un théâtre proche et la cible était un homme en train de méditer dans la position du lotus, qu'elles pouvaient voir sur l'écran au-dessus des exécutants. La situation « concert » fut choisie parce que « la musique fait appel à la nature non verbale de l'être, à des niveaux de conscience situés au-dessous de l'intellect (79) ». Cela sembla fonctionner : le sujet rêva d'un saint homme en train de capter l'énergie du Soleil.

Plusieurs chercheurs émettent l'hypothèse que la télépathie est masquée par la conscience et ne se produit que lorsque, la garde étant abaissée, elle peut éluder la censure active de notre esprit. Il semble exister des conditions spécifiques où la télépathie peut avoir lieu et tenter de l'étudier en laboratoire sous conditions de contrôle est un peu comme essayer d'étudier le comportement d'un animal mort. Etre assis à une table des heures d'affilée pour tenter de deviner la succession de cinq symboles dépourvus de signification dans le jeu de cartes de quelqu'un d'autre ne paraît guère à même de dénuder les régions inconscientes où les facultés de télépathie ont des chances de se trouver latentes. Notre inconscient réagit beaucoup plus volontiers à des situations émotionnelles. Cela peut se démontrer fort aisément par une expérience comme celle où des sujets se virent présenter dix syllabes dépourvues de sens, dont cinq furent accompagnées d'un choc électrique, jusqu'à ce qu'ils devinssent conditionnés et produisissent des réactions électriques aux paumes chaque fois qu'ils voyaient les syllabes « choquantes » (160). Les syllabes furent alors projetées sur l'écran si vite qu'aucun des sujets ne pouvait consciemment les distinguer ; pourtant, leur esprit inconscient voyait les motifs de façon parfaitement claire et produisait le réflexe à chaque fois qu'on lui montrait un bref aperçu des syllabes liées aux chocs. L'inconscient se trouve actif à tout moment, mais des techniques de ce genre sont nécessaires pour l'induire — au besoin de force — à lâcher son information.

Le meilleur instrument que nous possédions pour explorer l'inconscient, c'est l'hypnose. Le psychiatre Stephen Black a dit : « L'hypnose n'est pas seulement le moyen le plus simple et le plus pratique de prouver l'existence de l'inconscient — encore mis en doute dans certains milieux —, mais en réalité l'unique façon dont les mécanismes inconscients peuvent être manipulés dans des conditions expérimentales renouvelables, à des fins d'investigation (26). » L'induction de l'hypnose dépend de l'établissement d'un rapport entre hypnotiseur et sujet, rapport qui ressemble à première vue beaucoup à l'une des conditions préalables de le télépathie. Il n'existe néanmoins aucune courbe d'EEG qui soit particulière à l'hypnose, et l'on n'a pas le moindre indice pour supposer que l'hypnotiseur et le sujet entrent dans un état de liaison physiologique pareil à celui de Kamensky et Nikolaïev ; il y a pourtant des cas d'expérience partagée. Le physicien Sir William Barrett effectua une série de tests avec une fillette : « Debout derrière l'enfant, dont j'avais dûment bandé les yeux, je pris du sel et me le mis dans la bouche ; aussitôt, elle cracha en s'écriant : " Pourquoi me mettez-vous du sel dans la bouche ? " Ensuite, j'essayai le sucre ; elle dit : " C'est meilleur " ; interrogée sur ses impressions, elle répondit : " Sucré. " Puis la moutarde, le poivre, le gingembre, etc., furent essayés ; chacun fut nommé et, semble-t-il, goûté par la fillette quand je les mis dans ma propre bouche ; mais lorsqu'ils furent placés dans la sienne, elle parut n'en pas tenir compte (94). »

Ce genre de communication n'a pas été prouvé ; toutefois, s'il existe, il apporterait un solide appui à l'idée jungienne d'un inconscient collectif où toute expérience est partagée. Même Freud, bien que lui-même eût de la difficulté à provoquer l'hypnose, estimait que la télépathie se produisait le plus facilement dans des situations psychanalytiques, où l'inconscient se trouvait exposé à l'examen attentif. Son essai sur *la Psychanalyse et la Télépathie* ne fut publié qu'après sa mort, mais vers la fin il écrivait : « Si je devais recommencer ma vie, je me consacrerais à la recherche psychique plutôt qu'à la psychanalyse (309). »

On dirait que la télépathie est perçue par l'inconscient de façon régulière et n'effectue que de temps en temps des percées jusqu'aux niveaux conscients. Il semble exister une barrière qui l'empêche de faire surface en notre esprit conscient, et pour surmonter ce blocage, nous, ou ceux, comme le psychanalyste ou l'hypnotiseur, qui nous assistent, devons trouver quelque détour ou quelque subterfuge afin de le circonvenir. Les vieux phénomènes médiumniques de la « parole automatique » et de l' « écriture automatique » en état de transe pourraient bien constituer pour l'esprit conscient des moyens de « passer la main » et d'abdiquer ses responsabilités. Il se pourrait que les rêves et les hallucinations fussent d'autres façons de contourner le refoulement. Il est tout à fait possible que beaucoup de nos pensées quotidiennes soient d'origine télépathique, ou du moins partiellement télépathique, et que nous ne les prenions pour nôtres que parce qu'elles se sont mélangées avec beaucoup de choses qui sont authentiquement nôtres en franchissant le seuil qui sépare l'inconscient de la pleine conscience.

Il me paraît que la télépathie, définie en tant que « l'accès à de l'information détenue par autrui sans utilisation des canaux sensoriels normaux », est prouvée sans qu'il reste aucun doute. Elle fait trop partie aussi bien de l'expérience commune que de l'investigation contrôlée pour être plus longtemps rejetée. Nous possédons maintenant un grand nombre de documents sur une communication qui se produit en dehors des canaux normaux ; pourtant, nous n'avons encore que fort peu d'idées sur la façon dont elle pourrait fonctionner.

Nous connaissons pas mal de choses sur la façon dont elle ne fonctionne pas.

Leonide Vassiliev, physiologiste à l'université de Leningrad, a fait une longue et scrupuleuse série d'expériences pour essayer de dépister la longueur d'onde télépathique. Il a commencé par deux sujets d'hypnose qui pouvaient être mis en transe à distance par ce qui ne saurait être que des moyens télépathiques. Celui lui fournit un phénomène répétable, capable d'être branché et débranché à volonté, sondé, disséqué en vue de révéler ce qui, espérait Vassiliev, constituerait la base physique de la transmission. Il élimina la plupart des possibilités électromagnétiques normales en plaçant les sujets dans une cage de Faraday ; ils n'en continuèrent pas moins de s'endormir sur induction télépathique. Il construisit une capsule en plomb, munie d'un couvercle qui se scellait soi-même dans une rainure emplie de mercure ; le message n'en continua pas moins de passer. Finalement, lorsqu'il découvrit que cela marchait sans tenir compte des distances impliquées, Vassiliev s'avoua vaincu (328).

La découverte du fait que la télépathie semble être indépendante de la distance a troublé les enquêteurs, étant donné que la plupart des forces physiques connues diminuent à proportion de la distance qu'elles parcourent — conformément à une loi bien connue. Au cours des années récentes, néanmoins, la loi s'est trouvée enfreinte. Beaucoup de métaux, quand on les refroidit à la température de l'hélium liquide, peuvent être amenés à transmettre un courant électrique sans la moindre perte due à la résistance ou à la distance en cause (121). Dans cet état, ils sont connus sous le nom de superconducteurs, et ce qu'ils font équivaut presque au mouvement perpétuel aussi longtemps que se trouvent maintenues les basses températures. On a maintenant l'espoir de pouvoir fabriquer de nouveaux alliages qui permettront la superconduction à des températures beaucoup plus élevées, peut-être même à température normale, et ce que ces nouveaux matériaux stratifiés ont de particulièrement intéressant, c'est que le métal s'y trouve pris en sandwich entre des bandes d'un composé organique. Ces matériaux nouveaux sont aussi plus directionnels que les anciens car il permettent de ne faire passer les courants que par certaines voies. En cela, ils rappellent les découvertes que, dans certaines conditions, des radiations telles que des ondes radio peuvent être canalisées de façon que non seulement elles arrivent à leur destination sans diminution de puissance, mais parfois même gagnent en force. Des travaux sur les bruits produits par les baleines montrent que ces mammifères recherchent délibérément les zones de courants sous-marins inversés de grandes profondeurs, où parfois une couche d'eau chaude est prise entre deux couches d'eau plus fraîche, et ils emploient ces couches comme des câbles sous-marins pour communiquer peut-être sur des milliers de kilomètres à travers tout un océan.

Cela soulève la question de savoir pourquoi, si de tels canaux existent, nous n'avons pas été capables de les détecter ou de les détourner dans l'espace entre deux personnes en apparent contact télépathique ? La réponse peut être qu'ils dépendent de particules mathématiquement imaginaires. La physique moderne emploie souvent des particules virtuelles, aux énergies et masses imaginaires, pour décrire des fonctions du monde physique. Un exemple est le « neutrino » qui n'a pas de caractéristiques physiques positives et n'est observable que par inférence, bien qu'il joue un rôle capital dans l'interaction d'autres particules fondamentales. Le neutrino et sa contrepartie l'antineutrino n'ont jamais été directement découverts ; pourtant, tout physicien compétent d'aujourd'hui est convaincu de leur existence, pour la simple raison qu'il ne peut voir aucun moyen par quoi, sans eux, certaines réactions pourraient se produire. La situation, en ce qui concerne la télépathie, est très voisine. Certains phénomènes ont été observés de façon régulière, dans une large variété de conditions, et il n'y a aucune raison de prétendre qu'un agent physique n'existe pas simplement parce que nous ne pouvons encore le voir.

Admettant l'existence de la télépathie et reconnaissant notre échec à découvrir son mode d'action, nous en restons toujours à nous demander à quoi elle sert. D'abord, pourquoi a-t-elle surgi dans le cycle de l'évolution ? Et si elle n'est pas limitée à l'homme, en quoi consiste sa fonction biologique ?

Sir Alister Hardy, ancien professeur de zoologie à Oxford, a depuis 1949 rendu perplexes ses confrères plus orthodoxes avec sa notion que la télépathie pourrait être la clé d'un principe biologique fondamental qui a joué dans l'évolution un rôle majeur. Hardy argue qu'il y a peu de chances que le développement du langage, quelque important qu'il ait été pour l'homme, ait produit par-dessus le marché des modes extrasensoriels de perception et suppose même qu'il aurait dû avoir l'effet contraire. Le langage a contribué sans aucun doute au développement de la raison, à l'échange des idées, à la conception et à la propagation d'inventions nouvelles, ainsi qu'à l'accroissement de notre cortex cérébral, mais il se pourrait aussi qu'il ait refoulé, au profit de la communication orale bien plus précise, une forme plus primitive de connaissance. Jusqu'à l'âge d'environ dix-huit mois, les enfants ressemblent beaucoup à des chimpanzés du même âge ; ils ont des intérêts, un intellect similaires, et peuvent communiquer fort efficacement suivant le vieux mode visuel. Les adultes eux-mêmes, lorsqu'ils sont privés des avantages du langage et des clés linguistiques, voient, entendent, ressentent, se déplacent, explorent, d'une façon qui ressemble fort à celle des animaux. Un homme incapable de prendre des notes ou de tracer un plan ne vaut pas mieux pour franchir un labyrinthe qu'un rat blanc dressé. En ce qui concerne la connaissance explicite, exprimée en mots, formules et diagrammes, nous sommes imbattables ; mais dans la connaissance tacite de ce que nous sommes juste en train de faire, avant que cela ne s'exprime en mots ou symboles, nous sommes inférieurs à beaucoup d'autres espèces.

Hardy a dit : « Peut-être nos idées sur l'évolution seraient-elles modifiées si l'on découvrait que quelque chose d'apparenté à la télépathie... constituait un facteur dans le modelage des types de comportement parmi les membres d'une espèce. S'il existait un plan de comportement de groupe inconscient réparti entre les individus de l'espèce et les reliant... il pourrait agir par sélection organique pour modifier le cours de l'évolution (134). »

Par « sélection organique », Hardy voulait dire que les combinaisons de gènes les mieux adaptées aux habitudes d'un animal tendraient à subsister de préférence à celles qui n'offrent pas un champ d'action complet au type de comportement de l'animal. Par exemple, si un oiseau se nourrissant habituellement d'insectes provenant de la surface de l'écorce des arbres s'apercevait qu'à mesure que l'homme gagnait du terrain et que les insectes devenaient plus rares, il pouvait se procurer plus de nourriture en fouillant l'écorce, il pourrait modifier dans cette direction ses habitudes alimentaires. Si tous les membres de l'espèce adoptaient alors la nouvelle habitude de fouille, ceux dont les gènes leur donnaient l'avantage d'un bec un peu plus allongé auraient de meilleures chances de survivre. Avec le temps, toute la population posséderait un bec plus allongé, et une modification évolutive de l'aspect se serait produite en raison d'un simple changement de comportement.

En Europe occidentale, la mésange bleue, *Parus caeruleus,* a récemment appris à ouvrir les couvercles en feuille d'étain des bouteilles de lait déposées sur les perrons pour boire la crème de la surface. Ce type de comportement se répand vite à travers le continent, par imitation semble-t-il, et si les laiteries continuent de livrer leur produit dans le même emballage, il se peut que tôt ou tard ces petits oiseaux développent un bec mieux conçu pour exploiter une source neuve et précieuse de nourriture.

En ces deux cas, le changement de comportement est provoqué par un changement de l'environnement. La plupart des acquisitions évolutives sont de cet ordre et se produisent en réponse à des pressions externes du climat ou aux actions de prédateurs ou de rivaux. Les végétaux évoluent de façon tout à fait semblable, se développant en des directions qui leur sont imposées par les forces sélectives du Soleil et de la pluie, du sol et de l'abri, de la compétition avec les plantes voisines et de la destruction par les herbivores brouteurs. Le carnaval fantastique des fleurs est produit entièrement au profit des animaux dont la plante a besoin pour venir distribuer son pollen (133). L'orchidée australienne *Cyptosylia leptochila* s'est dotée d'une fleur qui est une réplique parfaite, y compris ses taches aux bons endroits, de l'abdomen d'une mouche ichneumon femelle, la *Lissopimpla semipunctata*. Attiré par la fleur, le mâle essaie de s'unir à elle et, ce faisant, ramasse du pollen qu'il porte à son prochain rendez-vous décevant. Il s'agit là d'un exemple net du rôle d'un comportement animal dans l'évolution morphologique d'une plante. Les animaux dépendent moins de ce genre de forces extérieures de sélection mais peuvent, grâce à leur nature exploratrice, provoquer des modifications dans leur propre apparence en modifiant leur comportement.

Cette distinction est importante, car les adaptations produites par sélection externe sont généralement limitatives et négatives par nature, façonnant un organisme en vue de l'insérer plus facilement dans le cadre de l'environnement où il se présente. Les adaptations produites par les types de comportement propres à l'animal sont beaucoup moins prédéterminées et peuvent l'amener à sortir de ce cadre pour explorer et coloniser des modes de vie tout à fait nouveaux. Les pattes des loutres ne seraient jamais devenues des pieds palmés ni celles des dauphins leurs nageoires, si l'un de leurs ancêtres entièrement terrestres n'avait dévié de sa routine habituelle pour se mettre à patauger. Et c'est ici qu'intervient la télépathie.

Certains de ces changements de comportement ou de morphologie se sont produits dans un laps de temps relativement bref, et il est difficile de voir comment cela aurait pu se produire, dans tous les cas, par les seules expériences par essais et erreurs d'occasionnels individus aventureux. Les habitudes et les idées nouvelles peuvent se répandre par imitation, comme elles paraissent le faire chez les mésanges buveuses de lait et chez une population de singes d'une île japonaise, lesquels ont appris à descendre à la mer, pour les laver, les patates douces. Même ici, des problèmes se posent : la vogue des bouteilles de lait s'est propagée à un rythme qui inquiète les laitiers, et il semble qu'un deuxième groupe de singes, sur une île voisine, ait aussi récemment et inexplicablement commencé de rincer sa nourriture.

L'existence d'un lien télépathique inconscient chez les membres de la même espèce pourrait contribuer de façon importante à la constitution et à la stabilisation de nouveaux types de comportement. Whately Carington, qui, à une certaine période, a réalisé des expériences sur la transmission télépathique de dessins entre personnes, a avancé l'idée que d'autres modèles comme les toiles complexes de certaines araignées pouvaient être transmis de la même façon. « J'émets l'hypothèse que des comportements instinctifs d'ordre supérieur ou de type complexe de cette sorte peuvent provenir du fait que l'individu concerné est relié à un système plus vaste (ou inconscient collectif, si on préfère) où se trouve emmagasinée toute l'expérience de tissage de toile de l'espèce (64). » Il est absurde de prétendre que le comportement instinctif peut être gouverné par un inconscient collectif : nous savons maintenant sans doute possible qu'il est commandé par l'hérédité génétique, mais il se peut que la télépathie ait son utilité avant qu'une habitude ne soit génétiquement fixée. Il faut qu'une habitude se répande largement avant de pouvoir être incorporée dans le répertoire d'une espèce et elle pourrait être efficacement propagée et stabisée par quelque système télépathique. Sans télépathie, on a peine à imaginer comment un modèle instinctif compliqué pourrait se développer chez des animaux invertébrés dont il est fort peu vraisemblable qu'ils acquièrent de nouvelles habitudes par imitation ou tradition.

Pour que puisse fonctionner un système de ce genre, la nouvelle d'une découverte inédite devrait être largement diffusée, de la même façon qu'un cri d'alarme, et non confinée à un confortable contact télépathique entre deux interlocuteurs. La plupart des expériences humaines se sont déroulées selon le type à ligne unique ; cela ne signifie pourtant pas que des lignes groupées soient impossibles. Au cours de la longue série d'expériences entre Kamensky et Nikolaïev, on introduisit une fois une tierce personne. Tandis que Kamensky se trouvait à Leningrad en train de transmettre à Nikolaïev à Moscou, à l'insu de l'un et de l'autre, un intercepteur, Victor Milodan, fut installé dans un autre immeuble à Moscou. Cinq messages furent transmis ce soir-là et Milodan parvint à « écouter aux portes » assez bien pour en identifier deux avec exactitude. Ainsi, même le plus moderne et accompli des espions, spécialement formé aux techniques télépathiques, risque-t-il encore d'avoir des ennuis avec des micros clandestins !

La télépathie pourrait aussi être utile à la cohésion des sociétés complexes comme celles des abeilles et des fourmis. Nous savons qu'une partie de cette fonction est remplie par des substances chimiques, les phéromones, qui circulent au sein de la ruche et font savoir à tout le monde que la reine se trouve toujours en vie. Chaque abeille et fourmi ouvrière possède en outre un complexe de glandes qui émettent des odeurs destinées à des situations particulières comme le tracé d'une piste en direction d'une source alimentaire, ou le fait de « sentir » une alarme. Chez les fourmis, l'odeur d'alarme est conservée dans les glandes mandibulaires et, déchargée dans l'air calme, forme une sphère atteignant un diamètre maximal de quelque huit centimètres en quinze secondes qui se résorbe et disparaît ensuite tout à fait en trente-deux secondes (343). Ainsi, la sphère d'alarme ne s'étend que sur une courte distance autour de son motif, mettons l'intrusion d'un insecte étranger, et n'affecte pas le reste du nid. La chose est d'importance, car il y a tant de dérangements mineurs, chaque jour, que la colonie en arriverait à une paralysie complète si chaque signal d'alarme était diffusé de façon générale ; il existe pourtant des situations où une action plus concertée se révèle nécessaire et où les effets locaux et à court terme de l'alarme olfactive sont inadéquats. Dans ces cas, la télépathie serait d'une grande utilité, et il n'est pas impossible qu'elle soit réellement employée.

Ivan Sanderson a étudié, en Amérique tropicale, les fourmis moissonneuses du genre *Atta* et signale une remarquable activité communautaire (291). Ces fourmis construisent un réseau de routes complexes, bien dégagées, qui rayonne autour de leur cité souterraine sur une distance atteignant huit cents mètres en direction de tous les sites alimentaires utiles du voisinage. Si l'une de ces routes vient à être bloquée par la chute d'une branche ou quelque autre obstacle, le trafic est interrompu jusqu'à l'arrivée des fourmis policières spéciales pour diriger la construction d'une déviation. Sanderson fut frappé par la vitesse à laquelle arrivaient les renforts et installa un certain nombre de blocages routiers de son cru, où lui-même et ses assistants se trouvaient installés de loin en loin au long de la route, munis de chronomètres. Ils virent « un grand détachement de police arriver au pas de charge sur la route en provenance du nid, large d'environ cinquante fourmis côte à côte, et rang après rang », presque instantanément. Le temps était trop insuffisant pour que la nouvelle du désastre eût été transmise par toucher d'antenne à antenne sur tout le chemin du retour, le vent soufflait du nid et n'aurait pas tardé à disperser toute odeur d'alarme, il faisait sombre et aucun son ne paraissait en cause. Il est certain que les *Atta* possèdent un système de télécommunication qui semble être indépendant des sens chimiques et mécaniques connus. Il est donc possible que ces fourmis, et d'autres espèces voisines, soient capables d'utiliser un genre de télépathie, et peut-être est-ce déjà le cas.

Une colonie d'insectes sociaux c'est, dans un sens très réel, un organisme unique. La reine représente l'organe sexuel et la glande endocrine maîtresse ; les ouvrières constituent la voie reproductrice, le canal digestif et les organes régénérateurs ; la police représente les activités de régulation ; quant aux soldats, ils équivalent aux organes de défense. Un système d'instincts les unit tous en une seule structure indépendante où les intérêts des parties sont subordonnés à ceux de l'ensemble. Il ne serait pas surprenant de constater qu'un tel organisme est doté d'un esprit rudimentaire. Après tout, les fonctions de l'esprit humain ne sauraient être liées à n'importe quelle cellule particulière ou même à n'importe quel groupe de cellules. Le cerveau se compose de bien plus d'éléments qu'il n'en existe au sein d'une colonie de fourmis et n'en parvient pas moins à fonctionner comme un tout, avec une communication plus ou moins complexe entre ses cellules distinctes. Les impressions sont recueillies en différentes régions et incorporées dans l'esprit exactement de la même façon que, ainsi que je le suggère, l'information provenant de sources différentes serait incorporée dans une union télépathique entre les animaux individuels apparemment disparates qui forment une communauté. Cette communion peut même franchir un pas de plus, et comprendre tous les individus appartenant à la même espèce. Il se peut que pour chaque espèce il existe un genre de modèle psychique, impliquant un partage inconscient de types de comportement et peut-être même de morphologie.

En biologie, un des plus importants problèmes inexpliqués est celui de l'organisation. Chez la drosophile, il existe un gène particulier qui gouverne la formation des yeux. Si ce gène est altéré par mutation, il en résulte une mouche sans yeux qui, mêlée à d'autres pareilles, produira une lignée de mouches aveugles. Toutefois, au bout d'un moment, le complexe des gènes se réorganise tout seul, quelque autre gène intervient pour remplacer le gène endommagé — et soudain, les mouches ont de nouveau des yeux. Si l'on greffe une partie d'un œil de grenouille au-dessous de sa peau, n'importe où sur son corps, les cellules épidermiques de cette région formeront un cristallin parfait. Ainsi la structure de l'œil, chez la mouche et la grenouille, ne dépend-elle pas seulement d'un gène spécial ou de cellules spéciales. On dirait qu'existe quelque part une sorte d'organisateur, un maître plan qui sait à quoi devrait ressembler l'animal et qui en cas de besoin prendra les dispositions nécessaires. Bien que la majeure partie de cette organisation se trouve aux mains de l'ADN — l'unique molécule porteuse de l'héritage de chaque espèce —, cela ne paraît pas suffisant. ce qui est remarquable dans le phénomène vie, ce n'est pas qu'elle existe sous une telle variété de formes, mais que tant de formes réussissent à maintenir aussi longtemps leur aspect et leur intégrité fondamentaux, face à la multitude des forces environnantes qui tentent sans arrêt de les désintégrer. Certes, le code ADN apporte des instructions déterminant la forme physique générale, mais peut-être existe-t-il un autre organisateur, un genre de courant d'expérience partagée qui ne permet de survivre qu'aux meilleurs exemplaires du modèle de l'espèce.

C'est peut-être la télépathie qui joue ce rôle.

INTUITION

Charles McCreery, de l'Institut de recherche psychophysique à Oxford, reste sceptique quant aux modifications physiologiques pré-

sentées par certains chercheurs comme preuve des manifestations télépathiques. Il préfère établir une distinction fondamentale entre l' « l'appareil physiologique en tant que moyen de provoquer un état conscient de PES, et l'appareil physiologique en tant que détecteur de la
PES (224) ». Cela signifie que McCreery n'est pas certain de la
télépathie elle-même, mais croit possible de reconnaître les conditions
où elle se produira. Il dresse comme suit la liste de ces conditions :
activité alpha continue et souvent légèrement accélérée ; diminution du
tonus musculaire ; accroissement de la pression d'acide carbonique.

S'il existe un état physiologique nettement défini où la télépathie a
le plus de chances de se produire, il doit être possible à quelqu'un de
s'entraîner à reconnaître cet état de la même façon que l'on peut
apprendre à produire à volonté des rythmes alpha ou la diminution
de la pression sanguine. Peut-être est-ce en cela que consiste l'intuition :
en une simple aptitude à reconnaître l'état télépathique et à mettre à
profit cette connaissance pour déclarer : « Je ne sais pas pourquoi,
mais je suis sûr que... » Cela signifierait que l'intuition est une vague
connaissance consciente de l'inconsciente réception d'une information
télépathique. Dans beaucoup des tests de télépathie, les sujets éprouvent effectivement une sensation particulière à propos de certaines
conjectures ou impressions, et déclarent que certaines « semblent meilleures » que d'autres, ou que « quelque chose leur dit » que tout va
bien. Souvent, ces impressions se révèlent exactes ; pourtant, on est
loin de disposer d'assez d'information pour prouver qu'une telle corrélation existe bien. En théorie, il devrait être possible de faire des tests
conçus de façon que le sujet retienne ses conjectures jusqu'à ce qu'il
éprouve ce sentiment intuitif de « justesse ». Mais jusqu'ici, on n'y
est pas parvenu et la connexion entre la télépathie et l'intuition reste
obscure.

Il est possible qu'il n'existe aucune corrélation du tout entre les deux.
L'un des jeux à quoi joue le psychiatre Eric Berne consiste à deviner
l'âge, les occupations, l'adresse et la situation de famille des gens qu'il
rencontre. En cela, il paraît souvent réussir de façon remarquable et
on a émis l'hypothèse qu'il utilise la télépathie pour se procurer l'information ; toutefois, il a le sentiment que son intuition repose sur des
indices sensoriels normaux. Il suppose que « les perceptions sont disposées de manière automatique juste au-dessous du niveau de conscience ; les facteurs subconsciemment perçus sont triés, se mettent
automatiquement en place et sont intégrés dans l'impression finale,
laquelle est enfin verbalisée non sans quelque incertitude (24) ». Berne

dit qu'il peut déterminer quand son intuition fonctionne bien, et que les conditions nécessaires à la réussite de la conjecture impliquent « un contact rétréci, concentré, avec la réalité extérieure ». Ce qui paraît similaire à l'état d' « attention détendue » de la bonne télépathie ; mais il est possible que l'information télépathique de même que les impressions subliminales soient reçues quand l'esprit se trouve en cette disposition. Nous savons que sous hypnose l'inconscient peut se remémorer des choses incroyables, comme le nombre de marches gravies pour monter au bureau de quelqu'un d'autre la semaine précédente, ou la quantité des lampadaires dans la rue, en bas, mais nous n'avons aucune idée de la raison pour laquelle est recueilli ce genre d'information, ni du moment où il l'est.

L'inconscient paraît donc absorber beaucoup plus d'information concernant l'environnement que nous ne le soupçonnions et que la barrière entre processus inconscients et conscients constitue un de ces filtres vitaux qui nous évitent d'être inondés par les sensations. S'il en va de la sorte, il n'est pas surprenant que nous ayons peine à passer la barrière : notre vie dépend du fait qu'elle soit maintenue intacte. De temps en temps, la paroi a une fuite qui se manifeste sous forme de rêves et d'hallucinations et l'intuition représente peut-être une autre brèche, qui se produirait en cas d'urgence, quand l'information peut avoir pour nous une importance vitale. Le plus souvent, les intuitions sont le fruit de l'expérience antérieure : souvenirs, souhaits, espoirs et peurs qui ont été emmagasinés dans l'inconscient, mais parfois elles peuvent contenir une information tout à fait nouvelle, peut-être obtenue par télépathie.

L'usage parcimonieux que nous faisons de l'intuition pourrait bien provenir de la complexité de nos vies conscientes. Nous considérons l'intuition comme un autre moyen que la démarche logique de l'intellect et tendons à diviser les gens entre ceux qui agissent davantage émotionnellement — sur la base de l'intuition — et ceux qui adoptent une attitude intellectuelle devant toutes les décisions. Traditionnellement, on prête aux femmes de plus grands pouvoirs intuitifs, mais il y a peu de preuves à l'appui ; toutefois, il est possible que les femmes soient forcées d'être plus intuitives uniquement parce qu'on leur a refusé la chance d'un développement intellectuel. Chez des espèces ayant moins d'aptitude au raisonnement et une conscience moins active, les barrières semblent très réduites et chez la plupart tout à fait inexistantes ; cela ne signifie pourtant pas que ces espèces perdent de vue la distinction entre « soi » et « non-soi ».

Les hirondelles perchées sur un fil télégraphique s'espacent entre elles de presque exactement quinze centimètres ; pour les mouettes, la distance est de trente centimètres, et chez les flamants la distance individuelle atteint une soixantaine de centimètres. L'homme trace autour de son corps le même genre de cercle invisible et le diamètre de ces zones peut constituer une bonne indication de son état émotionnel. Le psychiatre August Kinsel a découvert que l'espace personnel entourant une personne normale, bien équilibrée, est cylindrique et s'étend en gros sur cinquante centimètres dans toutes les directions (176). Il apparaît que chacun de nous défend cette zone et Kinsel a constaté que l'espace est très nettement plus grand chez les personnes de nature violente. Lorsqu'il essaya de s'approcher de prisonniers qui avaient commis des actes de violence, il s'aperçut qu'ils l'arrêtaient à une distance atteignant près d'un mètre et manifestaient une tension et une hostilité nettement croissantes à mesure que diminuait la distance, quand il empiétait délibérément sur leur espace. Leur zone personnelle faisait également saillie derrière eux jusqu'aux environs d'un mètre vingt et ils considéraient toute approche venant de cette direction comme particulièrement menaçante.

Ces zones sont en partie sous contrôle conscient. Entassés dans un ascenseur ou dans un autobus, nous refoulons soigneusement notre hostilité et nous disposons de manière à nous détourner de nos voisins les plus proches, en une attitude qui les rassure un peu. Il se peut qu'en pareilles circonstances nous évitions aussi l'agressivité par une saisie intuitive des intentions des autres individus. Point n'est besoin de mettre en cause ici la télépathie ou toute autre réceptivité extra-sensorielle, mais simplement une perception inconsciente d'autrui. Les travaux sur les champs vitaux suggèrent qu'un groupe de gens rassemblés crée un champ composite ayant un caractère distinct et que l'addition d'un nouvel individu à un groupe ne fait pas qu'ajouter quantitativement au champ, mais en transforme souvent tout à fait le modèle. De manière inverse, nous connaissons tous le sentiment de vide et de perte qui naît parfois lorsqu'une personne, laquelle peut n'avoir pris aucune part active à une conversation, quitte un groupe. Le caractère du groupe, son sujet de conversation et son activité, tout cela peut changer au point que la réunion elle-même en arrive à se disperser.

Ce champ de perception sociale semble être celui où l'intuition joue son rôle le plus actif. Qu'elle ait ou non quelque chose à voir avec la télépathie, elle fournit à coup sûr un utile moyen d'accès à des sources inconscientes d'information provenant de notre environnement et des autres organismes qui s'y trouvent.

Il existe quelques situations où il semble également possible d'obtenir une information totalement inconnue de n'importe qui d'autre.

VOYANCE

Dans la longue série de tests de Duke University consistant à deviner des cartes, la plupart des sujets essayaient de deviner la carte regardée par une autre personne ; il s'agissait là d'authentiques tests de télépathie. Mais dans quelques-uns, les sujets visaient un but inconnu de tout le monde, tel que la succession des cartes dans un jeu brouillé. Quand ces tests donnèrent des résultats meilleurs que le hasard, Rhine fut contraint de reconnaître un nouveau phénomène : la voyance (272).

Un des sujets les plus exhaustivement testés dans l'histoire de la recherche parapsychologique est un jeune étudiant tchécoslovaque, Pavel Stepanek. Il a obtenu des résultats phénoménaux dans tous les tests de cartes classiques, mais il a de plus introduit une variante de son cru qu'on connaît maintenant sous le nom d' « effet de concentration » (288). Stepanek réussit particulièrement bien avec certaines cartes préférées, qu'il se montre capable de trouver lorsqu'elles sont encloses dans des enveloppes et brouillées de telle sorte que l'expérimentateur lui-même ignore laquelle est laquelle. Au bout d'un moment, la concentration de Stepanek en vient à reconnaître aussi l'enveloppe, qui doit alors être placée dans une enveloppe nouvelle. Dans les plus récents tests de Stepanek, on lui présente une carte dans une enveloppe enfermée dans une couverture placée dans une autre jaquette ; il n'en continue pas moins à deviner juste (258).

Bien que la plupart de ces expériences de voyance fournissent des preuves qui n'apparaissent qu'à l'analyse statistique, deux médiums hollandais apportent des démonstrations beaucoup plus spectaculaires (309). En 1964, Gerard Croiset, d'Utrecht, fut consulté par la police dans l'affaire du meurtre de trois « civil rights workers * » au Mississippi et les rapports indiquent qu'il fut capable de donner des renseignements exacts et des descriptions correctes de l'endroit où les corps furent finalement retrouvés, et d'impliquer à bon droit certains policiers locaux dans les assassinats. En 1943, Peter Hurkos tomba d'une échelle, se fractura le crâne et s'aperçut qu'il avait perdu la faculté de concentration, mais avait gagné un nouveau pouvoir à la place.

* Bénévoles s'occupant d'aide sociale.

Récemment prié d'assister la police de La Haye, il n'eut qu'à tenir en mains le veston d'un mort pour être en mesure de décrire en détail le meurtrier de cet homme, lunettes, moustache et jambe de bois comprises. Quand les policiers révélèrent avoir déjà arrêté un homme répondant à cette description, Hurkos leur dit où trouver l'arme du crime (157).

A strictement parler, aucun de ces exemples ne saurait être retenu comme de la véritable voyance, puisqu'il y avait toujours quelqu'un quelque part qui connaissait l'information essentielle. Un phénomène de télépathie pouvait avoir eu lieu. Dans les cas des tests de cartes, il y a toujours un risque de vice dans l'organisation de l'expérience permettant à l'expérimentateur d'avoir un soupçon, fût-il inconscient, de l'endroit où se trouvait la carte cachée. La véritable voyance doit consister à découvrir un objet dont la localisation est inconnue de quiconque, mais dans ce cas, pourquoi ne pas nommer cela de la radiesthésie ? L'existence des facultés de voyance est si douteuse, si lointaine la possibilité que de tels talents présentent la moindre signification biologique, qu'il semble inutile de chercher davantage.

SORCELLERIE

Un médecin tchécoslovaque exerçant maintenant aux Etats-Unis, Milan Ryzl, relate une série d'expériences télépathiques où l'émetteur essaya de transmettre des accès d'émotion. Quand l'émetteur se concentrait sur l'angoisse de la suffocation, évoquant d'affreuses crises d'asthme, le receveur, à plusieurs kilomètres, souffrait d'un intense accès d'étouffement (287). Quand l'émetteur se concentrait sur des émotions lugubres et prenait un sédatif, le receveur manifestait la réaction d'EEG appropriée et se mettait à ressentir de violents maux de tête ainsi qu'un état de nausée qui durait des heures. Voilà qui jette une lumière entièrement neuve sur la vieille notion de magie noire. Il ne fait aucun doute qu'une personne qui croit avoir été ensorcelée peut se rendre malade et même mourir par le pouvoir de sa pensée ; pourtant, ces nouveaux travaux donnent à croire qu'il n'est pas nécessaire d'avoir soi-même les pensées destructrices. Quelqu'un d'autre peut les imaginer et les diriger vers nous.

William Seabrook vécut des années parmi le peuple malinké de l'ancienne Afrique occidentale française et nous parle d'un chasseur belge qui maltraitait et tuait ses porteurs locaux jusqu'au jour où, se faisant eux-mêmes justice, ils lui firent jeter un sort par un sorcier.

Dans une clairière de la jungle, les Noirs disposèrent un cadavre d'homme réquisitionné dans un village proche, lui passèrent une des chemises du Belge, mêlèrent à ses cheveux quelques cheveux de celui-ci, fixèrent à ses doigts des rognures d'ongles en provenant et rebaptisèrent le corps du nom du chasseur. Autour de cet objet d'envoûtement, ils psalmodièrent et jouèrent du tam-tam, concentrant leur haine malveillante sur l'homme blanc qui se trouvait à des kilomètres. Un certain nombre de ses employés, jouant l'amitié, eurent soin de mettre le Belge au courant de tous ces agissements et ce jusqu'à sa mort. Il ne tarda pas à tomber malade et mourut en effet, apparemment d'autosuggestion (302). Pour des phénomènes de cet ordre, l'explication admise est qu'une croyance inconsciente en les pouvoirs du sort, même s'il n'a pas été jeté en réalité, peut tuer. Mais la découverte de ce qui semble être une maladie transmise par télépathie donne à soupçonner que la cérémonie elle-même pourrait bien avoir de l'importance. La frénésie de haine autour du cadavre, dans la jungle, avait certainement eu un effet hypnotique sur les participants, ce qui produisait exactement les conditions que l'on sait aujourd'hui nécessaires à la création d'un état télépathique, la « poupée de cire », dans ce cas, ne servant peut-être que de point de rassemblement à des émotions qui exerçaient par elles-mêmes leur action nocive à distance.

On peut considérer dans cette optique, et par hypothèse, tous les accessoires de la magie comme des objets sur quoi, de même que sur l'autel à l'église, l'attention peut être concentrée et autour de quoi l'émotion peut être suscitée. Les sorts qui provoquent l'inhibiton sexuelle, la possession, la paralysie et toutes formes de dépérissement reposent indubitablement pour une grande part sur la suggestion. Beaucoup fonctionnent parce que les sorciers croient posséder ces pouvoirs et parce que leurs victimes les croient capables de les utiliser ; cependant, la possibilité d'une action directe sur une personne ignorante ne saurait être négligée.

Il n'y a guère de doute que les procédés de magie rituelle de toute espèce peuvent provoquer des hallucinations. Richard Cavendish décrit le magicien en train de se préparer à l'action par « abstinence et manque de sommeil, ou par la boisson, les drogues et la sexualité. Il inhale des vapeurs capables d'affecter son cerveau et ses sens. Il exécute des rites mystérieux qui font appel aux niveaux les plus profonds, les plus affectifs et les plus irraisonnés de son esprit et il s'enivre davantage encore par le meurtre d'un animal, la blessure d'un être humain ou, dans certains cas, l'approche et l'accomplissement de l'orgasme ». Ce qui inclut à peu près toutes les émotions connues de l'homme. Guère étonnant qu'après tout cela lui et son entourage aient des visions et évoquent de terrifiants démons personnels.

Un complément fréquent à l'art du sorcier et du magicien, c'est un philtre apprêté avec soin en vue d'un effet particulier. Les sorciers étaient des empoisonneurs notoires — les noms bibliques aussi bien qu'italiens pour les désigner se réfèrent spécifiquement à ce talent —, et les poisons préparés se révélaient sans aucun doute efficaces, mais on admet en général que les rites complexes employés pour la réunion et le mélange des ingrédients ne constituaient que des embellissements superstitieux et inutiles. Cela pourrait bien être inexact. Il existe une tradition ancienne d'après quoi on peut préparer à partir du gui un remède contre le cancer, mais que son efficacité dépend entièrement du moment où la plante est cueillie. Un institut suisse de recherche sur le cancer en a récemment fait l'épreuve en effectuant soixante-dix mille expériences sur des parties de la plante cueillies à une heure d'intervalle, de jour et de nuit (112). On a mesuré le degré d'acidité, analysé les éléments constitutifs, essayé l'effet de toutes les préparations sur des souris blanches. On n'a pas encore découvert un traitement pour le cancer, mais ce que l'on a constaté, c'est que les propriétés de la plante étaient radicalement affectées non seulement par l'heure locale et les conditions météorologiques, mais par des facteurs extra-terrestres comme la phase lunaire et la survenue d'une éclipse (339). Rien ne reste pareil d'un instant à l'autre. L'orientaliste Du Lubicz a décrit une drogue qui opérait de façon presque miraculeuse si on la préparait conformément au rituel égyptien traditionnel, mais qui, préparée de n'importe quelle autre manière, était un poison. Le moment, l'endroit et la façon dont quelque chose est accompli importent en réalité beaucoup.

Il n'y a pas tant d'années que la médecine orthodoxe rejetait complètement les causes psychosomatiques. Les choses ont aujourd'hui changé ; cependant, j'ai l'impression que dans la nouveauté de notre enthousiasme pour les phénomènes psychosomatiques, nous risquons d'aller trop loin et de leur attribuer tout ce pour quoi nous ne pouvons découvrir une autre explication raisonnable. Notre avenir est dans l'esprit et dans la compréhension que nous en aurons ; néanmoins, les rituels et les cérémonies complexes qui autrefois entouraient les pratiques occultes associées aux pouvoirs de l'esprit pourraient nous surprendre et se révéler avoir des effets directs de leur cru.

Matière, esprit et magie sont tout un dans le cosmos.

QUATRIÈME PARTIE

LE TEMPS

Si j'avais su, je serais devenu horloger.

ALBERT EINSTEIN,
dans le *New Statesman*, 16 avril
1965.

LE TEMPS EST UN RYTHME. Il va et vient comme le crépitement d'électricité dans le cerveau, le flot de sang à travers le cœur ou le flux de la marée à l'assaut de la plage. Tout cela est gouverné par des horloges cosmiques et nos mensurations ne sont que des conventions comptables. Les secondes et les minutes n'ont rien à voir avec la nature. Chaque organisme interprète à sa propre façon les rythmes universels. Une tique du bétail peut rester des mois perchée au bout d'une brindille, attendant le passage d'un de ces mammifères ; une larve de cigale vit des années dans le sol, au pied d'un arbre, attendant les conditions qui seront exactement propices à son unique journée de vie adulte. Pour elles, ces périodes passent à la façon d'un simple instant, sans plus de conséquence dans leur vie que l'intervalle entre deux de nos battements de cœur.

Les manipulations du temps peuvent nous donner quelque idée du peu que nous comprenons à ces différences. Un film accéléré sur des pousses de haricots en train de croître dans les ténèbres, à une image par heure, montre une scène de férocité déchaînée, chacune des plantes frappant et griffant ses voisines dans sa tentative pour atteindre la lumière. Les films au ralenti sur le vol des papillons de nuit les montrent en train de capter le signal sonar d'une approche de chauve-souris, de calculer sa puissance et son origine et de prendre les mesures d'évitement correspondantes, le tout en l'espace d'un dixième de seconde. Chaque espèce vit selon son propre mode et son propre temps, ne voyant qu'une seule section de l'environnement à travers l'étroite fente de son propre système sensoriel. L'espace et le temps véritables existent en dehors de la perception individuelle.

Dans cette section, j'ai l'intention de relier certains des phénomènes de notre expérience à l'écoulement du temps, et de situer l'évolution de la nature et de la Surnature dans une perspective temporelle.

9

Dimensions nouvelles

IL Y A TROIS CENTS ANS, les savants croyaient savoir ce qu'était la pesanteur et qu'elle avait une signification fixe, absolue. Alors, Isaac Newton démontra que les objets pèsent moins lourd au sommet d'une montagne, et que la pesanteur est affectée par la gravité. Aujourd'hui, n'importe quel enfant qui a vu un astronaute valser lourdement sur la Lune sait qu'en dépit de tout son équipement l'homme y pèse moins lourd qu'il ne le fait sur terre. Après Newton, la science chercha dans la masse un point d'ancrage, mais alors vint Albert Einstein qui montra que la masse est aussi variable ; il démontra que plus vite une chose se meut, plus sa masse augmente. Les découvertes d'Einstein amenèrent les savants à se poser la question : si la vitesse est plus importante que la masse, le temps pourrait-il servir de base de mesure sûre ?

La réponse vint de nouveau d'Einstein. Non, dit-il, le temps ne possède aucune signification absolue et sera aussi affecté par la gravité. Einstein avait raison. Quand on se déplace très vite, le temps ralentit ; aussi les promeneurs lunaires ont-ils vieilli moins que nous d'une fraction de seconde. Pourtant, même ceux d'entre nous qui restaient sur terre ne demeuraient pas immobiles ; tous, nous nous déplaçons rapidement à travers l'espace et vieillissons moins vite que nous ne le ferions si la Terre était immobile. Tout est relatif, et le fondement de la théorie de la relativité, c'est que l'espace et le temps sont inextricablement entremêlés.

Rien n'est ce qu'il semble être. Nous voyons deux choses se produire et disons que l'une a eu lieu avant l'autre ; nous pouvons même mesurer l'intervalle de temps qui les sépare avec un de nos chronomètres artificiels, mais il se peut que cela ne soit pas du tout ce qui s'est produit. Si les deux événements étaient suffisamment éloignés de nous et distants l'un de l'autre, l'information les concernant nous parviendrait en des temps différents. Un observateur situé à un autre point de vue pourrait les voir se produire de manière simultanée, et pour une troisième personne, placée dans une autre position encore, l'ordre des événements pourrait être complètement inversé. Ainsi, même quand nous ne nous occupons que d'un seul sens, fondé sur la perception de la lumière visible, l'information portée par le véhicule peut-elle être déformée. Le problème devient plus complexe encore quand plus d'un sens est en cause. Lorsque nous regardons un bûcheron fendre du bois au loin, nous voyons la hache s'élever de nouveau avant d'entendre le bruit de son dernier impact avec la bûche. Si nous ne savions rien du processus, ou si nous étions ignorants des vitesses relatives du son et de la lumière, nous pourrions très facilement en conclure que les haches sont des instruments qui font un bruit violent quand on les brandit au-dessus de sa tête.

Je suis persuadé que beaucoup des événements apparemment surnaturels dont nous avons l'expérience sont dus à une erreur d'interprétation de ce genre et qu'à la racine de tous les problèmes se trouve le paradoxe du temps.

LE TEMPS

Le temps a très peu de chose à voir avec les cadrans solaires, les sabliers, les horloges à balancier et les montres à ressort. Même les atomes de caesium, dans les pendules atomiques, ne sont rien de plus que des systèmes pour mesurer le temps. Voici peut-être la meilleure définition : « Le temps est fonction de l'apparition des phénomènes (62). » Entre deux événements quelconques, qui ne se produisent pas en même temps, il existe un écart, un intervalle, que l'on peut mesurer. Tous les instruments de mesure reposent sur un seul postulat : implicite en leur indication de l'instant « maintenant » se trouve l'idée que le reste du temps peut se diviser en « avant » et « après » cet instant. Comme les concepts de poids et de masse, celui-ci est aujourd'hui mis en question.

L'ancienne distinction entre espace et temps repose sur le fait que l'espace a l'air de se présenter à nous d'une seule pièce, alors que le temps nous parvient fragment par fragment. L'avenir paraît caché ; le passé est obscurément visible à travers la mémoire et ses adjuvants ; le présent seul se trouve révélé de façon directe. C'est comme si nous étions assis en wagon de chemin de fer, à regarder latéralement le présent à mesure que le temps s'écoule. Mais alors qu'il devient possible de mesurer le passage du temps en unités plus réduites, il devient de plus en plus malaisé de décider au juste en quoi le présent consiste, quand il commence et où il finit. Quelle que soit la rapidité du train, nous pouvons distinguer d'un seul coup d'œil tout ce que la fenêtre encadre. Le voyageur assis en face de nous a son store en partie baissé et voit moins de choses. Mais au même instant, l'occupant d'un wagon plus rapproché de la locomotive regarde par sa fenêtre et jouit d'une vue un peu différente. Cependant, voyageant clandestinement sur le toit se trouve encore quelqu'un d'autre, dont la vision n'est pas du tout restreinte par la dimension des fenêtres du wagon, et, tout en regardant latéralement de la même façon que tous les passagers payants, il distingue un champ beaucoup plus large, comprenant un bout de la ligne qui s'étend à l'avant. Laquelle de ces personnes voit le présent ? La réponse paraît être que toutes le voient et que les différences de la vision qu'elles en ont ne sont imposées que par les limitations de leur point de vue. Le voyageur du toit ne voit pas dans l'avenir ; il a seulement une meilleure vision du présent et utilise de façon plus pleine son système sensoriel.

La philosophie hindoue a toujours connu la notion d'un présent qui se meut éternellement et la physique moderne en vient maintenant à admettre ce modèle. Dans les domaines des mathématiques subatomiques, elle envisage même la possibilité que le train se déplace dans la direction opposée en inversant l'écoulement du temps. Dans l'univers, tout le reste est non directionnel ; il devient de plus en plus malaisé d'admettre, et impossible à prouver, que le temps constitue la seule exception. Les biologistes ont à peine commencé de réfléchir à la question. La notion du temps considéré comme une flèche, comme une longue ligne droite, fait partie de toute la pensée évolutive. Les paléontologistes font des graphiques pour montrer la descendance linéaire du cheval moderne à partir d'un mini-cheval habitant les marais et muni de plus d'un seul doigt au bout de chaque pied. Les généticiens tracent des schémas plus complexes, bien que toujours linéaires, d'hérédité de génération à génération, toutes soigneusement numérotées dans leur succession. Les embryologistes suivent le développement d'un organisme complexe à travers toutes ses divisions à partir d'un seul ovule fécondé. Seuls, les écologistes et les éthologistes travaillent sur des formes nettement différentes, car ils ne peuvent s'empêcher d'observer que la vie est fondamentalement cyclique.

L'anguille d'eau douce *Anguilla anguilla* passe la majeure partie de sa vie dans les cours d'eau d'Europe occidentale, bien qu'elle n'y soit pas née. Les jeunes alevins font leur apparition soudaine, chaque année, dans les eaux côtières, et leur origine était un mystère absolu avant que Johann Schmidt ne réalisât son étude classique dans les années 1930 (276). Il recueillit des données sur la dimension de larves d'anguilles trouvées en différents points de l'Atlantique et, les relevant sur une carte, fit remonter leur point d'origine à un endroit où les petites apparaissaient le plus souvent. Cela se révéla être la mer des Sargasses, à mi-chemin entre les Caraïbes et le renflement de l'Afrique équatoriale, à près de cinq mille kilomètres de l'Europe. Il semble que les anguilles se reproduisent à de grandes profondeurs dans ces eaux, au printemps, et que les minuscules larves transparentes, en forme de feuilles, se rapprochent de la surface en été. Elles sont entraînées par le courant nord-équatorial jusque dans le Gulf Stream, où elles passent trois ans à dériver lentement vers l'Europe et à se développer jusqu'à ce qu'elles atteignent près de huit centimètres de long. Sitôt qu'elles arrivent dans les eaux côtières, les larves en forme de feuilles subissent une transformation remarquable en de petits alevins cylindriques, d'un blanc de perle, qui évitent l'eau salée et envahissent les estuaires. Elles se fraient opiniâtrement un chemin à l'intérieur des terres, se tortillant à l'assaut des chutes d'eau, glissant à travers les prés par les nuits pluvieuses et même grimpant jusqu'aux cours d'eau montagnards, à trois mille mètres d'altitude, dans les Alpes. Elles choisissent des eaux mortes et des mares où elles s'installent pour une existence paisible qui peut durer jusqu'à ce que les mâles aient quatorze ans, et plus de vingt les femelles. Alors, soudain, les voilà prises d'un urgent besoin de retourner à l'eau salée ; tout leur système hormonal subit une formidable métamorphose ; elles deviennent grasses, argentées, la peau enduite de mucus. Ces puissantes anguilles d'argent abandonnent leurs lacs et leurs étangs, traversant fréquemment les terres dans l'obscurité, se reposant le jour en des trous humides où elles repirent à travers l'eau retenue dans les cavités de leurs ouïes jusqu'à ce qu'il soit possible de continuer leur fuite contraignante en direction de la mer. Lorsqu'elles atteignent l'océan, elles disparaissent.

Schmidt présumait qu'elles voyageaient en eaux profondes, dans un contre-courant, nageant un an dans l'obscurité lors de leur épique périple de retour aux zones de frai de la mer des Sargasses. Mais Denys Tucker a découvert que dès que les anguilles pénètrent en eau saumâtre, leur anus se ferme ; elles sont ainsi dans l'incapacité de se nourrir et doivent subsister entièrement sur leurs réserves internes de graisse (324). Ces ressources ne sont pas suffisantes pour le vaste effort nécessaire pour nager sur près de cinq mille kilomètres ; aussi Tucker croit-il que les anguilles meurent sans jamais se reproduire. Il qualifie l'anguille européenne de « simple et inutile produit de déchet de l'anguille américaine », qu'autrefois on prenait pour une espèce différente, *Anguilla rostrata,* mais qui pourrait n'être qu'une variante de la même forme, suscitée par un environnement différent. Aussi bien les formes tant américaines qu'européennes proviennent de la mer des Sargasses en tant que larves, et il pourrait être vrai que seules les adultes américaines soient assez proches des lieux de reproduction pour être en mesure de revenir pondre de nouveaux œufs.

On a émis l'hypothèse que la mer des Sargasses fut jadis l'emplacement d'une mer intérieure du continent perdu de l'Atlantide et que les anguilles essaient tout simplement de retourner à leur zone ancestrale de reproduction. Il est certain qu'elles sont déterminées à se reproduire au moment où elles quittent les fleuves européens ; leurs gonades sont pleinement développées, mais aucune adulte n'a encore été découverte dans les profondeurs atlantiques et nulle anguille marquée en Europe n'a jamais été retrouvée dans la mer des Sargasses. Une explication plus vraisemblable est que le voyage était beaucoup plus bref autrefois mais que la dérive des continents les ont écartées, et que les adultes d'Europe ne constituent plus aujourd'hui qu'un « produit de déchet », destinées qu'elles sont à mourir d'épuisement dans leur impossible tentative de rejoindre l'endroit de leur éclosion. Il n'existe aucune raison biologique les empêchant de s'arrêter pour se reproduire en un quelconque endroit plus proche, peut-être dans les eaux du large des Açores ; pourtant, les réactions à une situation qui existait voilà des millions d'années perdurent encore et les poussent à la destruction.

Dans le comportement de chaque génération d'anguilles vivantes, nous distinguons aujourd'hui l'ombre de quelque chose qui se produisit il y a longtemps. Cela ressemble à l'observation d'une étoile que nous pouvons voir exploser, sachant que cela s'est produit en réalité voilà un milliard d'années et que nous regardons quelque chose qui a depuis longtemps cessé d'exister. Nous assistons, chez l'anguille aussi bien que chez l'étoile, à un événement du passé lointain qui se produit dans notre présent. L'espace et le temps deviennent inséparables et quand nous ne pouvons plus penser à l'un sans l'autre, le temps cesse de constituer la vieille unité unidimensionnelle de la physique classique et la combinaison espace-temps devient un nouveau facteur : le continuum à quatre dimensions.

L'idée d'une dimension que nul, même pas le mathématicien, n'a été capable d'imaginer, à plus forte raison de voir, se révèle difficile à saisir. Il est inconfortable de penser à l'ici-et-maintenant comme étant le passé, mais cela semble être vrai. L'espace-temps constitue un continuum et il est impossible de tracer des distinctions entre le passé et le présent, et peut-être même l'avenir. En termes biologiques, la quatrième dimension représente la continuité. Un grain de blé qui germe au bout de quatre mille ans dans le tombeau d'un pharaon n'est en rien différent des autres grains de l'épi qui germèrent l'année d'après leur apparition sur les rives du Nil. Les bactéries se divisent normalement toutes les vingt minutes ; néanmoins, en des circonstances défavorables, elles peuvent devenir des spores résistantes, parfois inhumées dans le roc et attendant des millions d'années d'être libérées pour continuer de se multiplier comme si rien ne s'était produit. La vie acquiert le temps en le suspendant d'une façon qui équivaut presque à la possession d'une machine à explorer le temps. Elle peut traiter l'espace de même.

Les organismes les plus actifs et les plus bizarres qui soient dans n'importe quelle goutte d'eau de mare sont des créatures minuscules, transparentes, aux ciselures compliquées, munies de couronnes ou de roues de cils vibratiles qui leur servent aussi bien pour recueillir de la nourriture que pour prendre leur élan. Dix-sept cents espèces ont été décrites, toutes comprises dans un embranchement distinct : les rotifères, ce qui veut dire les « porteurs de roues » — mais il n'y a pas deux biologistes capables de s'entendre sur la place de ce groupe sur notre arbre évolutif. Les rotifères sont tellement particuliers dans presque tous les aspects de leur structure et de leur comportement que l'on commence à les soupçonner de ne pas appartenir du tout à notre système. Pour les rotifères, la géographie n'a pas de sens ; les mares similaires d'eau douce en Mongolie, à Monrovia ou dans le Massachusetts contiennent toutes les mêmes espèces de rotifères. Et les modifications des conditions de l'environnement ne font que les recroqueviller dans un état de dessication qui fait ressembler chacun à un minuscule grain de poussière, capable de survivre au dessèchement, au gel prolongés, ou presque à tout ce qui peut arriver d'autre. Pour obtenir instantanément des rotifères, il suffit d'ajouter de l'eau. Ces grains de poussière encapsulés ont même été trouvés dans l'air à quinze mille mètres et il n'existe aucune raison pour qu'on n'en découvre pas à de plus grandes altitudes encore, peut-être même propulsés hors de l'atmosphère par d'imprévisibles phénomènes atmosphériques, en orbite ou plus loin dans l'espace. Au cours d'expériences de laboratoire, des rotifères en léthargie ont survécu dans des conditions de vide spatial, et on a émis l'hypothèse qu'ils pourraient quitter de cette façon la Terre et attendre indéfiniment d'autres sources d'eau. Il se peut même qu'ils soient arrivés ici en provenance d'ailleurs, étendant l'intervalle normal entre générations de quelques jours à des années-lumière, transformant le temps en espace et devenant partie du système espace-temps.

L'espace est partout simultanément et si les mathématiques de l'espace-temps sont justes, le temps pourrait bien posséder les mêmes propriétés. Dans cette optique, le temps ne se propage pas comme des ondes lumineuses, mais apparaît immédiatement partout et relie toute chose. S'il est effectivement continu, n'importe quelle altération survenue dans ses propriétés n'importe où sera instantanément décelable partout, et des phénomènes comme la télépathie ou n'importe quelle autre communication qui semble indépendante de la distance seront beaucoup plus faciles à comprendre. A l'observatoire principal de l'Académie des sciences soviétique, Nikolaï Kozyrev est en train de faire des expériences qui paraissent manipuler le temps.

Kozyrev est l'astrophysicien le plus respecté de Russie, un homme qui prédit les éruptions de gaz sur la Lune dix ans avant leur découverte par les Américains. Il a récemment inventé un assemblage complexe de gyroscopes de précision, de pendules asymétriques et de pesons qu'il utilise pour mesurer quelque chose dont il estime que cela pourrait bien être le temps. Dans une expérience simple, Kozyrev tend un long élastique avec une machine formée d'un point fixe, ou effet, et d'une partie mobile, ou cause. Ses instruments montrent qu'il se produit quelque chose au voisinage de l'élastique, et que, quelle que soit la nature de ce quelque chose, il est plus important à l'extrémité effet qu'à l'extrémité cause. Cette gradation se révèle détectable même quand les instruments sont isolés de tous les champs de force normaux, et protégés par un mur d'un mètre d'épaisseur. Kozyrev estime que le temps lui-même se trouve alors altéré, et « que le temps est mince autour de la cause et dense autour de l'effet (233) ».

Kozyrev est aussi intrigué par le fait que toute vie est fondamentalement asymétrique. Il a constaté qu'une substance organique faite de molécules qui tournent vers la gauche, telle que la térébenthine, provoque une réaction plus forte sur son appareillage quand on la place auprès de l'élastique tendu, et que la présence d'une molécule dextrogyre, comme le sucre, produit une réaction moindre. D'après Kozyrev, notre planète est un système « gaucher », qui par conséquent ajoute de l'énergie à la galaxie. Kozyrev en est parvenu à ces conclusions à la suite d'une étude intensive des étoiles doubles, qui, bien que séparées entre elles par de considérables distances, en arrivent progressivement à se ressembler beaucoup. Il a découvert que la ressemblance en éclat, en rayonnement, en type spectral était si grande qu'elle ne pouvait constituer le fruit de la seule action des champs de force. Kozyrev compare la communion entre deux étoiles au contact télépathique entre deux personnes et émet l'hypothèse suivante : « Il se peut que tous les processus ayant lieu dans les systèmes matériels de l'univers soient les sources alimentant le cours général du temps, lequel à son tour peut influencer le système matériel (183). »

Kozyrev n'est pas seul à posséder cette vision mystique de l'énergie temporelle. Charles Muses, un des principaux théoriciens de la physique aux Etats-Unis, admet que le temps puisse avoir son propre type d'énergie. Il déclare : « Nous finirons par nous apercevoir que le temps peut être défini comme le suprême type causal de toute libération d'énergie », et il prédit même que l'énergie émise par le temps se révélera être oscillante (220).

Les théories cosmologiques ont rarement le moindre rapport direct avec notre vie sur terre, mais celle-ci pourrait nous affecter profondément. L'idée que le temps affecte la matière est familière à quiconque a jamais vu un champ raviné par l'érosion ou s'est lui-même regardé vieillir ; pourtant, l'éventualité de l'existence d'une action réciproque, où la matière affecte le temps, est révolutionnaire. Cela signifie que rien n'arrive sans effet et que, quoi qu'il advienne, cela nous touche tous du moment que nous vivons dans le continuum de l'espace-temps. John Donne a dit : « La mort de n'importe quel homme me diminue (89) », et il avait peut-être raison non parce qu'il connaissait l'homme ou s'en souciait, mais parce que lui-même et l'homme faisaient partie du même système écologique — partie de la Surnature.

PRESCIENCE

Tout réflexe conditionné constitue un genre de voyage dans le temps. Quand sonnait la cloche, les chiens de Pavlov salivaient car ils revivaient la dernière fois où la cloche avait sonné, suivie aussitôt par de la nourriture. Beaucoup d'animaux apprennent à fonctionner de la sorte, parce qu'ils mènent des vies spécialisées et confinées dans des limites où un type de stimulus est invariablement suivi par un autre type toujours le même. Pour nombre d'espèces, le réflexe a valeur de survivance, mais chez l'homme, le tableau change. Nous sommes des explorateurs et courons constamment vers des situations nouvelles où les anciennes réactions seraient inefficaces. Nous sommes confrontés à l'incertitude et quelquefois y répondons par des superstititions fondées sur des expériences similaires dont nous nous sommes tirés sains et saufs. Les soldats conservent souvent jalousement un certain article vestimentaire ou d'équipement étroitement associé à une expérience antérieure où ils avaient échappé au danger. Mais le plus souvent, nous répondons à l'incertitude par quelque type de comportement qui semble réduire le doute en rendant l'avenir connu de nous. Nous organisons un système quelconque de prophétie ou de divination. Ces systèmes revêtent un grand nombre de formes et, fait surprenant, certains d'entre eux fonctionnent.

Un anthropologue américain possédant le nom magnifique d'Omar Khayyam Moore a étudié les techniques divinatoires employées par les Indiens du Labrador. Ces gens sont des chasseurs, pour qui ne pas trouver de la nourriture signifie la famine et peut-être la mort ; aussi, quand la viande vient à manquer, consultent-ils un oracle pour déterminer dans quelle direction ils doivent chasser. Ils tiennent au-dessus de charbons ardents une omoplate de caribou et interprètent comme une carte géographique les craquelures et les taches provoquées par la chaleur. Les directives indiquées par cet oracle ont beau être fortuites, le système continue à servir pour la bonne raison qu'il marche. Moore fait le raisonnement suivant : s'ils ne recouraient pas à l'oracle de l'os, les Indiens retourneraient à l'endroit où ils avaient chassé avec succès pour la dernière fois, ou bien là où le couvert était bon, ou l'eau abondante. Cela pourrait mener à l'excès d'exploitation de certaines zones, mais l'utilisation de l'oracle signifie que leurs expéditions sont soumises au hasard ; le modèle régulier se trouve rompu et ils font un usage meilleur et plus équilibré du territoire, ce qui veut dire au bout du compte qu'ils réussissent mieux. Certains genres de magie fonctionnent. Le fait même qu'ils continuent d'être utilisés par des communautés dont l'existence dépend d'eux montre que la divination de cet ordre fonctionne assez souvent pour avoir une valeur de survivance. Ainsi que le dit Moore, « certaines pratiques que l'on a classifiées comme magiques pourraient bien être directement efficaces en tant que techniques pour atteindre les buts que se proposent ceux qui les pratiquent (216) ».

Nous survivons en maîtrisant notre environnement, maîtrise rendue possible par l'information. Aussi le manque d'information engendre-t-il rapidement l'insécurité, ainsi qu'une situation où n'importe quelle information est considérée comme valant mieux que pas d'information du tout. Les rats blancs eux-mêmes semblent partager cette opinion. On a organisé une expérience élégante où l'inévitable labyrinthe, menant à de la nourriture dans une niche sur deux, fut modifié de façon que sur l'une des voies le rat reçût des renseignements l'informant s'il y aurait ou non de la nourriture dans la niche située au bout (259). Les chances qu'il y eût de la nourriture dans l'une ou l'autre niche étaient égales ; néanmoins, après quelques jours d'entraînement, tous les rats manifestèrent une préférence nette pour le côté où ils obtenaient une information préalable, bien que les récompenses alimentaires n'y fussent pas supérieures. Les humains témoignent du même genre de préférence pour la connaissance d'un résultat incertain, bien qu'inévitable. Les exemples ne manquent pas où nous manifestons que, sans tenir compte de la nature de la nouvelle et malgré le fait que nous n'en tirons d'autre avantage que d'apprendre ce qui de toute manière allait se produire, nous aimerions mieux savoir et par là réduire notre insécurité. Cette anxiété concernant l'avenir peut être assez grande pour qu'une mauvaise nouvelle soit préférable à une absence d'information ; la mauvaise nouvelle peut même se présenter comme un soulagement car elle nous permet de nous adapter à une situation (162). Les études sur des prisonniers ont montré que ceux pour qui existe une possibilité de libération sur parole subissent une tension beaucoup plus grande que ceux qui sont résignés au fait d'avoir une condamnation à vie à purger. On aurait peine à trouver maxime plus inexacte que celle qui prétend : « Pas de nouvelles, bonnes nouvelles. »

Et pourtant, nous n'exigeons pas un état de certitude complète. Une bonne partie de notre succès en tant qu'espèce repose sur notre aptitude à faire face aux variations de l'environnement et sur notre tendance à rechercher des sources nouvelles de stimulation. La popularité de passe-temps risqués tels que l'alpinisme et les courses d'automobiles apporte la preuve du besoin qu'a l'homme d'une certaine dose d'incertitude et de risque, d'une certaine quantité d'adrénaline au sein de son organisme. Mais elle peut être trop élevée, et dans les circonstances menaçantes, l'angoisse est très intense et on éprouve un violent désir à la fois d'être informé et d'avoir un moyen de résister. N'importe quelle activité qui englobe à quelque degré que ce soit, une participation dans le tour des événements se révèle la bienvenue, et ce besoin de savoir ce qui nous est réservé aide à expliquer l'actuelle et formidable popularité de systèmes, à pratiquer soi-même, de divination et de prophétie.

Prescience veut dire « connaissance d'avance », et les systèmes de connaissance couvrent à peu près toutes les sources possibles de variation. Ils comprennent l'aéromancie (divination par les formes des nuages), l'alectryomancie (dans laquelle on laisse un oiseau picorer des grains de blé sur les lettres de l'alphabet), l'apantomancie (rencontres fortuites d'animaux), la capnomancie (les types de fumées qui s'élèvent d'un feu), la causimomancie (l'étude d'objets placés dans le feu), la cromniomancie (trouver la signification des pousses d'oignons), l'hippomancie (fondée sur les coups de sabots des chevaux), l'onychomancie (les dessins des ongles de mains dans la clarté solaire), la phyllorhodomancie (consistant dans les sons faits par des pétales de rose frappés contre la main), et la tiromancie (un système de divination utilisant le fromage). Rien de tout cela ne mérite d'être pris au sérieux, étant donné que ces phénomènes proviennent tous d'événements qui ne sauraient être que fortuits et ne reflètent en aucune façon le moindre principe biologique, bien qu'il me faille avouer un certain faible pour le charmant système utilisant des pétales de rose, système que nous devons aux fastueux Grecs de l'Antiquité.

On ne peut pas aussi facilement se débarrasser de certains systèmes plus complexes de divination. Le plus impressionnant est certainement le *Livre des changements,* ou *I Ching.* Il a d'abord été un recueil d'oracles écrits voilà plus de trois mille ans, qui a été depuis augmenté et annoté au point que, dans sa version complète avec des commentaires, il constitue maintenant un formidable corps de matériaux. Néanmoins, la valeur du *I Ching* réside dans sa simplicité. Il s'agit fondamentalement d'un système binaire, édifié sur une série d'alternatives simples. Afin de former chacune des combinaisons traditionnelles, la personne qui consulte l'oracle partage un certain nombre de tiges de mille-feuilles, ou joue à pile ou face pour obtenir l'équivalent d'une réponse par oui ou par non. Cela se pratique six fois de suite en sorte que le résultat final soit un hexagramme, ou motif composé de six lignes horizontales, intactes ou brisées suivant les résultats du tirage au sort. Il y a soixante-quatre combinaisons possibles des deux types de lignes et chacun de ces hexagrammes possède un nom et une interprétation traditionnelle. Dans le lancement des tiges ou des pièces de monnaie, le caractère de chaque ligne est déterminé sur une base majoritaire, mais si toutes les tiges ou toutes les pièces indiquent le même choix, alors cette ligne de l'hexagramme reçoit une signification spéciale et ouvre la voie à de plus amples possibilités d'interprétation.

Comme en toutes les méthodes d'interprétation, cela dépend pour beaucoup de la personne qui interprète les résultats. Dans la plupart des systèmes, la réussite n'est possible que grâce à l'intuition et à la perception psychologique du « voyant », qui voit littéralement ce que les gens ont besoin de savoir ou veulent savoir, en les observant avec une grande attention. Pourtant, le *I Ching* possède un caractère propre, un genre de consistance interne qui défie presque la description. Carl Jung l'a remarqué et a, je crois, mis le doigt sur l'explication. A l'époque, Jung s'intéressait à son idée du synchronisme et à la théorie des coïncidences et suspectait l'inconscient d'avoir quelque chose à voir dans la façon dont sortaient les motifs. Je suis certain qu'il avait raison et que le pouvoir de psychokinésie est pour beaucoup dans la curieuse exactitude du *I Ching*.

Tous les commentaires sur le *Livre des changements* disent quelque chose du genre : « Plus on se familiarise avec la personnalité du *I Ching*, et plus on comprend ce que cet ami sage, tantôt gentil, tantôt sévère, essaie de nous dire (327). » Et c'est parfaitement exact. Dès qu'on est familiarisé avec chacun des hexagrammes et qu'on en vient à savoir qu'une ligne continue, dans une certaine position, possède une signification spéciale, les motifs commencent à sortir comme il faut et à donner le genre de conseil que l'on espère entendre, consciemment ou inconsciemment. Colin Wilson décrit bien cette relation : « En théorie, nous savons que nous possédons un esprit subconscient ; néanmoins, assis là, dans cette pièce, par un matin de soleil, je n'en ai pas la moindre perception ; je ne peux le voir ou le sentir. C'est comme un bras sur quoi j'ai été couché dans mon sommeil et qui est devenu tout à fait mort et insensible. Le véritable but d'ouvrages comme le *I Ching*... consiste à rétablir la circulation vers ces régions de l'esprit (342). » Consulter le *Livre des changements* dans un moment de crise personnelle équivaut presque à une séance chez votre psychanalyste favori. Il n'existe rien dans la chute des pièces de monnaie ou dans le texte du livre qui ne soit déjà en vous ; tout ce que fait le *I Ching*, avec ses schémas si magnifiquement organisés, consiste à extraire l'information et les décisions nécessaires et à absoudre l'esprit conscient du poids de la responsabilité de ces décisions.

Les symboles exercent une grande séduction sur l'esprit inconscient. Il les utilise afin de faire franchir à ses idées l'étroite censure du conscient dans le *I Ching*, dans les rêves et dans le système un peu moins bénin de divination qui use des tarots (260). Le jeu de tarot consiste en soixante-dix-huit cartes, pour la plupart semblables à d'ordinaires cartes à jouer, mais dont vingt-deux portent des symboles hauts en couleur qui étaient populaires au Moyen Age. Il y a des empereurs, des papes, des ermites, des jongleurs, des fous et des diables — tous personnages dotés d'un puissant contenu affectif pour qui vivait à cette époque. Ils continuent de fournir un genre d'alphabet grâce à quoi le « voyant » peut élaborer son interprétation, ou grâce à quoi le questionneur peut contre-interroger son inconscient ; pourtant, l'élégante précision du *I Ching* leur fait défaut. Et il est plus malaisé de voir comment l'inconscient peut organiser l'ordre des cartes dans un mélange que de concevoir que l'esprit puisse agir sur l'élan d'une pièce de monnaie qui tombe. Il n'est pas douteux qu'avec leurs inquiétants symboles et l'accent qu'ils mettent sur la violence, les tarots ne fassent irruption avec fracas dans des régions inconscientes, bien qu'ils ressemblent à un gourdin grossier en comparaison de la délicate sonde du *I Ching*.

Ainsi, même les plus répandus des systèmes de divination ont-ils surtout pour but d'élargir le potentiel du présent et semblent-ils n'avoir pas grand-chose à voir avec la véritable prévision de l'avenir. Les systèmes mécaniques tels que ceux-là sont souvent manipulés par des professionnels pour le compte de leurs clients, à moins que l'on y renonce en faveur de prophéties purement mentales, émises avec ou sans accessoires comme les boules de cristal. Et pourtant, de quelque façon que la divination se produise, la méthode est la même. On se sert de symboles afin d'ouvrir le présent ou le passé, de telle sorte que l'on semble obtenir un aperçu de l'avenir. Le client se trouve amené à fournir des renseignements sur lui-même qui finissent par avoir l'air de provenir du voyant. Nulle hypnose n'a besoin d'être mise en œuvre, bien que la technique soit très similaire. Le sujet se trouve amené à effectuer des opérations sur lui-même avec l'impression que quelqu'un d'autre en a la responsabilité et doit donc exercer des pouvoirs surnaturels. Il n'est pas jusqu'aux meilleurs prophètes connus qui ne fassent piètre figure une fois dépouillés de ces impressions subjectives. Le tour de passe-passe mental généralement pratiqué par nous-mêmes sur nous-mêmes cache le succès limité dont jouissent véritablement la plupart des spécialistes.

Les propos à double sens des oracles sont aussi vieux que Delphes. Si quiconque était réellement capable de prédire l'avenir avec la moindre exactitude, il ne lui faudrait qu'un an ou deux pour devenir maître absolu du monde. J'ai étudié le dossier de quelques-unes des personnes les plus riches et les plus puissantes du monde avec tout le soin possible et n'ai pu y trouver le moindre indice de facultés surnaturelles. Ces personnes obtiennent leurs succès grâce à de l'application et grâce à une certaine chance, mais toutes font des erreurs, souvent très élémentaires, et aucune n'a pris de risques qui ne fussent basés pour une large part sur l'expérience. La prescience absolue ne paraît pas exister, bien qu'on ait des indices que certaines gens, parfois, ont accès à des bribes d'information qui ne peuvent s'expliquer d'aucune autre manière.

Un mathématicien américain, William Cox, a terminé récemment une intéressante étude statistique en vue de découvrir si des gens évitaient réellement de prendre des trains qui allaient avoir un accident. Il recueillit des informations sur le nombre total de voyageurs dans chaque train au moment de l'accident, et les compara au nombre de passagers qui voyageaient dans le même train lors de chacun des sept jours précédents, ainsi que les quatorzième, vingt et unième et vingt-huitième jours avant l'accident (309). Les résultats, couvrant sept ans d'exploitation avec le même équipement dans la même gare, montrent qu'effectivement les gens évitaient les trains qui allaient avoir un accident. Il y avait toujours moins de passagers dans les wagons endommagés et déraillés que l'on ne s'y fût attendu pour ce train à ce moment. La différence entre le nombre attendu et véritable des passagers était si grande que les chances contre le hasard étaient de plus de cent contre une.

Il serait fascinant d'effectuer d'autres enquêtes de ce genre. Une très grande partie des données ayant trait à la prophétie et à la prédiction est anecdotique et impossible à analyser ou à considérer de manière objective ! Pourtant, des recherches statistiques pourraient montrer que certaines des autres « intuitions », si répandues dans le folklore, sont en fait des réalités mathématiques, et qu'il existe une espèce de perception collective des choses à venir. La survivance, au sens biologique, dépend presque entièrement de la possibilité d'éviter le désastre en étant capable de le voir venir. Une antilope se détourne du point d'eau où un lion est tapi à l'affût, car elle capte une trace d'odeur dans le vent ou entend un oiseau émettre des sons montrant qu'il est dérangé. Une loutre fuit son cours d'eau car un minuscule changement de vibration l'a mise en garde contre l'approche d'un courant brusque. Pour évaluer des exemples de prescience apparente, nous devons être conscients de la réceptivité de la vie à des stimuli d'une extrême délicatesse, nous disant que l'avenir a déjà commencé. Ils permettent aux organismes vivants d'anticiper sur l'avenir en élargissant le présent. Dans les régions inconscientes qui répondent à des signaux subliminaux provenant de l'environnement, l'avenir existe déjà. Nous ne pouvons le transformer ; si nous le pouvions ce ne serait pas l'avenir ; toutefois, nous pouvons modifier la mesure dans laquelle il nous affectera. Dans un sens très réel, il s'agit là d'une manipulation du temps, mais rendue possible par des extensions entièrement naturelles de nos sens normaux qui nous donnent une vision d'une acuité plus qu'ordinaire des objets éloignés.

Prescience, en termes de biologie, signifie donc savoir non pas ce qui va se produire, mais ce qui pourrait se produire si...

FANTÔMES

A l'université du Colorado, Nicholas Seeds a pris des cervelles de souris et les a disséquées en leurs cellules constitutives (303). Il a mis ces dernières en bouillon de culture dans une éprouvette agitée doucement durant plusieurs jours. Au bout de ce temps, les cellules séparées se regroupèrent pour former des morceaux de cervelle où les cellules étaient reliées par des synapses normales, manifestaient les réactions biochimiques habituelles et développaient une gaine protectrice naturelle en myéline. Les cellules sont donc capables de recréer des modèles antérieurs ; elles ont une mémoire moléculaire, transmise de cellule en cellule en sorte qu'une cellule nouvelle peut reproduire le comportement parental. S'il se produit un changement, ou mutation, ce dernier se trouve, lui aussi, fidèlement reproduit par les descendantes. Les morts revivent au défi du temps.

Les modèles cycliques de vie signifient que la matière n'est jamais détruite, mais retourne au sein de système pour ré-émerger quelque temps plus tard. La matière organique vivante ressuscite sous la même forme avec les mêmes types de comportement dans un processus de réincarnation. Chaque génération nouvelle est une réincarnation de l'espèce ; néanmoins, cela ne signifie pas que les individus reparaissent. Les Grecs croyaient à la métempsycose — la transmigration de l'âme en un corps nouveau —, et des idées similaires sont si largement répandues parmi toutes les cultures qu'elles peuvent être considérées comme presque universelles. Mais en dépit de certaines histoires à sensation, on a peu d'indices réels de l'existence de quoi que ce soit de ce genre. Et d'abord, il est assez malaisé de prouver que nous possédons une âme. Etant donné que l'apparente connaissance d'autres temps et d'autres lieux peut être attribuée au contact télépathique avec une personne encore en vie, il semble inutile de présumer que les phénomènes en question sont produits par un esprit éternel.

Les âmes ou les esprits qui se présentent sans le secours d'un corps sont une espèce distincte de phénomène, mais peuvent être considérés dans une optique très voisine. Pour les besoins de la discussion, il vaut la peine d'envisager la possibilité que l'homme soit capable de produire une « projection astrale », ou partie de lui-même, elle-même susceptible d'exister sans son corps physique normal et peut-être même de survivre à sa mort. On dit que ces esprits errent à volonté et on a d'innombrables récits prétendant qu'ils ont été vus, en tout ou en partie, dans une grande variété de situations. En Angleterre, une personne sur six croit aux fantômes, et une personne sur quatorze estime en avoir effectivement vu un (123). Il s'agit là d'énormes quantités de gens et je n'ai aucunement l'intention d'insinuer que tous ont dû se tromper ; à mes yeux pourtant, il y a dans toutes leurs visions un fait très bizarre et révélateur. Tous les fantômes dont j'ai jamais entendu parler portaient des vêtements. Bien que je sois disposé en principe à concéder la possibilité de l'existence d'un corps astral, je ne puis me résoudre à croire à des souliers, des chemises et des chapeaux astraux. Le fait que les gens voient les fantômes tels qu'eux ou quelqu'un d'autre se les rappelle, vêtus de pied en cap en costume d'époque, semble indiquer que ces visions font partie d'un processus mental plutôt que surnaturel. Dans les cas où plusieurs personnes voient la même apparition, il se pourrait qu'elle soit diffusée télépathiquement par l'une d'elles. Et là où un fantôme similaire est vu par des personnes distinctes en des circonstances distinctes, je présume que l'image mentale se trouve détenue par quelqu'un d'associé au site.

George Owen, un biologiste de Cambridge qui a fait des travaux d'avant-garde en parapsychologie scientifique, déclare : « Le postulat d'un véritable corps astral présent au voisinage du sujet est néanmoins assez gratuit et sans nécessité si nous sommes prêts à admettre une explication en termes de télépathie (238). » En tant qu'autre biologiste, je crie bravo. L'explication d'une inconnue par un autre phénomène encore discuté peut sembler tirée par les cheveux et tortueuse ; toutefois, il est de bonne science et de meilleure logique de s'en tenir à la plus plausible des deux explications. Colin Wilson a relevé un autre aspect des revenants qui s'accorde avec cette hypothèse mentale (342). Il remarque que la principale caractéristique des fantômes semble être une certaine stupidité, « étant donné qu'une tendance à rôder autour des lieux qu'ils connaissaient vivants semblerait constituer dans le monde des esprits l'équivalent de la faiblesse mentale ; ... on a le sentiment qu'ils devraient avoir mieux à faire ». Wilson est d'avis que l'état d'esprit des fantômes a des chances de ressembler à celui d'une personne en proie à un fort accès de fièvre ou de délire, d'une personne incapable de distinguer entre la réalité et les rêves. Cette description peut aussi bien s'appliquer à l'état d'esprit de la personne qui voit le fantôme. Le délire n'est pas nécessaire, mais une certaine dose de dissociation provoquée par un conflit entre états conscients et inconscients, résultant peut-être de la réception d'une puissante communication télépathique, pourrait bien se trouver présente.

Pareillement suspectes sont les communications avec les morts. Je ne puis m'empêcher de me demander pourquoi, sur les milliards de personnes qui jadis foulèrent la terre, cela devrait toujours être Napoléon, Shakespeare, Tolstoï, Chopin, Cléopâtre, Robert Browning et Alexandre le Grand qui se trouveraient là comme par hasard lorsqu'un médium évoque un esprit du passé. Rhine résume le problème en disant : « Les résultats obtenus par les recherches scientifiques sur la médiumnité se révèlent nuls (309). » En soixante-quinze ans de recherches, on n'a découvert aucune preuve incontestable de survie, bien qu'il n'ait pas non plus été possible de prouver qu'un genre quelconque de survie après la mort ne pouvait se produire.

L'indice le plus intéressant que l'on ait jamais recueilli à cet égard a été publié récemment par Konstantin Raudive, un psychologue letton qui vit aujourd'hui en Allemagne. Raudive a découvert que les bandes faites en parlant directement au microphone, par enregistrement d'une radio branchée sur des interférences épisodiques appelées « blancs », ou bien en reliant l'appareil enregistreur à un poste à diode en cristal à antenne très courte, comportent toutes des voix douces, étrangères. Les voix parlent en beaucoup de langues, sur un rythme étrange, parfois si bas qu'il est nécessaire de les amplifier par des moyens électroniques. Raudive déclare : « La construction des phrases obéit à des règles qui diffèrent radicalement de celles du langage ordinaire et, bien que les voix semblent parler de la même façon que nous, l'anatomie de leur appareil verbal doit être différente de la nôtre. » Le plus bizarre, quant à ces voix enregistrées, c'est qu'elles semblent répondre aux questions posées par Raudive et ses collaborateurs en émettant un plus grand nombre de leurs commentaires de type espéranto, qui ressemblent souvent à des réponses directes.

Pendant ces six dernières années, Raudive a enregistré plus de soixante-dix mille conversations de ce genre (263). Le contenu verbal des enregistrements est rapporté et analysé de manière exhaustive en un livre comportant des témoignages de savants très connus et réputés qui, soit se trouvaient présents lors de l'enregistrement des bandes, soit ont été en mesure d'examiner les instruments utilisés. On ne saurait douter de la réalité des sons ; ils se trouvent sur les bandes, ils peuvent être divisés en phénomènes et analysés par ordinateur ; leur source n'en pose pas moins des questions. Raudive estime que l'homme « porte en lui la faculté d'entrer en contact avec ses amis terrestres, une fois qu'il a franchi la transition de la mort ». En d'autres termes, Raudive est certain que les voix sont celles des morts, et il identifie avec confiance quelques-unes d'entre elles avec Gœthe, Maïakovski, Hitler et sa propre mère. Il est bien difficile d'en discuter, puisque des expériences rigoureusement contrôlées n'ont jamais permis d'expliquer par aucune méthode normale la présence des voix.

Le 24 mars 1971, on s'est livré à un test dans les studios d'une des principales sociétés d'enregistrement d'Angleterre. Les techniciens utilisèrent leur propre équipement et installèrent les instruments nécessaires pour exclure les réceptions fortuites des stations de radio et des autorisé à toucher aux appareils, quels qu'ils fussent, et on fit un enregistrement séparé, synchronisé, de tous les bruits qui se produisaient dans le studio. Durant les dix-huit minutes d'enregistrement, les deux bandes furent sous contrôle constant et l'on ne put rien entendre d'anormal ; néanmoins, en faisant repasser la bande expérimentale, on s'aperçut qu'elle comportait plus de deux cents voix dont certaines étaient si nettes qu'elles pouvaient être entendues par toutes les personnes présentes (264).

Je suis frappé par la similitude entre ce phénomène et les images mentales de Ted Serios. Dans les deux cas l'appareil enregistreur capte un signal qui paraît ne pas provenir de l'environnement immédiat ; cependant, aussi bien les images que les sons ne se trouvent produits qu'en présence d'une personne particulière. Les voix des bandes de Raudive ne s'expriment que dans les sept langues qui lui sont familières. Dans aucun des deux cas on ne peut détecter les signaux ni les bloquer par un appareillage physique — Raudive a travaillé dans une cage de Faraday ; mais le témoignage de personnalités de premier ordre rend impossible de douter que les résultats sont obtenus sans qu'il y ait fraude consciente. Comme les voix de Raudive, les images de Serios furent d'abord attribuées à des sources spirites ; pourtant, la connexion entre le contenu et la psychologie de l'homme en cause est dans les deux cas trop importante pour être négligée. Je crois que les deux phénomènes se révéleront produits par le même moyen et qu'il aura pour origine l'esprit de l'homme en vie, sans rien avoir à faire du tout avec les morts.

Il se peut que les voix aient une explication physique parfaitement normale. Nous savons encore si peu de chose sur ce qui nous entoure qu'il n'y a rien d'impossible à ce qu'avant longtemps on construise des machines qui récupéreront les visions et les bruits du passé. Le film et les enregistrements ne font rien d'autre, du moins pour notre passé immédiat. Or il est à présumer qu'il pourrait exister des enregistrements similaires que nous avons tout simplement négligés. Un pot tournant sur un tour avec une aiguille en simple contact avec l'argile pourrait constituer une espèce primitive de phonographe. Il suffit de refaire tourner le pot à la même vitesse, de trouver le style approprié, et nous pourrons être en mesure de retrouver les sons émis dans la poterie le jour où fut tournée l'argile. Des travaux déjà en cours sur de la poterie non vernie provenant du Moyen-Orient ont donné des résultats encourageants.

EXOBIOLOGIE

Dans ce coup d'œil sur les autres mondes qui nous entourent, je ne saurais exclure l'éventualité d'un rôle joué par des êtres provenant de mondes absolument extérieurs. La biologie a récemment donné le jour à une discipline nouvelle : l'exobiologie, étude de la vie extra-terrestre. Dès 1959, où l'analyse d'un fragment de substance météorique a révélé des traces de composés organiques, une controverse a fait rage sur la question de savoir si ces composés entraient dans l'atmosphère avec la météorite, ou s'ils avaient la Terre pour origine. La dispute n'a jamais été résolue de manière satisfaisante et les discussions sur la vie ailleurs ont dû continuer de reposer sur l'inférence et la conjecture. Les calculs astronomiques fondés sur le pourcentage d'étoiles à planètes satellites, le nombre de ces planètes convenant à la vie, le pourcentage de ces dernières où la vie apparaît en fait et le nombre de celles où la vie atteint la conscience et le désir de communiquer parviennent à la conclusion que peut-être une étoile sur cent mille possède en orbite autour d'elle une société évoluée. Cela signifie qu'il pourrait exister jusqu'à un million de formes de vie intelligente au sein de notre seule galaxie. Néanmoins, notre succès dans l'établissement d'un contact avec n'importe laquelle dépend aussi de la longévité de chacun d'entre nous. Il se peut que l'acquisition d'une technologie nucléaire ait des conséquences que nulle espèce ne saurait longtemps maîtriser et que tous les êtres qui y parviennent ne réussissent qu'à se détruire eux-mêmes avec elle assez vite.

En admettant qu'ils ne succombent pas, les chances paraissent fort élevées que tôt ou tard nous rencontrerons une de ces formes de vie ou davantage. Erich von Daniken estime que nous sommes l'une d'elles (333). Il a rempli son carnet de questions sans réponses posées par l'archéologie et l'anthropologie, comme la carte géographique découverte à Istanbul et montrant les continents tels qu'ils apparaîtraient vus de l'espace, déformés par la courbure du globe ; une colonne de fer, en Inde, qui ne rouille pas ; des motifs, sur les plaines du Pérou, que l'on ne peut déchifrer que du haut des airs ; des descriptions, dans des manuscrits sacrés, de la descente sur terre de dieux à bord de chars aux roues de feu ; et des peintures et gravures anciennes figurant des personnages portant quelque chose qui ressemble à des casques spatiaux. De tout cela, Daniken déduit que Dieu était un astronaute et que nous sommes en partie le fruit d'une intelligence extra-terrestre. L'idée est excitante mais, en tant que biologiste ayant foi dans nos facultés encore inexploitées pour une large part, je la trouve sans attrait, et aussi qu'il est inutile d'attribuer le mérite de nos réalisations à des étrangers de passage.

Ivan Sanderson a la même idée, mais l'exprime en termes biologiques : il émet l'hypothèse que la Terre a été ensemencée par un œuf de vie provenant d'ailleurs, lequel a fini par éclore et se développer en une larve complexe, englobant toute vie telle que nous la connaissons. Il nous considère comme une partie de cette larve, atteignant le stade où nous commençons à penser à la métamorphose et nous mettons à tisser autour de nous la toile de l'intellect, ensachant nos esprits dans les cocons des machines, les chrysalides, où ils subissent des transformations essentielles et finissent par émerger sous la forme adulte pour s'envoler vers d'autres mondes et recommencer tout le processus en y pondant des œufs. L'adulte en quoi nous finirons par évoluer n'est rien d'autre, si l'on en croit l'hypothèse de Sanderson, que la soucoupe volante (293).

Cette idée à vous glacer le sang constitue de l'excellente biologie ; tout cela pourrait bien être vrai. Il est fort possible que la prochaine étape, dans notre évolution, soit le développement d'une intelligence électronique et que l'unique moyen de la produire à partir d'une planète sans vie passait par les stades intermédiaires de la vie organique. La première génération d'esprits mécaniques se trouve déjà parmi nous. Ils reposent sur des circuits imprimés aux électrons qui vont et viennent à travers des fils et dépendent de nous. Mais la prochaine étape, après cela, pourrait passer aux purs champs énergétiques qui nous quitteraient pour vivre ou bien dans l'espace, ou bien dans les régions de l'univers où les étoiles qui explosent et les novae fournissent un environnement actif du genre d'intense radiation dont cet esprit surélectronique aurait besoin pour s'alimenter.

J'espère que ce n'est pas vrai. Je suis impressionné par notre peu d'efficacité, par notre vaste potentiel encore inexploité et par les progrès que nous avons déjà faits en n'utilisant qu'un petit coin de notre esprit. Nous sommes bien des larves, grignotant notre route à travers les ressources terrestres à la manière aveugle de la chenille ; et pourtant, je crois que l'imago commence déjà de remuer à l'intérieur. Au moment venu, elle éclora non comme un genre de superordinateur, mais comme un être organique qui incarnera la totalité de la Surnature et laissera derrière soi la technologie à la façon d'un jouet d'enfance.

Conclusion

Dans le chaos du cosmos, la vie subsiste en captant de l'ordre sur l'aile des vents. La mort est assurée, mais la vie devient possible en suivant des modèles qui mènent, comme des sentiers de sol plus ferme, à travers les marécages du temps. Les cycles de lumière et d'obscurité, de chaleur et de froid, de magnétisme, de radio-activité, de gravité, fournissent tous des guides nécessaires à la vie, et la vie apprend à réagir à leurs signaux les plus infimes. L'éclosion d'une drosophile s'accorde à une étincelle d'un millième de seconde ; la reproduction d'un ver velu se trouve coordonnée, au fond de l'océan, par une lueur de clarté que réfléchit la Lune ; le développement des œufs de caille est synchronisé par une conversation chuchotée entre les embryons ; la conception, chez une femme, attend la phase lunaire sous laquelle elle naquit. Rien n'advient dans l'isolement. Nous respirons et saignons, rions et pleurons, nous effondrons et mourons au rythme de stimuli cosmiques.

La matière inorganique s'est assemblée comme il fallait pour créer un organisme se perpétuant lui-même, lequel mit en marche un système de transformations qui a maintenant produit un dispositif de plusieurs millions de pièces. C'est la Surnature, et l'homme se trouve assis au centre de sa toile, tirant sur les fils qui l'intéressent, en suivant certains jusqu'au bout vers des conclusions utiles, en brisant d'autres dans son impatience. L'homme constitue le fer de lance de l'évolution, vital, créateur, immensément doué mais encore assez jeune pour causer des ravages dans le premier élan de son enthousiasme. Il faut souhaiter que cette période d'adolescence maladroite touche à sa fin, à mesure que l'homme commence à se rendre compte qu'il se trouve dans l'impossibilité de survivre seul, que le réseau de la Surnature est soutenu par les forces combinées d'un grand nombre de fragments individuellement fragiles, que la vie sur terre est unie en ce qui équivaut à un superorganisme unique, et qu'à son tour ce dernier ne représente qu'une partie de la communauté cosmique.

A première vue, le processus évolutif a l'air extrêmement gaspilleur, avec la course de la plupart de ses variantes vers les culs-de-sac de l'extinction ; cependant, jusque dans leurs échecs, ces variantes apportent quelque chose aux quelques espèces qui, elles, réussissent. Il est impératif qu'il existe une multitude de participants pour que la vie se puisse mouvoir sur un large front, essayant toutes les possibilités dans sa quête des possibilités efficaces. Même ceux qui meurent n'ont pas vécu en vain, étant donné que la nouvelle de leur échec se trouve diffusée et devient partie intégrante de l'héritage de la Surnature. Cette communion se révèle possible parce que la vie partage une sensibilité commune au cosmos, possède une origine commune et parle le même langage organique.

L'alphabet en est écrit en des symboles chimiques partagés par tout protoplasme. Le mot le plus commun, c'est l'eau, laquelle possède la propriété d'instabilité qui fait d'elle, pour les plus infimes signaux, un récepteur des plus sensibles et des plus sûrs. Des formules simples, dans une solution aqueuse, permettent à l'information de passer de cellule en cellule tant qu'il existe un contact direct entre elles. La même information peut bondir à travers l'espace doté d'une imbrication de champs électriques, ou bien là où deux informateurs sont assez pareils pour résonner en sympathie réciproque. Et aux niveaux les plus élevés, des messages sont portés à travers des espaces temporels.

En tête de l'évolution vient une variance qui se limite à quelques espèces et qui paraît ne jouer aucun rôle pour les rendre mieux adaptées en vue de la survivance dans le système. La biologie est généralement très parcimonieuse et entièrement utilitaire ; toutefois, les hommes — et peut-être les chimpanzés et les dauphins — ont acquis un besoin de choses qui ne satisfont aucun des appétits normaux, naturels. Nous nous sommes dotés du goût du mystère. Nous sommes devenus conscients de nous-mêmes, de notre vie et du fait que nous devons mourir. Nous avons ouvert une porte sur la prévoyance, l'imagination et, par la même occasion, découvert l'angoisse. Le fait que même une plante en pot réagisse à la mort d'un animal proche signifie que la vie a toujours connu le phénomène de la mort ; mais avec la conscience arrive une perception plus complète de notre relation à cet état — du fait que nous pouvons le provoquer, ou l'empêcher, ou, en essayant de l'empêcher, aller jusqu'à provoquer notre propre mort. Et avec ce genre de conscience viennent la culpabilité, le conflit et le développement d'une barrière mentale derrière quoi nous pouvons nous cacher certaines choses à nous-mêmes.

En termes biologiques, l'origine de cette nouvelle perception reste encore obscure ; nous commençons toutefois de nous faire une certaine idée de ses implications. L'évolution cosmique a produit notre système solaire et notre planète habitable ; l'évolution inorganique a réuni les ingrédients nécessaires à la production de la vie ; l'évolution organique a façonné, modelé cette vie en son kaléidoscope de formes ; l'évolution culturelle a pris un groupe unique et l'a poussé rapidement, grâce à l'intelligence et à la conscience, jusqu'à une position où il put manipuler à son profit le reste de l'évolution. Nous voici donc parvenus à l'heure de la maîtrise, avec la conscience nouvelle et grandissante, à la fois de l'énormité de la tâche et des dimensions de notre propre aptitude à l'affronter. Dans cette situation deux choses se détachent sur toutes les autres : l'une est que notre plus grande force réside en l'unité avec la totalité de la Surnature ici-bas, et l'autre que cette unité pourrait nous donner l'élan dont nous avons besoin pour transcender tout à fait le système.

La Surnature pourrait devenir quelque chose de véritablement surnaturel.

Bibliographie

1. ADDERLEY, E. E. & BOWEN, E. C. "Lunar Component in Precipitation Data," *Science 137:* 749, 1962.
2. ADDEY, J. M. "The Search for a Scientific Starting Point," *Astrology 32:* 3.
3. —. "The Discovery of a Scientific Starting Point," *Astrological Journal 3:* 2, 1967.
4. —. *Astrological Journal 5:* 1, 1969.
5. AMOORE, J. E., PALMIERI, G. & WANKE, E. "Molecular Shape and Odour," *Nature 216:* 1084, 1967.
6. ANAND, B. K., CHHINA, G. S. & SINGH, B. "Some Aspects of Electroencephalographic Studies in Yogis," *Electroencephalographic and Clinical Neurophysiology 13:* 452, 1961.
7. ANDERSON, R. & KOOPMANS, H. "Harmonic Analysis of Varve Time Series," *Journal of Geophysical Research 68:* 877, 1963.
8. ANDREWS, D. H. *The Symphony of Life*. Lee's Summit, Missouri: Unity Books, 1966.
9. ARRHENIUS, S. "Die Einwirkung kosmischer Einflusse auf physiologische Verhältnisse," *Skand. Arch. Physiol. 8:* 367, 1898.
10. BACKSTER, C. "Evidence of a Primary Perception in Plant Life," *International Journal of Parapsychology 10:* 4, 1968.
11. BACON, T. "The Man Who Reads Nature's Secret Signals," *National Wildlife 5:* February 1969.
12. BAGNALL, O. *The Origin and Properties of the Human Aura*. New York: University Books, 1970.
13. BARBER, T. X. "Physiological Effects of Hypnosis," *Psychological Bulletin 58:* 390, 1961.
14. —. *Hypnosis—a Scientific Approach*. New York: Van Nostrand Insight Series, 1969.
15. BARNETT, A. *The Human Species*. London: Penguin Books, 1968.
16. BARRETT, W. & BESTERMAN, T. *The Divining Rod*. London, 1926.
17. BARRY, J. "General and Comparative Study of the Psychokinetic Effect on a Fungus Culture," *Journal of Parapsychology 32:* 237, 1968.
18. BECK, S. D. *Animal Photoperiodism*. New York: Holt, Rinehart & Winston, 1963.

19. BEHANAN, T. *Yoga; a Scientific Evaluation.* New York: Dover Publications, 1959.
20. BELL, A. H. *Practical Dowsing—a Symposium.* London: G. Bell & Sons, 1965.
21. BELOFF, J. & EVANS, L. "A Radioactivity Test of Psychokinesis," *Journal of the Society for Psychical Research 41:* 41, 1961.
22. BENSON, H. & WALLACE, R. K. "The Physiology of Meditation," *American Journal of Physiology 221:* 795, 1971.
23. BERNARD, T. *Hatha Yoga.* London: Arrow Books, 1960.
24. BERNE, E. "The Nature of Intuition," *The Psychiatric Quarterly 23:* 203, 1949.
25. BINSKI, S. R. "Report on Two Exploratory PK Series," *Journal of Parapsychology 21:* 284, 1957.
26. BLACK, S. *Mind and Body.* London: William Kimber, 1969.
27. BLACK, S., HUMPHREY, J. H. & NIVEN, J. "Inhibition of the Mantoux Reaction by Direct Suggestion Under Hypnosis." *British Medical Journal 1:* 1649, 1961.
28. BLACK, S. & WIGAN, E. R. "An Investigation of Selective Deafness by Direct Suggestion Under Hypnosis," *British Medical Journal 2:* 736, 1963.
29. BLEIBTREU, J. N. *Parable of the Beast.* London: Victor Gollancz, 1968.
30. BOISCHOT, A. *Le Soleil et la Terre.* Paris: Presses universitaires, 1966.
31. BONNER, J. T. "Evidence for the Sorting Out of Cells in the Development of the Cellular Slime Molds," *Proceedings of the National Academy of Sciences 45:* 379, 1959.
32. BORDI, S. & VANNEL, F. "Variazione Giornaliera di Grandezze Chimico-fisiche," *Geofis. e Meteorol. 14:* 28, 1965.
33. BORISSAVLIETCH, M. *The Golden Number.* London: Tiranti, 1958.
34. BOWEN, E. G. "A Lunar Effect on the Incoming Meteor Rate," *Journal of Geophysical Research 68:* 1401, 1963.
35. —. "Lunar and Planetary Tails in the Solar Wind," *Journal of Geophysical Research 69:* 4969, 1964.
36. BRADLEY, D., WOODBURY, M. & BRIER, G. "Lunar Synodical Period and Widespread Precipitation," *Science 137:* 748, 1962.
37. BRAID, J. A. *Neurypnology or the Rationale of Nervous Sleep Considered in Relation with Animal Magnetism.* London: Churchill, 1843.
38. BRAUN, R. "Der Lichtsinn augenloser Tiere," *Umschau 58:* 306, 1958.
39. BREDER, C. M. "Vortices and Fish Schools," *Zoologica 50:* 97, 1965.
40. BRIERLEY, D. & DAVIES, J. "Lunar Influence on Meteor Rates," *Journal of Geophysical Research 68:* 6213, 1963.
41. BRILLOUIN, L. *Science and Information Theory.* New York: Academic Press, 1956.
42. BROWN, F. A. "Persistent Activity Rhythms in the Oyster," *American Journal of Physiology 178:* 510, 1954.
43. —. "Response of a Living Organism, Under Constant Conditions Including Pressure, to a Barometric-Pressure-Correlated Cyclic External Variable," *Biological Bulletin 112:* 285, 1957.
44. —. "An Orientational Response to Weak Gamma Radiation," *Biological Bulletin 125:* 206, 1963.

45. BROWN, F. A., BENNETT, M. F. & WEBB, H. M. "How Animals Respond to Magnetism," *Discovery,* November 1963.
46. BROWN, F. A., BENNETT, M. F. & WEBB, H. M. "A Magnetic Compass Response of an Organism," *Biological Bulletin 119:* 65, 1960.
47. BROWN, F. A., PARK, Y. H. & ZENO, J. R. "Diurnal Variation in Organismic Response to Very Weak Gamma Radiation," *Nature 211:* 830, 1966.
48. BULLEN, K. E. *Introduction to the Theory of Seismology.* Cambridge: University Press, 1962.
49. BURR, H. S. "Biological Organization and the Cancer Problem," *Yale Journal of Biology and Medicine 12:* 281, 1940.
50. —. "Field Properties of the Developing Frog's Egg," *Proceedings of the National Academy of Sciences 27:* 276, 1941.
51. —. "Electric Correlates of Pure and Hybrid Strains of Corn," *Proceedings of the National Academy of Sciences 29:* 163, 1943.
52. —. "Diurnal Potentials in Maple Tree," *Yale Journal of Biology and Medicine 17:* 727, 1945.
53. —. "Effect of Severe Storms on Electrical Properties of a Tree and the Earth, " *Science 124:* 1204, 1956.
54. —. "Tree Potential and Sunspots," *Cycles 243:* October 1964.
55. BURR, H. S., HARVEY, S. C. & TAFFEL, M. "Bio-electric Correlates of Wound Healing," *Yale Journal of Biology and Medecine 12:* 483, 1940.
56. BURR. H. S., HILL, R. T. & ALLEN, E. "Detection of Ovulation in the Intact Rabbit," *Proceedings of the Society for Experimental Biology and Medicine 33:* 109, 1935.
57. BURR, H. S., LANE, L. T. & NIMS, L. F. "A Vacuum-tube Microvoltmeter for the Measurement of Bio-electric Phenomena," *Yale Journal of Biology and Medicine 9:* 65, 1936.
58. BURR, H. S. & LANGMAN, L. "Electrometric Timing of Human Ovulation," *American Journal of Obstetrics and Gynecology 44:* 223, 1942.
59. —. "Electromagnetic Studies in Women with Malignancy of Cervix Uteri," *Science 105:* 209, 1947.
60. BURR, H. S. & MUSSELMAN, L. K. "Bio-electric Phenomena Associated with Menstruation," *Yale Journal of Biology and Medicine 9:* 2, 1936.
61. BURR, H. S. & NORTHROP, F. S. C. "The Electrodynamic Theory of Life," *Quarterly Review of Biology 10:* 322, 1935.
62. CALDER, R. *Man and the Cosmos.* London: Penguin Books, 1970.
63. CAPEL-BOUTE, C. *Observations sur les tests chimiques de Piccardi.* Brussels: Presses Académiques Européennes, 1960.
64. CARINGTON, W. *Telepathy.* London: Methuen, 1954.
65. CARRINGTON, H. *Modern Psychical Phenomena.* London: Kegan Paul, 1919.
66. CARSON, R. *The Sea Around Us.* London: Staples Press, 1951. Trad. française: *Cette mer qui nous entoure,* Librairie Stock, Paris.
67. CASTANEDA, C. *The Teachings of Don Juan.* Berkeley: University of California Press, 1968.
68. —. *A Separate Reality.* London: Bodley Head, 1971.
69. CHAUVIN, R. *Animal Societies.* London: Victor Gollancz, 1968.
70. CHAUVIN, R. & GENTHON, J. P. "Eine Untersuchung über die Möglichkeit psychokinetischer Experimente mit Uranium und Geiger-zähler," *Zeitschrift für Parapsychologie und Grenzgebiete der Psychologie 8:* 140, 1965.

71. CHEDD, G. "Mental Medicine," *New Scientist 51:* 560, 1971.
72. CHERTOK, L. "The Evolution of Research into Hypnosis." In *Psychophysiological Mechanisms of Hypnosis.* New York: Springer-Verlag, 1969.
73. CHRISTOPHER, M. *Seers, Psychics and ESP.* London: Cassell, 1971.
74. CLARK, L. B. "Observations on the Palolo," Carnegie Institution of Washington Year Book 37, 1938.
75. CLARK, V. In WEST & TOONDER.
76. COHEN, S. *Drugs of Hallucination.* London: Paladin, 1971.
77. COLE, L. C. "Biological Clock in the Unicorn," *Science 125:* 874, 1957.
78. CONZE, E. *Buddhist Scriptures.* London: Penguin Books, 1959.
79. COTT, J. "The Extrasensory Perception Man," *Rolling Stone,* January 6, 1972.
80. COX, W. E., "The Effect of PK on Electrochemical Systems," *Journal of Parapsychology 29:* 165, 1965.
81. CRASILNECK, H. B. & HALL, J. A. "Physiological Changes Associated with Hypnosis," *Journal of Clinical and Experimental Hypnosis, 7:* 9, 1959.
82. DARWIN, C. *The Expression of Emotions in Man and Animals.* London: Murray, 1873.
83. DAS, N. N. & GASTAUT, H. "Variations de l'activité électrique du cerveau, du cœur et des muscles squelettiques au cours de la méditation et de l'extase yogique," *Electroencephalographic and Clinical Neurophysiology 6:* 211, 1955.
84. DAVID-NEEL, A. *Mystiques et magiciens du Tibet,* Librairie Plon, Paris, 1929.
85. DEAN, E. D. "Plethysmograph Recordings As ESP Responses," *International Journal of Neuro-psychiatry 2:* October 1966.
86. DE LA WARR, G. "Do Plants Feel Emotion?" *Electro Technology,* April 1969.
87. DESMEDT, J. E. *Neurophysiological Mechanisms Controlling Acoustic Input.* Springfield, Ill.: Thomas, 1960.
88. DEWAN, E. M. & ROCK, J. *American Journal of Obstetrics and Gynecology.*
89. DONNE, J. *Devotions.* Part 13, 1620.
90. DRAVNIEK, A. "Identifying People by Their Smell," *New Scientists 28:* 630, 1965.
91. DRIVER, P. M. "Notes on the clicking of Avian Egg Young, with Comments on Its Mechanism and Function," *Ibis 109:* 434, 1967.
92. ECCLES, J. C. *The Neurophysiological Basis of Mind.* Oxford: The Clarendon Press, 1953.
93. EDMONDSTON, W. E. & PESSIN, M. "Hypnosis as Related to Learning and Electrodermal Measures," *American Journal of Clinical Hypnosis 9:* 31, 1966.
94. EDMUNDS, S. *Hypnotism and the Supernormal.* London: Aquarian Press, 1967.
95. EDWARDS, F. "People Who Saw Without Eyes." In *Strange People.* London: Pan Books, 1970.
96. EISENBUD, J. *The World of Ted Serios.* London: Jonathan Cape, 1968.
97. ERICKSON, M. H. "The Induction of Color Blindness by a Technique of Hypnotic Suggestion," *Journal of General Psychology 20:* 61, 1939.

98. EYSENCK, H. "Is Beauty Absolute?" *Perceptual and Motor Skills 32:* 817, 1971.
99. FABRE, I. M. & KAFKA, G. *Einführung in die Tierpsychologie.* Leipzig: Barth, 1913.
100. FAST, J. *Body Language.* London: Souvenir Press, 1971.
101. FISHER, S. "The Role of Expectancy in the Performance of Posthypnotic Behavior," *Journal of Abnormal and Sociological Psychology 49:* 503, 1954.
102. FISHER, W., STURDY, G., RYAN, M. & PUGH, R. "Some Laboratory Studies of Fluctuating Phenomena", In GAUQUELIN, *The Cosmic Clocks.*
103. FODOR, N. In STEIGER.
104. FORWALD, H. "An Approach to Instrumental Investigation of Psychokinesis," *Journal of Parapsychology 18:* 219, 1954.
105. —. "An Experimental Study Suggesting a Relationship Between Psychokinesis and Nuclear Conditions of Matter," *Journal of Parapsychology 23:* 97, 1959.
106. FRANKLIN, K. L., "Radio Waves from Jupiter," *Scientific American 211:* 35, 1964.
107. FRANCQ, E. "Feigned Death in the Opossum," *Dissertation Abstracts 28B:* 2665, 1968.
108. FRENCH, J. D. "The Reticular Formation." In *Handbook of Physiology 1:* 1281, 1960.
109. FRIEDMAN, H., BECKER, R. & BACHMAN, C. "Geomagnetic Parameters and Psychiatric Hospital Admissions," *Nature 200:* 626, 1963.
110. FRNM. "Psi Developments in the URSS," *Bulletin of the Foundation for Research on the Nature of Man 6:* 1967.
111. FUKURAI, T. *Clairvoyance and Thoughtography.* London: Rider & Company, 1931.
112. FYFE, A. *Moon and Plant.* London: Society for Cancer Research, 1968.
113. GARRETT, E. *Adventures in the Supernormal.* New York: Garrett Publishers, 1959.
114. GATLING, W. & RHINE, J. B. "Two Groups of PK Subjects Compared," *Journal of Parapsychology 10:* 120, 1946.
115. GAUQUELIN, M. *L'Influence des astres.* Paris: Dauphin, 1955.
116. —. *Les Hommes et les Astres.* Paris: Denoël, 1960.
117. —. "Note sur le sythme journalier du début du travail de l'accouchement," *Gynécologie et Obstétrique 66:* 231, 1967.
118. —. "Contribution à l'étude de la variation saisonnière du poids des enfants à la naissance," *Population 3:* 544, 1967.
119. —. *The Cosmic Clocks.* London: Peter Owen, 1969.
120. GAUQUELIN, M. & GAUQUELIN, F. *Méthodes pour étudier la répartition des astres dans le mouvement diurne.* Paris: 1957.
121. GEBALLE, T. H. "New Superconductors," *Scientific American,* November 1971.
122. GEIGY, J. R. "Animals Asleep," Documenta Geigy, Basel, 1955.
123. GORER, G. *Exploring English Character.* London: Cresset, 1955.
124. GRAD, B. "A Telekinetic Effect on Plant Growth," *International Journal of Parapsychology 6:* 473, 1964.

125. GRAD, B. "Some Biological Effects of the Laying-on-of-Hands," *Journal of the American Society for Psychical Research 59:* 2, 1965.

126. —. "The Laying-on-of-Hands: Implications for Psychotherapy, Gentling and the Placebo Effect," *Journal of the American Society for Psychical Research 61:* 286, 1967.

127. GRAD, B., CADORET, R. J. & PAUL, G. I. "The Influence of an Unorthodox Method of Treatment on Wound Healing of Mice," *International Journal of Parapsychology 3:* 5, 1961.

128. GREPPIN, L. "Naturwissenschaftliche Betrachtungen über die geistigen Fähigkeiten des Menschen und der Tiere," *Biol. Zentralbl. 31:* 1911.

129. GULYAIEV, P. "Cerebral Electromagnetic Fluids," *International Journal of Parapsychology 7:* 4, 1965.

130. HABER, R. N. "Eidetic images," *Scientific American 220:* 36, 1969.

131. HAECKERT, H. *Lunationsrhythmen des menschlichen Organismus.* Leipzig: Geest und Portig, 1961.

132. HALBERG, F. "The 24 Hour Scale: A Time Dimension of Adaptive Functional Organization," *Perspectives in Biology and Medicine 3:* 491, 1960.

133. HARDY, A. *The Living Stream.* London: Collins, 1965.

134. —. "Biology and ESP." In *Science and ESP.* London: Routledge & Kegan Paul, 1967.

135. HARKER, J. E. "Diurnal Rhytms in *Periplaneta americana* L.," *Nature 173:* 689, 1954.

136. —. "Factors Controlling the Diurnal Rhythms of Activity in *Periplaneta americana* L.," *Journal of Experimental Biology 33:* 224, 1956.

137. —. "Diurnal Rhythms in the Animal Kingdom," *Biological Reviews 33:* 1, 1958.

138. HARTLAND-ROWE, R. "The Biology of a Tropical Mayfly *Povilla adusta* with Special Reference to the Lunar Rhythm of Emergence," *Rev. Zool. et Botan. Afric. 58:* 185, 1958.

139. HASLER, A. D. "Wegweiser für Zugfische," *Naturwissenschaftliche Rundschau 15:* 302, 1962.

140. HAUENSCHILD, C. "Neue experimentelle Untersuchungen zum Problem der Lunarperiodizität," *Naturwiss. 43:* 361, 1956.

141. HAWKING, F "The Clock of the Malarial Parasite," *Scientific American 222:* 123, 1970.

142. HAZELWOOD, J. In STEIGER (309).

143. HEATWOLFE, H., DAVIS, D. M. & WENNER, A. M. "The Behaviour of Megarhyssa," *Zeitschrift für Tierpsychologie 19:* 653, 1962.

144. HEBB, D. O. *The Organization of Behavior.* New York: Wiley, 1949.

145. HEDIGER, H. *The Psychology and Behavior of Animals in Zoos.* New York: Dover Publications, 1968.

146. HEIRTZLER, J. R. "The Longest Electromagnetic Waves," *Scientific American 206:* 128, 1962.

147. HESS, E. H. "Attitude and Pupil Size," *Scientific American,* April 1965.

148. HESS, W. R. *The Functional Organization of the Diencephalon.* New York: Grune & Stratton, 1957.

149. HILGARD, E. R. "The Psychophysiology of Pain Reduction Through Hypnosis." In *Psychophysiological Mechanisms of Hypnosis.* New York: Springer-Verlag, 1969.

150. HILLMAN, W. S. " Injury of Tomato Plants by Continuous Light and Unfavorable Photoperiodic Cycles," *American Journal of Botany 43:* 89, 1956.
151. HILTON, H., BAER, G. & RHINE, J. B. "A Comparison of Three Sizes of Dice in PK Tests," *Journal of Parapsychology 7:* 172, 1943.
152. HITTLEMAN, R. *Guide to Yoga Meditation.* New York: Bantam Books, 1969.
153. HIXSON, J. "Twins Prove Electronic ESP," New York *Herald Tribune,* October 25, 1965.
154. HOSEMANN, H. "Bestehen solare und lunare Einflusse auf die Nativität und den Menstruationszyklus," *Zeitschrift für Geburtshilfe und Gynäkologie 133:* 263, 1950.
155. HUFF, D. *Cycles in Your Life.* London: Victor Gollancz, 1965.
156. HUNTINGTON, E. *Season of Birth, Its Relation to Human Abilities.* New York: John Wiley, 1938.
157. HURKOS, P. *Psychic.* London: Barker, 1962.
158. HUTCHINSON, B. *Your Life in Your Hands.* London: Neville Spearman, 1967.
159. IKEMI, Y. & NAKAGAWA, S. "A Psychosomatic Study of Contagious Dermatitis," *Kyushu Journal of Medical Science 13:* 335, 1962.
160. INGLIS, J. "Abnormalities of Motivation and Ego Functions." In *Handbook of Abnormal Psychology.* London: Pitman Medical, 1960.
161. IVANOV, A. "Soviet Experiments in Eyeless Vision," *International Journal of Parapsychology 6:* 1964.
162. JAHODA, G. *The Psychology of Superstition.* London: Penguin Books, 1970.
163. JAMES, W. *The Principles of Psychology.* New York: Dover Publications, 1950.
164. JEANS, J. *The Mysterious Universe.* New York: Dover Publications, 1968.
165. JEFFRIES, M. "World of Science," London *Evening Standard,* 10 December 1971.
166. JENNY, H. *Cymatics.* Basel: Basilius Press, 1966.
167. —. "Visualising Sound," *Science Journal,* June 1968.
168. JONAS, E. "Predetermining the Sex of a Child." In OSTRANDER & SCHROEDER.
169. KAISER, I. & HALBERG, F. "Circadian Periodic Aspects of Birth," *Annals of the New York Academy of Science 98:* 1056, 1962.
170. KALMUS, H. "Tagesperiodische verlaufende Vorgänge an der Stabheuschrecke und ihre experimentelle Beeinflussung," *Zeitschrift für Vergleichende Physiologie 25:* 494, 1938.
171. KAMMERER, P. *Das Gesetz der Serie.* Stuttgart: Dtsch. Verl-Anst., 1919.
172. KASAMATSU, A. & HIRAI, T. "An Electroencephalographic Study of the Zen Meditation," *Folia Psychiatr. Neurol. Japan. 20:* 4, 1966.
173. KELLEY, C. R. "Psychological Factors in Myopia," *Proceedings of the American Psychological Association,* 31 August 1961.
174. KILNER, W. J. *The Human Atmosphere.* London: Rebman, 1911.
175. KINGDON-WARD, F. D. R. Bates, ed., In *The Planet Earth.* London: Pergamon, 1964.
176. KINZEL, A. F. "The Inner Circle," *Time* magazine, 6 June 1969.

177. KIRCHOFF, H. "Umweltfaktoren und Genitalfunktionen," *Geburtsh. u. Frauenh.* 6: 377, 1939.
178. KIRKBRIDE, K. "ESP Communication for the Space Age," *Science and Mechanics*, August 1969.
179. KNOBLOCH, H. & PASAMANICK, B. "Seasonal Variation in the Birth of the Mentally Deficient," *American Journal of Public Health* 48: 1201, 1958.
180. KNOWLES, E. A. G. "Reports on an Experiment Concerning the Influence of Mind over Matter," *Journal of Parapsychology* 13: 186, 1949.
181. KOLODNY, L. "When Apples Fall," *Pravda* (Moscow), 17 March 1968.
182. KONIG, H. & ANKERMULLER, F. "Ueber den Einfluss besonders niederfrequenter elektrischer Vorgänge in der Atmosphäre auf den Menschen," *Naturwiss.* 21: 483, 1960.
183. KOZYREV, N. "Possibility of Experimental Study of the Properties of Time," JPRS, U. S. Dept. of Commerce 45238, 2 May 1968.
184. KRAUT, J. "Nature's Way," *Time* magazine, 29 November 1971.
185. KRUEGER, A. & SMITH, R. "The Physiological Significance of Positive and Negative Ionization of the Atmosphere." In *Mans Dependence on the Earthly Atmosphere.* New York: Macmillan, 1962.
186. KULLENBERG, B. "Field experiments with Chemical Sex Attractants," *J. Zool. Bidr. fran.* 31: 253, 1956.
187. LANGEN, D. "Peripheral Changes in Blood Circulation During Autogenic Training and Hypnosis." In *Psychophysiological Mechanisms of Hypnosis.* New York: Springer-Verlag, 1969.
188. LAWSON-WOOD, D. & LAWSON-WOOD, J. *Judo Revival Points, Athletes' Points and Posture.* Sussex: Health Science Press, 1965.
189. ——. *Five Elements of Acupuncture and Chinese Massage.* Sussex: Health Science Press, 1966.
190. LEATON, MALIN & FINCH. "The Solar and Luni-solar Variation of the Geomagnetic Field at Greenwich and Abinger," *Observatory Bulletin of Great Britain* 53: 273, 1962.
191. LEES, A. D. "The Role of Photoperiod and Temperature in the Determination of Parthenogenetic and Sexual Forms in the Aphid *Megoura Viciae*," *Journal of Insect Physiology* 3: 92, 1959.
192. LEONIDOV, I "Signals of What?" *Soviet Union* 145: 1962.
193. LETHBRIDGE, T. C. *Ghost and Divining Rod.* London: Routledge & Kegan Paul, 1963.
194. ——. *A Step in the Dark.* London: Routledge & Kegan Paul, 1967.
195. LEWIN, I. *The Effect of Reward on the Experience of Pain.* Detroit: Wayne State University Press, 1965.
196. LEWIS, J. H. & SARBIN, T. R. "Studies in Psychosomatics," *Psychosomatic Medicine* 5: 125, 1943.
197. LEWIS, P. R. & LOBBAN, M. C. "Dissociation of Diurnal Rhythms in Human Subjects on Abnormal Time Routines," *Quarterly Journal of Experimental Physiology* 42: 371, 1957.
198. LINGEMANN, O. "Tuberkulöses lungenbluten und meteorbiologische Einflusse," *Der Tuberkulösarzt* 9: 261, 1955.
199. LISSMANN, H. W. "Electric Location by Fishes," *Scientific American*, March 1963.
200. LISSMANN, H. W. & MACHIN, K. E. "The Mechanism of Object Location in

Gymnarchus Niloticus and Similar Fish, *Journal of Experimental Biology 35:* 451, 1958.

201. LIVINGSTONE, D. *Missionary Travels and Researches in Southern Africa.* London: Murray, 1865.

202. LOOMIS, A. L., HARVEY, E. N. & HOBART, G. "Electrical Potentials of the Human Brain," *Journal of Experimental Psychology 19:* 249, 1936.

203. LORENZ, K. *On Aggression.* London: Methuen, 1966. Trad. française : *L'Agression,* Flammarion, Paris.

204. MABY, J. C. & FRANKLIN, B. T. *The Physics of the Divining Rod.* London: G. Bell & Sons, 1939.

205. MAGNAT, M. "Change of Properties of Water Around 40 °C," *Journal of Physical Radiom. 6:* 108, 1936.

206. MALEK, J., GLEICH, J. & MALY, V. "Characteristics of the Daily Rhythm of Menstruation and Labor," *Annals of the New York Academy of Science 98:* 1042, 1962.

207. MARTINI, R. "Der Einfluss der Sonnentätigkeit auf die Haufung von Umfallen," *Zentral bl. Arbeitsmedizin 2:* 98, 1952.

208. MASHKOVA, V. "Sharpsighted Fingers," *International Journal of Parapsychology 7:* 4, 1965.

209. MAXWELL, N. "The Laughing Man with a Hole in His Chest," London *Sunday Times,* 3 October 1971.

210. MENAKER, W. & A. "Lunar Periodicity in Human Reproduction," *American Journal of Obstétrical Gynecology 78:* 905, 1959.

211. MILECHNIN, A. *Hypnosis.* Bristol: John Wright, 1967.

212. MILES, S. "The Accident Syndrome," *Science Journal 6:* 3, 1970.

213. MINKH, A. A. "Biological and Hygienic Significance of Air Ionization," *Biometeorology Two 2:* 1016, 1967.

214. MIRONOVITCH, V. "Sur l'évolution séculaire de l'activité solaire et ses liaisons avec la circulation générale," *Meteorol. Abhandlungen, 9:* 3, 1960.

215. MIRONOVITCH, V. & VIART, R. "Interruption du courant zonal en Europe occidentale et sa liaison avec l'activité solaire," *Meteorol. Abhandlungen 7:* 3, 1958.

216. MOORE, O. K. "Divination—a New Perspective," *American Anthropologist 59:* 69, 1957.

217. MOORE-ROBINSON, M. "And Puppy Dog Tails," *New Scientist,* 13 November 1969.

218. MORRIS, D. *The Naked Ape.* London: Jonathan Cape, 1967. Trad. française : *Le Singe nu,* Librairie Bernard Grasset, Paris.

219. —. *Intimate Behaviour.* London: Jonathan Cape, 1971. Trad. française : *Le Couple nu,* Librairie Bernard Grasset, Paris.

220. MUSES, C. A. Introduction to *Communication, Organization, and Science,* by J. Rothstein. New York: Falcon's Wing Press, 1958.

221. MYERS, F. W. H. *Human Personality.* London: Longmans, Green & Company, 1963.

222. McBAIN, W. N. "Quasi-sensory Communication," *Journal of Personality and Social Psychology 14:* 281, 1970.

223. McCONNELL, R. A. "Wishing with Dice," *Journal of Experimental Psychology 50:* 269, 1955.

224. McCREERY, C. *Science, Philosophy and ESP.* London: Faber & Faber, 1967.

225. NASA. *Initial Results of the IMP-1 Magnetic Field Experiment.* Greenbelt, Md.: Goddard Space Flight Center, 1964.

226. NATHAN, P. *The Nervous System.* London: Penguin, 1969.

227. NAUMOV, E. "From Telepathy to Telekinesis," *Journal of Paraphysics 2:* 2, 1966.

228. NELSON, J. H. "Shortwave Radio Propagation Correlation with Planetary Positions," *RCA Review 12:* 26, 1951.

229. —. "Planetary Position Effect on Short wave Signal Quality," *Electrical Engineering 71:* 421, 1952.

230. NORTON, A. C., BERAN, A. & MISZAHY, G. A. "Electroencephalography During Feigned Sleep in the Opossum," *Nature 204:* 162, 1964.

231. NOVOMEISKY, A. "The Nature of the Dermo-optic Response," *International Journal of Parapsychology 7:* 4, 1965.

232. NOYCE, W. "The Art of Surviving," London *Sunday Times,* March 1960.

233. OSTRANDER, S. & SCHROEDER, L. *Psychic Discoveries Behind the Iron Curtain.* Englewood Cliffs, N.J.: Prentice-Hall, 1971.

234. OSWALD, I. *Sleep.* London: Penguin Books, 1970.

235. OSWALD, I., TAYLOR, A. M. & TREISMAN, M. "Cortical Function During Human Sleep," *CIBA Symposium on Sleep.* Boston: Little, Brown, 1961.

236. OTANI, S. "A Possible Relationship Between Skin Resistance and ESP Response Patterns." In *Parapsychology Today,* by J. B. Rhine & R. Brier. New York: Citadel, 1968.

237. OWEN, A. R. G. *Can We Explain the Poltergeist?* New York: Garrett Publications, 1964.

238. OWEN, A. R. G. & SIMS, V. *Science and the Spook.* London: Dennis Dobson, 1971.

239. PALMER, J. D. "Organismic Spatial Orientation in Very Weak Magnetic Fields," *Nature 198:* 1061, 1963.

240. PAUWELS, L. & J. BERGIER, *Le Matin des magiciens,* Librairie Gallimard, Paris, 1960.

241. PAVLOV, I. P. *Über die sogenannte Tierhypnose.* Berlin: Akad. Verlag, 1953.

242. PEI, M. *The Story of Language.* London: Allen & Unwin, 1966.

243. PENFIELD, W. & JASPER, H. H. *Epilepsy and the Functional Anatomy of the Human Brain.* London: J. & A. Churchill, 1965.

244. PENGELLEY, E. T. & ASMUNDSEN, S. J. "Annual Biological Clocks," *Scientific American 224:* 72, 1971.

245. PETERSEN, W. *Man, Weather, Sun.* Springfield, Ill.: Thomas, 1947.

246. PICCARDI, G. "Exposé introductif," *Symposium Intern. sur les Rel. Phen. Sol et Terre.* Brussels: Presses Académiques Européennes, 1960.

247. —. *The Chemical Basis of Medical Climatology.* Springfield, Ill.: Thomas, 1962.

248. PITTENDRIGH, C. S. & BRUCE, V. G. "Daily Rhythms As Coupled Oscillator Systems," *Photoperiodism and Related Phenomena in Plants and Animals.* Washington, D.C. : A.A.A.S., 1959.

249. PODSHIBYAKIN, A. K. "Solar Flares and Road Accidents," *New Scientist,* 25 April 1968.

250. POHL, R. "Tagesrhythmik im phototaktischen Verhalten der *Euglena gracilis*," *Zeitschr. für Naturf. 36:* 367, 1948.
251. POPE, A. *An Essay on Man.* Part I. New York: Macmillan, 1966.
252. POPLE, J. "A Theory on the Structure of Water," *Proceedings of the Royal Society A202:* 323, 1950.
253. POUMAILLOUX, J. & VIART, R. "Corrélations possibles entre l'incidence des infarctus du myocarde et l'augmentation des activités solaires et géomagnétiques," *Bull. Acad. Méd. 143:* 167, 1959.
254. PRATT, J. G. "A Reinvestigation of the Quarter Distribution of the PK," *Journal of Parapsychology 8:* 61, 1944.
255. —. "Lawfulness of the Position Effects in the Gibson Cup Series," *Journal of Parapsychology 10:* 243, 1946.
256. —. "Target Preference in PK Tests with Dice," *Journal of Parapsychology 11:* 26, 1947.
257. —. "Rhythms of Success in PK Test Data," *Journal of Parapsychology 11:* 90, 1947.
258. PRATT, J. G. & JACOBSEN, N. "Prediction of ESP Performance on Selected Focusing Effect Targets," *Journal of the American Society for Parapsychological Research 63,* 1969.
259. PROKASKY, W. F. "The Acquisition of Observing Responses in the Absence of Differential External Reinforcement," *Journal of Comparative Physiological Psychology 49:* 131, 1956.
260. PUSHONG, C. A. *The Tarot of the Magi.* London: Regency, 1970.
261. RAIMA, R. A. "The Peculiar Distribution of First Digits," *Scientific American 221:* 109, 1969.
262. RAND CORPORATION. *A Million Random Digits with 100,000 Normal Deviates.* Chicago: Free Press, 1946.
263. RAUDIVE, K. *Breakthrough.* New York: Taplinger, 1971.
264. —. "Voices from Nowhere," *Man, Myth & Magic 87:* 2453, 1971.
265. RAVITZ, L. J. "How Electricity Measures Hypnotis", *Tomorrow 6:* 49, 1958.
266. —. "Periodic Changes in Electromagnetic Fields," *Annals of the New York Academy of Science 96:* 1181, 1960.
267. —. "History, Measurement and Applicability of Periodic Changes in the Electromagnetic Field in Health and Disease," *Annals of the New York Academy of Science 98:* 144, 1962.
268. REEVES, M. P. & RHINE, J. B. "The Psychokinetic Effect: A Study in Declines," *Journal of Parapsychology 7:* 76, 1943.
269. REINBERG, A. & GHATA, J. *Rythmes et cycles biologiques.* Paris: Presses universitaires, 1957.
270. REITER, R. "Wetter und Zahl der Geburten," *Dtch. Med. Wochenschr. 77:* 1606, 1952.
271. REJDAK, Z. "The Kulagina Cine Film," *Journal of Paraphysics 3:* 3, 1969.
272. RHINE, J. B. *Extrasensory Perception.* Boston: Bruce Humphries, 1934.
273. —. "Dice Thrown by Cup and Machine in PK Tests," *Journal of Parapsychology 7:* 207, 1943.
274. RHINE, J. B. & HUMPHREY, B. M. "The PK Effect with Sixty Dice per Throw," *Journal of Parapsychology 9:* 203, 1945.

275. RHINE, L. E. *Mind over Matter*. London: Macmillan, 1970.
276. RICARD, M. *The Mystery of Animal Migration*. London: Paladin, 1971.
277. RICHMOND, N. "Two Series of PK Tests on Paramecia," *Journal of the Society for Psychical Research 36:* 577, 1952.
278. ROBERTS, J. A. "Radio Emission from the Planets," *Planetary Space Science Research 11:* 221, 1963.
279. ROCARD, Y. *New Scientist,* 1966.
280. ROMENSKY, N. V. *Recueil des travaux scientifiques de l'administration des stations thermales et climatériques*. Sotchi, 1960.
281. ROSENFELD, A. "Seeing Colors with the Fingers," *Life,* 12 June 1964.
282. ROSENTHAL, R. *Experimenter Effects in Behavioral Research*. New York: Appleton-Century-Crofts, 1966.
283. ROUGE ET NOIR (a periodical). *Winning at Casino Gaming*. Glen Head, N.Y.: Rouge et Noir, 1966.
284. RUBIN, F. "The Lunar Cycle in Relation to Human Conception and the Sex of Offspring," *Astrological Journal 9:* 4, 1968.
285. RUSSELL, E. W. *Design for Destiny*. London: Neville Spearman, 1971.
286. RYZL, M. "Parapsychology in Communist Countries of Europe," *International Journal of Parapsychology 10:* 3, 1968.
287. —. "New Discoveries in ESP," *Grenzgebiete der Wissenschaft 1:* 1968.
288. RYZL, M. & PRATT, J. G. "The Focusing of ESP upon Particular Targets," *Journal of Parapsychology 27:* 4, 1963.
289. SALISBURY, H. E. *The Soviet Union*. New York: Harcourt Brace Jovanovitch, 1967.
290. SANDERSON, I. T. "Could Ancient Sculptors Soften Stone?" *Fate Magazine,* February 1963.
291. —. "Atta the Telepathic, Teleporting Ant," *Fate Magazine,* May 1963.
292. —. "Let's Investigate Flying Rocks," *Fate Magazine,* September 1963.
293. —. *Uninvited Visitors*. London: Neville Spearman, 1969.
294. SCHAFER, W. "Further Development of the Field Effect Monitor," *Life Sciences: General Dynamics* A67-41582: 125, 1968.
295. SCHMIDT, H. "Mental Influence on Random Events," *New Scientist 50:* 757, 1971.
296. SCHNEIDER, F. "Die Beeinflussung der ultraoptischen Orientierung der Maikäfer durch Veranderung des lokalen Massenverteilungsmusters," *Revue Suisse de Zoologie 71:* 632, 1964.
297. SCHNELLE, F. "Hundert Jahre phänologische Beobachtungen im Rhein-Main Gebiet," *Meteorol. Rundschau 7,* 1950.
298. SCHULTZ, J. H. & LUTHE, W. *Autogenic Training*. New York: Grune & Stratton, 1959.
299. SCHULZ, N. "Les globules blancs des sujets bien portants et les taches solaires," *Toulouse Médical 10:* 741, 1960.
300. —. "Lymphocytoses relatives et activité solaire," *Revue médicale de Nancy,* juin 1961.
301. SCOTT, I. A. *The Lüscher Colour Test*. London: Jonathan Cape, 1970.
302. SEABROOK, W. *Witchcraft*. London: Sphere Books. 1970.
303. SEEDS, N. "A Brain Rewires Itself in a Test Tube," *New Scientist,* 6 January 1972.
304. SHAPIRO, D., TURSKY, B., GERSOHN, E. & STERN, M. "Effects of Feedback

and Reinforcement on the Control of Human Systolic Blood Pressure," *Science 163:* 588, 1969.

305. SINCLAIR-GIEBEN, A. H. C. & CHALMERS, D. "Evaluation of Treatment of Warts by Hypnosis," *Lancet 2:* 480, 1959.

306. SMITH, A. *The Body.* London: Allen & Unwin, 1968.

307. SOAL, S. G. & BATEMAN, F. *Modern Experiments in Telepathy.* London: Faber & Faber, 1954.

308. SOCHUREK, H. "Hot Stuff," *Observer Magazine,* 5 December 1971.

309. STEIGER, B. *ESP: Your Sixth Sense.* New York: Award Books, 1966.

310. STEWARD, F. C. "From Culturel Cells to Whole Plants: The Induction and Control of Their Growth and Morphogenesis," *Proceedings of the Royal Society B175:* 1, 1970.

311. SULLIVAN, W. *We Are Not Alone.* London: Penguin, 1970.

312. TAKATA, M. "Uber eine neue biologisch wirksame Komponente der Sonnen-strahlung," *Archiv Met. Geophys. Bioklimat.* 486, 1951.

313. TAKATA, M. & MURASUGI, T. "Flockungszahlstörungen im gesunden mensch-lichen Serum, kosmoterrestrischer Sympathismus," *Bioklimat. Beibl.* 8: 17, 1941.

314. TAUGHER, V. J. "Hypno-anesthesia," *Wisconsin Medical Journal 57:* 95, 1958.

315. TAYLOR, R. L. "Habitual Short-term Expectancies and Luck," *Journal of General Psychology 76:* 81, 1967.

316. TCHIJEVSKY, A. L. "L'Action de l'activité périodique solaire sur les épidé-mies," *Traité de climatologie biologique et médicale.* Paris: Masson, 1934.

317. TEICHMANN, H. "Das Riechvermögen des Aales," *Naturwiss.* 44: 242, 1957.

318. TEMPEST, W. "Noise Makes Drivers Drunk," London *Observer,* 28 Novem-ber 1971.

319. TERRY, K. D. & TUCKER, W. H. "Biological Effects of Supernovae," *Science 159:* 421.

320. THOMSON, D. "Force Field Detector," *Maclean's Magazine,* September 1968.

321. TINBERGEN, N. *The Study of Instinct.* Oxford University Press, 1951.

322. TRINDER, W. H. *Dowsing.* London: G. Bell & Sons, 1967.

323. TROMP, S. "Review of the Possible Physiological Causes of Dowsing," *International Journal of Parapsychology 10:* 4, 1968.

324. TUCKER, D. W. "A New Solution to the Atlantic Eel Problem," *Nature 183:* 495, 1959.

325. TUNSTALL, J. "Pharaoh's Curse," London *Times,* 14 July 1969.

326. VAN LENNEP, D. J. "Why Some Succeed and Others Fail," *Progress 48:* 270, 1962.

327. VAN OVER, R. (ed.). *I Ching.* New York: New American Library, 1971.

328. VASILIEV, L. L. *Experiments in Mental Suggestion.* Hampshire: Galley Hill Press, 1963.

329. VERNON, J. A. *Inside the Black Room.* London: Penguin, 1966.

330. VINCE, M. A. "Embryonic Communication, Respiration and the Synchroni-sation of Hatching." In *Bird Vocalisations.* Cambridge, Eng.: Cambridge University Press, 1969.

331. VOGRALIK, V. G. "Pinpricks for Health," *Sputnik* (Moscow), July 1969.

332. VOLGYESI, F. A. *Hypnosis in Man and Animals.* London: Baillière, 1966.

333. VON DANIKEN, E. *Chariots of the Gods.* London: Souvenir Press, 1969.

334. WADDINGTON, C. H. *The Strategy of Genes.* London: Allen & Unwin, 1957.
335. WALTER, W. G. *The Living Brain.* London: Penguin, 1961.
336. —. "Voluntary Heart and Pulse Control by Yoga Methods," *International Journal of Parapsychology 5:* 25, 1963.
337. WATSON, L. *The Omnivorous Ape.* New York: Coward-McCann & Geoghegan, 1971.
338. WEBER, J. "The Detection of Gravitational Waves," *Scientific American 224:* 22, 1971.
339. WEST, J. A. & TOONDER, J. G. *The Case for Astrology.* London: Macdonald, 1970.
340. WHITFIELD, G. & BRAMWELL, C. "Palaeoengineering: Birth of a New Science," *New Scientist 52:* 202, 1971.
341. WILLIAMS, H. L., LUBIN, A. & GOODNOW, J. J. "Impaired Performance with Acute Sleep Loss," *Psychological Monographs 73:* 14, 1959.
342. WILSON, C. *The Occult.* London: Hodder & Stoughton, 1971. Trad. française: *L'Occulte,* Editions Albin Michel, Paris, 1973.
343. WILSON, E. D. "Pheromones," *Scientific American,* May 1963.
344. WOOD JONES, F. *The Principles of Anatomy As Seen in the Hand.* London: Baillière, 1946.
345. YAKOLEV, B. "Telepathy Session, Moscow-Novosibirsk," *Sputnik* (Moscow), February 1968.
346. YOUNG, J. Z. *An Introduction to the Study of Man.* London: Oxford University Press, 1971.
347. ZEUNER, F. E. *Dating the Past.* London: Methuen, 1950.

Appendice

BARBER, T. X. et al. (editors). *Biofeedback and Self Control.* Aldine Annuals. Chicago: Aldine-Atherton, 1971.
BURR, H. S. *Blueprint for Immortality.* London: Neville Spearman, 1972.
FREEDLAND, N. *The Occult Explosion.* London: Michael Joseph, 1972.
KARLINS, M. & ANDREWS, L. M., *Biofeedback.* New York: J. B. Lippincott, 1972.

Table

TROISIÈME PARTIE : L'ESPRIT

QUATRIÈME PARTIE : LE TEMPS

La composition
et l'impression de ce livre ont été effectuées
par l'Imprimerie Aubin à Ligugé
pour le Club Pour Vous Hachette

Achevé d'imprimer le 3 juillet 1978
N° d'édition, 3365. N° d'impression, L 10755.
Dépôt légal, 3e trimestre 1978.